Gestion d'une activité
de formation.

La gestion de la formation en entreprise

Pour préserver et accroître le capital compétence de votre organisation

ORGANISATIONS EN CHANGEMENT

Collection sous la direction de Yvan Tellier et Roger Tessier

Spontané et imprévisible, ou intentionnel et planifié, le changement est paradoxalement devenu, à notre époque, l'une des caractéristiques majeures de la vie des organisations.

Ainsi cette collection accordera la priorité à la diffusion d'ouvrages consacrés aux approches participatives du changement planifié, tels le développement organisationnel, les stratégies «qualité», le design sociotechnique et la formation aux habiletés démocratiques de base.

DÉJÀ PARUS

Processus non linéaires d'intervention
Sous la direction de Paul Carle
1998, ISBN 2-7605-0980-X, 184 p.

Négociation en relations du travail
Nouvelles approches
Sous la direction de Pierre Deschênes, Jean-Guy Bergeron, Reynald Bourque et André Briand
1998, ISBN 2-7605-0920-6, 198 p.

**Le développement international
et la gestion de projet**
Guy Noël
1996, ISBN 2-7605-0854-4, 320 p.

Le savoir pratiqué
Savoir et pratique du changement planifié
Roger Tessier
1996, ISBN 2-7605-0818-8, 148 p.

La communication et la gestion
Solange Cormier
1995, ISBN 2-7605-0810-2, 258 p.

La transition en Roumanie
Communications et qualité de la vie
Sous la direction de Roger Tessier
1995, ISBN 2-7605-0804-8, 354 p.

PRESSES DE L'UNIVERSITÉ DU QUÉBEC
Le Delta I, 2875, boulevard Laurier, bureau 450
Sainte-Foy (Québec) G1V 2M2
Téléphone : (418) 657-4399 • Télécopieur : (418) 657-2096
Courriel : puq@puq.uquebec.ca • Internet : www.puq.uquebec.ca

Distribution :

CANADA et autres pays
DISTRIBUTION DE LIVRES UNIVERS S.E.N.C.
845, rue Marie-Victorin, Saint-Nicolas (Québec) G7A 3S8
Téléphone : (418) 831-7474 / 1-800-859-7474 • Télécopieur : (418) 831-4021

FRANCE
DIFFUSION DE L'ÉDITION QUÉBÉCOISE
30, rue Gay-Lussac, 75005 Paris, France
Téléphone : 33 1 43 54 49 02
Télécopieur : 33 1 43 54 39 15

SUISSE
SERVIDIS SA
5, rue des Chaudronniers, CH-1211 Genève 3, Suisse
Téléphone : 022 960 95 25
Télécopieur : 022 776 35 27

La gestion de la formation en entreprise

Pour préserver et accroître le capital compétence de votre organisation

Patrick Rivard

2002

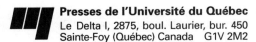

Presses de l'Université du Québec
Le Delta I, 2875, boul. Laurier, bur. 450
Sainte-Foy (Québec) Canada   G1V 2M2

Données de catalogage avant publication (Canada)

Rivard, Patrick

   La gestion de la formation en entreprise : pour préserver et accroître
le capital compétence de votre organisation

   (Collection Organisations en changement)
   Comprend des réf. bibliogr.

   ISBN 2-7605-1072-7

   1. Personnel – Formation. 2. Éducation des adultes. 3. Qualifications professionnelles.
4. Changement organisationnel. I. Titre. II. Collection.

HF5549.5.T7R58 2000   331.25'92   C00-940491-0

Nous reconnaissons l'aide financière du gouvernement du Canada
par l'entremise du Programme d'aide au développement
de l'industrie de l'édition (PADIÉ) pour nos activités d'édition.

Révision linguistique : GISLAINE BARRETTE

Mise en pages : INFO 1000 MOTS INC.

Couverture : RICHARD HODGSON

1 2 3 4 5 6 7 8 9 PUQ 2002 9 8 7 6 5 4 3 2 1

Dépôt légal – 3ᵉ trimestre 2000
Bibliothèque nationale du Québec / Bibliothèque nationale du Canada
Imprimé au Canada

À Catherine,
une collègue, une amie et une complice
dont la flamme et la confiance
sont une source d'inspiration.

À Ariane,
mon soleil qui n'est seulement qu'au prologue
du grand apprentissage de la vie.

TABLE DES MATIÈRES

Chapitre 4
La planification et la conception de la formation

Chapitre 5
La diffusion de la formation

Liste des figures

LISTE DES TABLEAUX

INTRODUCTION

Vivre, c'est changer du temps en expérience.
Caleb GATTEGNO

Nous ne devons arrêter notre exploration,
Notre quête n'aura de cesse
que de retourner à notre point de départ
et de comprendre enfin pour la première fois[1].
Thomas S. ELIOT

La formation est un sujet d'actualité : les gouvernements souli-gnent son rôle essentiel dans la valorisation et le développement de la main-d'œuvre de leur nation, les chefs d'entreprise insis-tent sur son importance pour assurer l'efficacité de leurs opéra-tions et le maintien de leur compétitivité et les syndicats la soutiennent pour accroître les compétences et assurer l'employa-bilité de leurs membres.

Au-delà des discours, on observe que les entreprises ont com-mencé à investir dans le développement de leur main-d'œuvre. Une étude récente[2] de la Fédération canadienne de l'entreprise indépendante révèle qu'à peine 4,2 % des organisations interro-gées n'ont proposé aucune formation à leurs employés au cours de la dernière année. Durant la même période, 61,2 % des entreprises ont déclaré avoir investi plus de 1 % de leur masse salariale en formation.

---

1. Traduction libre de :
   We shall not cease from exploration
   And the end of all our exploring
   Will be to arrive where we started
   And know the place for the first time.
2. Journal *Les Affaires*, samedi, le 7 août 1999, p. 23.

Quoique encourageantes, ces données ne donnent aucune information sur les retombées de ces investissements. Est-ce que les formations qui ont été organisées ont permis de corriger les écarts qui posaient problème? Est-ce que le niveau de compétence des employés s'est accru? Est-ce que la performance de l'organisation a augmenté? Est-ce que le retour sur investissement était suffisant pour justifier les efforts engagés? Ces questions font apparaître deux problèmes reliés à « l'engouement » actuel pour la formation. La formation est souvent vue comme une solution magique pour résoudre la plupart des problèmes. Un gestionnaire a de la difficulté à mobiliser son équipe: on l'envoie suivre un cours de leadership; des employés manquent de motivation: on fait appel à un formateur chevronné et enthousiaste; des résistances se manifestent à l'égard d'une nouvelle procédure: on offre de la formation aux personnes concernées. Peu importe l'écart de rendement identifié, la formation devient le moyen par excellence pour le combler.

Un deuxième problème découlant de cet enthousiasme réside dans le fait que la formation est souvent le seul élément mis de l'avant pour introduire un changement organisationnel. Personne ne contestera qu'elle joue un rôle essentiel dans l'implantation d'un changement requérant de nouvelles façons de faire. Par contre, la formation influence un aspect en particulier des dimensions d'une entreprise, soit la perception des employés de ce qui est attendu d'eux et des compétences requises pour répondre à ces attentes. Les comportements des employés sont affectés par un grand nombre de facteurs supplémentaires, incluant les modes de rémunération et d'intéressement, la répartition des responsabilités et du pouvoir, les méthodes de travail et de coordination ainsi que les politiques en matière de ressources humaines. Trop souvent, le manque de cohérence entre ces divers facteurs rend inutiles ou inefficaces les tentatives de changement planifié, peu importe la formation donnée.

Cette mise au point peut sembler étrange dans un ouvrage qui a pour thème principal la formation. Loin de nous l'intention de dénier la valeur que peut avoir un programme de formation pour une organisation. En fait, la formation occupe une place prépondérante dans le perfectionnement et la valorisation du capital humain d'une entreprise. Que ce soit pour maintenir la compétence des employés, pour faciliter l'implantation d'un changement important, pour inculquer de nouvelles façons de procéder ou pour accroître la polyvalence des employés, la formation peut et doit jouer un rôle stratégique. Toutefois, comme pour toute autre chose, la formation a des limites et ne peut être considérée comme le remède à tous les maux d'une organisation. C'est donc avec pragmatisme et sens critique que nous allons aborder la gestion de la formation en entreprise.

L'orientation de cet ouvrage

Au cours de la dernière décennie, les pratiques de formation en entreprise ont progressivement changé. Dans de nombreux cas, la responsabilité d'élargir les compétences a quitté le traditionnel service de formation, subordonné à la direction des ressources humaines, pour se démocratiser. Dans l'optique de rendre la formation plus pratique et mieux adaptée, la gestion de cette importante fonction a progressivement été confiée aux gestionnaires et même aux employés. Dans un tel contexte, le rôle de la direction des ressources humaines consiste davantage à soutenir et à conseiller les gestionnaires dans la gestion de la formation. Avec la réduction importante des effectifs dans les fonctions conseils (*staff*), cette tendance s'observe également dans la plupart des autres dimensions de gestion des ressources humaines.

Le présent ouvrage vise à refléter, un tant soit peu, cette nouvelle réalité. Basé sur une approche globale, pratique et simple pour gérer la formation, il propose de nombreux outils et procédures pour analyser des besoins, planifier et diffuser des activités de formation ainsi que pour évaluer et offrir un suivi à la formation au sein d'une organisation. L'approche privilégiée s'inspire des principes d'andragogie (la formation des adultes) et s'inscrit dans une optique de développement organisationnel, afin d'offrir une meilleure intégration de la formation aux pratiques de gestion qui existent dans l'organisation.

Cet ouvrage s'adresse donc à des gestionnaires de tous les échelons, à des formateurs internes, aux personnes œuvrant en ressources humaines et en formation au sein d'une organisation ainsi qu'à des consultants et des formateurs externes qui offrent des services liés à la formation. Tous y trouveront des renseignements précieux pour assurer l'efficacité et l'efficience de leurs programmes de formation.

CHAPITRE 1

La formation en entreprise

Notre refus d'investir des sommes d'argent
dans le développement d'une main-d'œuvre qualifiée se révèle
dans le grand nombre de personnes
qui ne peuvent être embauchées.
Herbert E. STRINER

Le changement fait partie intégrante de la vie,
et ceux qui s'attardent uniquement au passé ou au présent
sont certains de manquer l'avenir[1].
John F. KENNEDY

Le phénomène de formation en entreprise n'est pas nouveau. Au Moyen Âge, par exemple, les artisans prenaient soin de choisir et d'entraîner correctement leurs apprentis. Par la suite, la révolution industrielle et le taylorisme ont tous deux conduit à une réduction de la charge de formation, en diminuant d'autant les besoins d'apprentissage des artisans devenus ouvriers. L'accent était alors mis sur la simplification des procédés de travail et la recherche de méthodes de travail idéales (le *one best way*).

La complexification des emplois et la rapidité d'évolution de la technologie en cette fin de millénaire ont fait que la formation est redevenue plus importante. Le gouvernement du

---

1. Traduction libre de :
   Change is the law of life
   and those who look only to the past or to the present
   are certain to miss the future.

Québec[2], comme celui de nombreux autres États, a légiféré pour obliger les entreprises à investir dans la formation ; l'objectif exprimé est alors « d'améliorer la qualification de la main-d'œuvre, favorisant ainsi l'emploi, l'adaptation et l'insertion en emploi, ainsi que la mobilité de la main-d'œuvre » (Emploi-Québec, 1998). En fait, il s'agit d'une façon de s'assurer que l'importance de la formation ne soit pas seulement relevée dans les discours, mais qu'elle se traduise concrètement par des actions visant à accroître les compétences des travailleurs.

Ces remarques nous amènent à nous interroger sur les tendances et les forces qui incitent à accorder une telle importance à la formation. Au-delà de la volonté légitime d'accroître les compétences de la main-d'œuvre, qu'est-ce qui pousse les gouvernements et les entreprises à investir de plus en plus en formation ?

1. Le capital compétence

Au cours des dernières années, plusieurs nouvelles expressions sont apparues pour décrire l'importance des ressources humaines au sein des entreprises. Pensons, par exemple, aux concepts de « capital humain » et de « capital compétence » qui traduisent bien l'importance qu'ont acquise les habiletés des employés dans ce qu'on appelle « une économie du savoir ». En parallèle ont également surgi des concepts comme la gestion des savoirs, la gestion des compétences et la gestion de l'innovation.

Le capital compétence pourrait être défini comme l'ensemble des connaissances, habiletés et attitudes des employés au sein d'une organisation. Bommensath (1987) distingue la compétence des hommes des compétences clés de l'organisation (capacité et force particulière, avantage concurrentiel, brevets et innovations, etc.). Bassi (1997) souligne, pour sa part, que la particularité du premier est que, contrairement à l'actif matériel, ce capital compétence demeure la propriété des personnes qui le possèdent et qu'il peut être une source continuelle de créativité et d'innovations. La compétence collective organisationnelle pourrait, quant à elle, être valorisée, formalisée et diffusée par l'organisation.

---

2. Au Québec, le gouvernement a adopté, en juin 1995, la _Loi favorisant le développement de la formation de la main-d'œuvre_ (communément appelée Loi 90 ou loi du 1 %). Cette loi oblige tout employeur dont la masse salariale excède 250 000 $ à investir un montant représentant au moins 1 % de cette masse salariale en formation.

1.1. La dynamique régissant le capital compétence

Ces considérations nous amènent à voir le capital compétence comme étant en constante évolution. On ne pourrait donc pas simplement qualifier la compétence collective de l'entreprise comme étant la somme des compétences individuelles de chaque employé. La valeur de ce capital ne dépend pas tant de ses éléments constitutifs que de la qualité des combinaisons et des interactions de ceux-ci. Le Boterf (1997) affirme, à juste titre, que c'est cette synergie qui est difficile à copier par les concurrents et qui a donc intérêt à être cultivée pour procurer un avantage concurrentiel.

L'évolution du capital compétence serait, selon Bouteiller (1997), influencée par deux phénomènes qui font en sorte que sa valeur et sa pertinence diminuent progressivement avec le temps : la loi de l'obsolescence et l'inflation des compétences requises.

1.1.1. La loi de l'obsolescence

Les compétences acquises dans une entreprise sont « dégradables », c'est-à-dire qu'elles perdent progressivement leur pertinence et leur utilité jusqu'à ce qu'elles deviennent complètement obsolètes. Par exemple, les employés de bureau qui maîtrisaient le logiciel de traitement de texte WordPerfect® en environnement DOS® ont vu leurs habiletés devenir obsolètes et avec l'arrivée de MS Word® en environnement Windows®.

Le caractère périssable du savoir est relié à plusieurs facteurs.

–   *Évolution technologique.* Chaque innovation, chaque avancement technologique impose l'acquisition de nouvelles connaissances et habiletés.

–   *Non-utilisation.* Un savoir non utilisé va rapidement devenir périmé et même disparaître dans un laps de temps relativement court.

–   *Perte.* Un taux élevé de roulement des ressources humaines ou la mise à la retraite d'un grand nombre d'employés ont souvent pour conséquence une grande perte de savoir-faire pour l'organisation.

–   *« Vol ».* L'absence de protection des compétences clés de l'organisation, que ce soit par des brevets ou des mécanismes de défense des avantages concurrentiels, peut entraîner une fuite des compétences à l'extérieur de l'organisation.

– *Manque de partage*. La mauvaise transmission et gestion des compétences à l'intérieur d'une organisation accélèrent la non-utilisation ou la perte des compétences.

Selon ses caractéristiques propres et le contexte dans lequel elle évolue, chaque compétence aurait son propre cycle de vie.

– Certaines ont un *cycle relativement court* et peuvent rapidement devenir inutilisables suivant le rythme d'évolution de leurs domaines d'application. Des connaissances informatiques, comme celles que nous venons de voir, auront une durée de vie de trois à six ans ; une compétence technique à faire fonctionner tel type de machine-outil pourra peut être « survivre » de cinq à 15 ans.

– D'autres vont avoir un *cycle de vie très long* et pourront conserver leur pertinence dans des contextes très variés. Des compétences en gestion (prise de décision, leadership, animation de réunions, etc.) et des habiletés de résolution de problèmes pourront demeurer utiles et pertinentes durant toute la vie active d'un travailleur. Il va sans dire que des mises à jour périodiques seront nécessaires pour maintenir leur pleine valeur, et ce, en se tenant au courant des nouvelles approches et façons de faire.

– Enfin, certaines compétences vont connaître une *fin brutale* et devenir obsolètes par un changement technologique. On a beaucoup entendu parler des typographes qui ont complètement perdu leur raison d'être avec la venue des procédés informatisés d'impression. Il y a plus longtemps encore, les forgerons ont subi un sort semblable avec l'invention de l'automobile. Ces événements, plus rares, sont néanmoins plus dramatiques et difficiles à vivre pour les travailleurs concernés.

Dans tous les cas, chaque compétence composant le capital compétence de l'entreprise se dégrade progressivement et, si rien n'est fait pour la mettre à jour, la développer ou la remplacer, elle perd inexorablement de sa pertinence et de son utilité. Cette tendance à la baisse est exprimée par la courbe inférieure tracée sur la figure 1.1.

Figure 1.1
**Tendances augmentant la non-compétence
au sein des organisations**

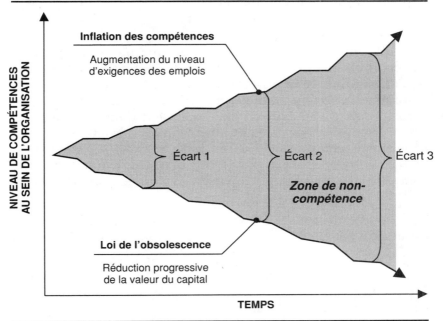

Source : Figure adaptée de D. Bouteiller (1997). « Le syndrome du crocodile et le défi de l'apprentissage continu », *Gestion, Revue internationale de gestion*, vol. 22, n° 3, p. 14-25 (reproduction avec l'autorisation de l'éditeur).

1.1.2. L'inflation des compétences requises

Avec le temps, les emplois deviennent de plus en plus complexes et requièrent des connaissances de plus en plus poussées. Les changements planifiés dans l'organisation apportent chaque fois de nouvelles exigences en termes d'habiletés et de connaissances. Celles-ci s'additionnent et augmentent progressivement le niveau de compétences attendu des travailleurs. Par exemple, suite à l'implantation d'un système de gestion de la qualité, on exige de nombreux travailleurs dans le domaine manufacturier d'avoir des habiletés de résolution de problèmes et de travail en équipe, en plus de connaître leur travail.

« À chaque changement [...] se trouve associé un nouveau profil de compétences porteur d'exigences précises en matière de connaissances à assimiler, d'habiletés à maîtriser et de comportements à privilégier » (Bouteiller, 1997, p. 18). Le suivi des non-conformités dans un système ISO-9000 implique une capacité à diagnostiquer des problèmes et à en faire rapport ; la mise sur pied d'un réseau informatique et d'un intranet exige que tous les employés aient une connaissance des nouveaux logiciels ; la décentralisation de la prise de décision et la création d'équipes autonomes exige des employés concernés des habiletés conceptuelles et de prises de décision ; l'adoption d'une approche de gestion plus participative requiert des habiletés d'écoute et d'accompagnement professionnel (*coaching*) de la part des gestionnaires et des superviseurs. Larouche (1997) dresse, à ce sujet, une liste complète des nouvelles compétences valorisées aujourd'hui au sein des organisations.

Cette tendance à la hausse du niveau de compétences requis est illustré par la courbe supérieure reproduite sur la figure 1.1.

Bouteiller appelle la dynamique inexorable de ces deux tendances : « le syndrome du crocodile[3] ». Plus le temps passe, plus l'écart entre le niveau d'exigence des emplois et la valeur du capital compétence se creuse (écart 1, écart 2 et écart 3).

> Plus l'écart à combler sera important : plus cela va prendre du temps à remonter la pente ; plus les coûts engendrés pour remonter seront élevés ; moins les chances sont grandes de parvenir à combler les écarts en totalité ; plus les coûts directs et indirects de la non-compétence accumulée auront des chances de se matérialiser ; et plus l'entreprise ou l'individu auront été vulnérables longtemps. (Bouteiller, 1997, p. 18.)

Les organisations qui ne tiennent pas compte de ces tendances, que ce soit en n'exerçant pas de suivi de leur capital compétence ou en négligeant de corriger les écarts, se rendent extrêmement vulnérables lors de périodes difficiles. Durant les

---

3. Avec la métaphore du crocodile, Bouteiller compare l'accroissement de l'écart entre le niveau d'exigence des emplois et la valeur du capital compétence à la gueule de l'animal qui s'ouvre progressivement et les conséquences fatales qui peuvent en découler. Au début, le crocodile n'est pas dangereux, mais plus sa gueule s'ouvre, plus il est menaçant et difficile à maîtriser jusqu'à ce qu'inexorablement sa gueule se referme brusquement pouvant entraîner du même coup la faillite de l'entreprise.

périodes de récession, les médias rapportent continuellement des cas d'entreprises devant fermer leurs portes parce qu'elles ne sont plus compétitives.

1.2. Les canaux de développement du capital compétence

Consciente d'un tel phénomène, une organisation se doit d'agir et de bien cibler les actions correctrices qui permettront de réduire les écarts et de conserver le niveau de compétences désiré. La conservation et l'accroissement du capital compétence de l'entreprise doivent donc être une préoccupation constante, autant sur les plans stratégique qu'opérationnel. Il existe quatre canaux pouvant être empruntés par une organisation pour y arriver : la formation, l'autoformation, l'organisation qualifiante et la gestion des compétences.

1.2.1. La formation

La formation constitue un ensemble d'activités d'apprentissage planifiés visant l'acquisition de savoirs (connaissances, habiletés et attitudes) propres à faciliter l'adaptation des individus et des groupes à leur environnement socioprofessionnel ainsi que la réalisation des objectifs d'efficacité de l'organisation[4]. La formation naît d'un besoin organisationnel et vise normalement l'atteinte d'objectifs précis pour un groupe d'employés donné. Comme elle s'inscrit dans un processus structuré, elle demeure une activité discontinue dans le temps et l'espace[5].

Le présent ouvrage concentre son attention sur ce moyen pour préserver et accroître le capital compétence de l'organisation. Par rapport aux trois autres canaux, la formation met l'accent sur la planification d'activités structurées visant l'élimination d'un écart identifié. C'est dans cette optique que l'on peut parler de gestion de la formation, gestion impliquant notamment des activités d'analyse, de décision, de planification, d'organisation, d'évaluation

---

4. Définition inspirée de BÉLANGER et collab. (1988), p. 229.

5. Comme l'affirme, à juste titre, BOUTEILLER (1997), la formation a trop souvent été qualifiée abusivement de « continue ». Elle ne peut l'être, car il est impossible, et ce serait de toute façon inefficace, pour une organisation de mobiliser les ressources humaines et financières pour planifier et maintenir des programmes de formation pour ses employés sur une base continue. C'est ce qui amène Bouteiller à affirmer que ce n'est pas la formation qui doit être continue, mais plutôt l'apprentissage.

et de suivi. Nous décrirons plus loin dans ce chapitre les quatre grandes phases que comporte une gestion efficace de la formation en entreprise.

1.2.2. L'autoformation

Hatcher (1997) définit l'autoformation comme étant le processus par lequel un apprenant assume la responsabilité de sa propre démarche d'apprentissage, incluant l'identification de ses besoins de perfectionnement, l'élaboration de ses objectifs d'apprentissage, la recherche des ressources et l'évaluation des acquis. À ce titre, l'autoformation serait caractérisée, selon Foucher (1996), par quatre éléments importants :

- la _responsabilité_ de l'individu à l'égard de sa propre formation ;

- son _initiative_ ou sa volonté d'agir de son propre chef ;

- son _autonomie_ dans la sélection des contenus, des objectifs, des ressources et des critères d'évaluation de la formation ;

- le _caractère plus ou moins planifiées_ des activités de formation (par opposition à l'apprentissage spontané qui serait plutôt du ressort de l'organisation qualifiante).

L'autoformation procède d'un besoin individuel (par opposition à la formation qui vient avant tout d'un besoin organisationnel) et son apprentissage est généralement structuré. Elle implique une responsabilisation de l'individu dans le développement de ses propres compétences. Par conséquent, elle est favorisée par une culture qui incite et valorise l'acquisition de connaissances et par un système qui donne accès à des ressources de perfectionnement.

L'autoformation peut consister, pour l'apprenant, à développer ses habiletés en cherchant par lui-même des réponses à ses questions. Cette recherche est grandement facilitée lorsque l'organisation utilise différentes stratégies, telles que la création d'un centre de documentation, l'implantation d'un programme de _coaching_ ou de mentorat, l'organisation de groupes d'échange ou cercles de gestion, etc. L'autoformation peut également prendre la forme d'un programme structuré individuel accessible à l'apprenant pour qu'il augmente ses qualifications. Pour ce faire, les organisations peuvent mettre à la disposition des employés des logiciels d'enseignement multimédias, des cours de formation à distance, des vidéos de formation, etc.

1.2.3. L'organisation qualifiante[6]

L'organisation qualifiante cherche par la conception de ses fonctions, par son fonctionnement et par son système de reconnaissance à développer et à utiliser pleinement et de façon continue son capital compétence (Cadin et Amadieu, 1997). Pour cela, elle doit avoir la capacité de créer, d'acquérir et d'appliquer de nouveaux savoirs sur une base continue tout en élaborant et en adaptant les systèmes et les compétences en fonction de ceux-ci. Garvin (cité dans Athey et Orth, 1999) énumère cinq activités inhérentes à ce type d'organisation :

- un processsus de résolution de problème systématique ;
- une ouverture à l'expérimentation ;
- une capacité d'apprendre d'expériences passées ;
- une capacité d'apprendre des autres ;
- une aptitude à mettre en application les apprentissages.

Cette approche, beaucoup plus ambitieuse, fait du travail lui-même une source d'apprentissage continu. Darvogne et Noyé (1993) établissent cinq lois qui, lorsqu'elles sont respectées, vont favoriser la création d'une organisation qualifiante :

- on apprend au travail si le travail a un sens ;
- on apprend par le travail si l'on se donne des objectifs de performance ambitieux ;
- on apprend si la situation de travail appelle et active les processus cognitifs ;
- on apprend au travail les uns des autres ;
- on apprend au travail en y prenant des responsabilités.

---

6. Nous considérons que le concept d'organisation qualifiante se compare à celui d'organisation apprenante (*learning organization*), en ce sens qu'il vise à créer un système suscitant la réflexion et l'apprentissage à tous les niveaux et dans toutes les fonctions de l'organisation. Dans son essence, cette approche dissocier directement aux approches traditionnelles de division du travail (taylorisme, fordisme, wébérisme) qui cherchent plutôt à scinder la conception de la réalisation du travail.

L'organisation qualifiante implique généralement de revoir l'organisation du travail, de décentraliser les responsabilités et les pouvoirs de décision, et de réexaminer les systèmes de rémunération et de réaffectation. De plus, pour qu'une organisation devienne qualifiante, il importe de promouvoir une culture qui considère les erreurs comme une source d'apprentissage et non comme des actions à condamner et à punir.

Le défi réside dans l'affranchissement de la double contrainte (*double-bind*) que vivent les employés qui voient bien qu'il y a un problème dans les procédés de travail, mais hésitent à le signaler de peur d'être blâmé ou réprimandé par un superviseur ou un employé en autorité. L'exemple classique est un employé travaillant sur une chaîne de montage qui remarque un défaut important dans la production, mais qui ne prend pas sur lui de stopper la chaîne de peur de se faire reprocher de ralentir la production. Plutôt que de rendre chaque travailleur responsable de l'amélioration de la production, cette fonction est laissée à un département de contrôle de qualité situé plus loin dans la ligne de production. Il va sans dire que, dans un tel contexte, où l'initiative et l'autonomie sont découragées, le travail sur la chaîne n'aura jamais une valeur d'apprentissage.

Argyris (1977) et Senge (1990) soulignent que, pour qu'une organisation soit qualifiante, il ne s'agit pas seulement de faciliter la résolution de problèmes ou l'adaptation aux changements (*single-loop learning*). Il faut en plus et surtout créer un environnement qui permet de remettre en question les politiques, les objectifs et les décisions de la direction pour y apporter des solutions créatives et nouvelles (*double-loop learning*).

1.2.4. La gestion des compétences

La complexification des organisations et des savoirs exigés requièrent non seulement un apprentissage continu tel que prôné par l'organisation qualifiante, mais également de savoir agencer le réseau de compétences disponibles pour minimiser les pertes et maximiser leur transmission dans une organisation optimale en termes de coûts et de bénéfices. Le Boterf (1997) définit cette capacité par l'habileté d'une organisation à mobiliser et à combiner les compétences disponibles auprès de ses différents acteurs.

Pour qu'il y ait un bon maillage et une mobilisation des compétences dans une organisation, celle-ci doit avoir accès aux compétences requises et les organiser de manière à atteindre ses objectifs.

1.2.4.1. L'accès aux compétences

Les compétences peuvent être disponibles au sein de l'organisation ou à l'externe. L'accès à l'interne implique une bonne connaissance du capital compétence disponible et la préservation de ces compétences. Nous verrons un peu plus loin dans ce chapitre comment une approche par compétence peut contribuer à la connaissance des compétences collectives d'une organisation. La préservation des compétences, pour sa part, est une variable considérée de plus en plus stratégique dans une économie du savoir. Dans les industries des nouvelles technologies, les programmes d'intéressement (monétaires ou non) rivalisent d'ingéniosité pour retenir les employés aux compétences très recherchées. Bommensath (1987) est d'avis que, pour conserver les compétences de ses ressources humaines, une organisation doit veiller à ce que :

- les employés demeurent à son emploi ;

- leurs compétences soient régulièrement entretenues et améliorées par la formation et l'autoformation ;

- la transmission des compétences entre les anciens et les nouveaux employés soit bonne et continuelle.

Comme une organisation ne peut avoir en son sein l'ensemble des compétences qui lui sont nécessaires pour mener ces activités, l'accès à des compétences externes s'avèrent donc aussi important. Pour avoir accès à ces compétences externes, les organisations doivent créer des réseaux de partenaires et de fournisseurs qui leur offrent diverses ressources dans une variété de domaines d'expertise. On observe dans plusieurs organisations que ces réseaux, beaucoup plus que de simples ententes client-fournisseur, deviennent des maillages d'affaires à long terme où le partage des compétences est intense.

1.2.4.2. L'organisation des compétences

Pour tirer pleinement parti de la conjugaison des compétences, une organisation doit instaurer une culture de coopération. Les cloisons et les freins à la circulation des savoirs disponibles doivent être éliminés pour laisser place à un partage et à une valorisation des compétences. Le Boterf (1997) considère que, pour tirer pleinement profit du capital compétence de l'organisation, deux conditions sont essentielles :

– _Avoir des références et un langage communs._ Pour avoir une représentation commune d'un problème ou d'un objectif à atteindre, il est important d'envisager la problématique à partir d'un point de vue semblable. Les acteurs concernés doivent donc partager un même référentiel et utiliser un langage opérationnel commun.

– _Avoir un bassin de compétences._ En l'absence d'une variété de connaissances et d'habiletés, la synergie entre individus devient impossible et le capital compétence se limite à la somme des savoirs individuels. C'est pour bénéficier de la complémentarité des compétences que la coopération est si importante.

La figure 1.2 présente les quatre canaux de développement du capital compétence en les reproduisant sur deux axes. L'axe horizontal permet de distinguer le niveau de structure de l'apprentissage. Alors que la formation et l'autoformation permettent d'apprendre de façon relativement structurée avant et durant le moment où le savoir est requis, l'organisation qualifiante et la gestion des compétences rendent cet apprentissage possible durant et après ce moment[7]. Dans ce deuxième cas, l'apprentissage ne peut être structuré au préalable et peut être formalisé seulement une fois acquis.

L'axe vertical indique, pour sa part, le type de besoin qui pousse à développer des compétences. Dans le cas de la formation et de la gestion des compétences, l'action est enclenchée sur le plan organisationnel après qu'on a relevé un écart à combler. L'autoformation et l'organisation qualifiante viennent plutôt répondre à des besoins perçus sur le plan individuel.

---

7. Selon GALAGAN (1997), on apprend :
   – _avant_, lorsqu'on s'instruit sur la meilleure façon de faire connue à ce jour ;
   – _pendant_, lorsqu'on adapte et qu'on revoit sa façon de faire selon la situation dans laquelle on se trouve ;
   – _après_, lorsqu'on analyse la situation passée et qu'on découvre une façon de faire plus appropriée.

Figure 1.2
Canaux de développement du capital compétence

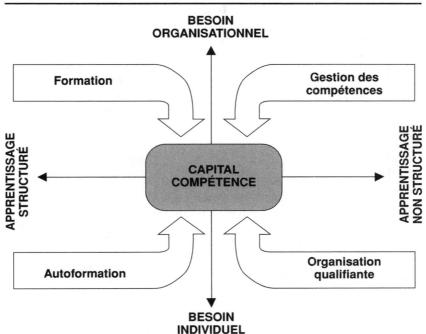

2. La formation dans une perspective stratégique

Nous avons vu que la formation est un des canaux importants pour préserver et accroître le capital compétence de l'entreprise. Longtemps organisée en vue de répondre à des besoins criants et à des impératifs techniques, la formation tend aujourd'hui à être vue de façon plus stratégique. On ne peut plus rechercher l'excellence et la performance à travers les seules dimensions technique et économique (mécanisation, informatisation, automatisation, puis intégration des opérations). On l'entend dans les discours des chefs d'entreprise et on le lit dans les rapports annuels : l'être humain est l'élément clé du succès des organisations et doit donc reprendre la place qui lui revient.

Figure 1.2 (suite)
Canaux de développement du capital compétence

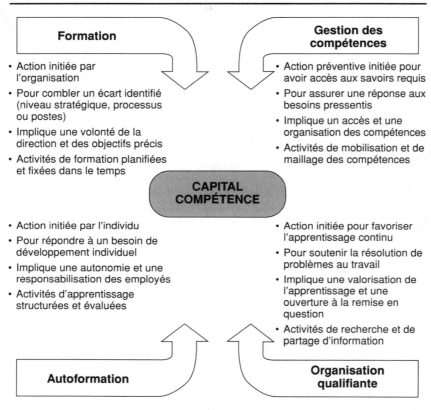

Formation

- Action initiée par l'organisation
- Pour combler un écart identifié (niveau stratégique, processus ou postes)
- Implique une volonté de la direction et des objectifs précis
- Activités de formation planifiées et fixées dans le temps

Gestion des compétences

- Action préventive initiée pour avoir accès aux savoirs requis
- Pour assurer une réponse aux besoins pressentis
- Implique un accès et une organisation des compétences
- Activités de mobilisation et de maillage des compétences

CAPITAL COMPÉTENCE

- Action initiée par l'individu
- Pour répondre à un besoin de développement individuel
- Implique une autonomie et une responsabilisation des employés
- Activités d'apprentissage structurées et évaluées

- Action initiée pour favoriser l'apprentissage continu
- Pour soutenir la résolution de problèmes au travail
- Implique une valorisation de l'apprentissage et une ouverture à la remise en question
- Activités de recherche et de partage d'information

Autoformation

Organisation qualifiante

Malheureusement, cette préoccupation, si elle est bien présente dans les discours, ne se concrétise pas souvent dans l'action. Des décisions importantes sont prises sans que l'on ait supputé toutes leurs conséquences sur les employés de l'organisation. La cohérence entre elles des différentes actions de gestion est essentielle pour assurer une direction claire et comprise de tous; pourtant, les cas sont nombreux où cette règle de base n'est pas respectée. Par exemple, une organisation réduit de moitié le personnel de son service de suivi auprès de la clientèle, alors qu'il vient de lancer une campagne de communication interne sur l'importance du client; une entreprise décide de revoir son processus de production de façon unilatérale après avoir formé son personnel cadre et ses employés à une approche de gestion participative. Dans chacun de ces cas, des actions correctrices peuvent être prises après avoir constaté les impacts dramatiques et contre-productifs de telles décisions ; mais la réparation n'a jamais été aussi efficace que la prévention.

Pour être utilisée de façon stratégique, la formation ne doit pas être qu' un outil d'amélioration des compétences techniques ou qu'un moyen pour répondre de façon réactive aux problèmes qui se posent. Le développement du capital compétence doit être pris en considération à tous les niveaux de l'organisation.

- La *direction de l'organisation* doit être sensible aux besoins de formation qui pourraient apparaître après l'adoption d'une nouvelle orientation stratégique (produit, marché, positionnement, etc.) ou d'une décision de gestion (opération, politique, procédure, approche de gestion, etc.).

- Les *services de soutien* (*staff*) doivent être conscients que leurs actions ont presque immanquablement une influence sur le niveau de compétences requis : un département d'ingénierie revoit le processus de production ou implante une démarche de gestion de la qualité ; un service des ressources humaines met en place un nouveau système de gestion de la performance ou une nouvelle politique sur le harcèlement sexuel ; une équipe de recherche et développement met au point une nouvelle procédure de traitement des produits toxiques ; un département de marketing lance une stratégie de mise en marché ou identifie les dimensions sur lesquelles il faut mettre l'accent pour servir le client ; etc. Dans chacun des cas, une partie ou l'ensemble des employés de l'organisation se verront imposer de nouvelles façons de faire, ce qui crée presque invariablement un besoin de formation.

- Les *cadres intermédiaires* (*line*) doivent se considérer en bonne partie responsables de la conservation du capital compétence de leur équipe. Ayant pour responsabilité de susciter la mobilisation de leurs employés, les gestionnaires doivent s'assurer que ceux-ci possèdent toutes les compétences pour accomplir le travail que l'on attend d'eux[8]. Les cadres intermédiaires devraient minimalement être impliqués dans l'identification des besoins de formation de leurs subordonnés ainsi que dans l'évaluation et le soutien au transfert des apprentissages. De plus en plus, ils sont également amenés à jouer un rôle dans la planification, la conception et la diffusion de la formation.

– Les *employés* doivent prendre des initiatives pour aller chercher les connaissances et les habiletés dont ils ont besoin pour accomplir leur travail. De la même façon qu'ils peuvent être impliqués dans un processus d'amélioration de la qualité, les employés peuvent être à l'affût de leurs besoins de formation et se soutenir mutuellement dans l'acquisition de nouvelles compétences.

C'est avec une telle préoccupation à tous les échelons de l'organisation que la formation peut réellement être considérée dans une perspective stratégique. En adoptant une telle perspective, la formation s'inscrit à l'intérieur même des différentes décisions prises et des processus d'amélioration continue. Le tableau 1.1 met en relief la distinction entre une perspective traditionnelle et une perspective stratégique de la formation.

Dans une perspective stratégique, la formation s'inscrit dans le cadre du développement organisationnel. Le point de départ n'est pas le thème de la formation, mais plutôt les implications des changements planifiés. Le cas de Soudex présenté ci-après montrent comment l'intégration de la formation au développement organisationnel est essentielle à son efficacité.

---

8. De fait, KINLAW (1996) considère la compétence comme une des quatre conditions pour obtenir l'engagement des employés avec la clarté, l'influence et l'appréciation.

Tableau 1.1
Caractéristiques d'une perspective stratégique de la formation en entreprise

	Perspective traditionnelle	Perspective stratégique
Source des besoins identifiés	– une nouvelle pratique de gestion adoptée par la direction (*buzzword*), – l'individu et son poste ou une tâche précise.	– les orientations de l'organisation, les objectifs de performance et le niveau de rendement existant, – les responsabilités et les processus de travail.
Résultats visés	– apprentissage d'ordre général, – sensibilisation des participants.	– apprentissage spécifique pour combler les écarts relevés, – amélioration continue des processus.
Personnes concernées	– participants et formateur.	– tous les acteurs impliqués (direction générale, formateur, participants, supérieur immédiat, pairs, clients, fournisseurs, etc.).
Sous la responsabilité	– des fonctions conseils (habituellement la direction des ressources humaines).	– des fonctions conseils et des opérations (les gestionnaires et les employés concernés).
Conception	– axée sur des connaissances générales ou techniques, – tirée de programmes existants et calquée sur le modèle scolaire.	– axée sur l'acquisition de savoirs précis, – tirée de l'expérience des participants et suivant une approche andragogique.
Méthodes et techniques d'enseignement	– formation « sur le tas », – sessions publiques standardisées.	– formation sur mesure, – méthodes adaptées aux types de savoir à enseigner.
Évaluation	– satisfaction générale du participant, – évaluation des apprentissages par le formateur.	– évaluation du transfert des acquis par le gestionnaire, – mesure des effets sur l'organisation.

Cas : L'avant-garde technologique chez Soudex

Soudex est soucieuse de demeurer à l'avant-garde des techniques de soudage et de travail des métaux. C'est pourquoi elle inscrit chaque année trois de ses employés à des cours offerts par son association professionnelle sur les derniers développements dans le domaine.

Au début, les employés reviennent de la formation emballés par les nouvelles possibilités qui leur sont offertes et par l'efficacité accrue qui peut en résulter. Peu à peu, ils se rendent compte qu'à leur retour ils retrouvent le même vieil équipement et les mêmes procédés de travail. Les contremaîtres se disent satisfaits de la façon dont l'organisation est structurée en se basant sur la productivité et les succès passés. Les autres employés, pour leur part, ne voient pas la nécessité de changer les façons de faire étant donné l'efficacité actuelle et le fait qu'ils ne possèdent pas les nouvelles compétences nécessaires. Les employés qui ont suivi la formation se trouvent donc déçus de ne pas pouvoir mettre leurs nouvelles connaissances en pratique.

Si Soudex considérait la formation dans une perspective stratégique, l'envoi des employés à la formation aurait été combiné à un ensemble d'autres stratégies, toutes orientées vers l'objectif d'assurer l'avant-garde technologique. La direction de l'entreprise aurait ainsi pu intégrer la formation de ses employés aux actions suivantes :

- informer tous les employés des enjeux présents dans le marché des métaux et des orientations que Soudex compte prendre, notamment son intention de demeurer à l'avant-garde technologique ;

- rencontrer les employés qui ont suivi la formation pour leur demander quels sont les améliorations et les changements pouvant être apportés au sein de l'entreprise ;

- entreprendre une démarche de balisage pour comparer les façons de faire de Soudex avec d'autres entreprises plus performantes, de manière à identifier les aspects à améliorer ;

– impliquer les contremaîtres dans la mise en œuvre de stratégie favorisant le transfert des habiletés et des connaissances acquises par les employés qui ont suivi la formation ;

– demander aux employés qui ont suivi la formation de faire un compte rendu de leurs principaux apprentissages à leur équipe respective, de façon à ce qu'ils puissent par la suite choisir les changements à apporter ;

– analyser l'équipement et identifier ceux qui devraient être remplacées par d'autres issus d'une technologie plus récente.

Cette liste incomplète nous montre bien que la formation ne doit pas être considérée comme une fin en soi. Elle doit faire partie intégrante d'un ensemble de moyens visant l'atteinte des objectifs de performance de l'entreprise. En autre, concevoir la formation dans une optique de développement organisationnel implique que tout changement adopté au sein de l'organisation doit nécessairement amener un questionnement sur les impacts possibles sur le capital compétence. Ce questionnement permettra d'établir les écarts prévisibles et, selon les besoins, pourra entraîner la création de programmes de formation appropriés.

On comprend donc que la fonction formation est au cœur même du processus de gestion des ressources humaines et, de ce fait, est fortement liée aux orientations de l'entreprise. Les objectifs liés à la mise sur pied d'un programme de formation et les retombées peuvent être multiples. La gestion efficace d'un programme de formation peut notamment

– faire évoluer de façon continue les compétences disponibles en fonction des orientations de l'entreprise ;

– préparer des employés à un changement dans les processus de travail ;

– permettre à des employés de réaliser des tâches nécessitant davantage de responsabilités mettant à contribution à de nouvelles habiletés ;

– mettre à jour et augmenter les connaissances et les habiletés des employés à tous les échelons de l'organisation ;

- diffuser et recueillir de l'information des différents secteurs de l'entreprise ;

- améliorer le climat au sein de l'entreprise ;

- réduire les résistances au changement et, par le fait même, contribuer au développement organisationnel.

3. Le cycle de gestion de la formation

L'organisation d'une activité de formation exige la réalisation de quatre groupes d'activités structurés ou étapes : 1) l'identification et l'analyse des besoins de formation, 2) la planification et la conception de la formation, 3) la diffusion de la formation et 4) l'évaluation et le suivi postformation. La figure 1.3 présente de façon schématique ce cycle complet de gestion de la formation.

Figure 1.3
Cycle de gestion de la formation

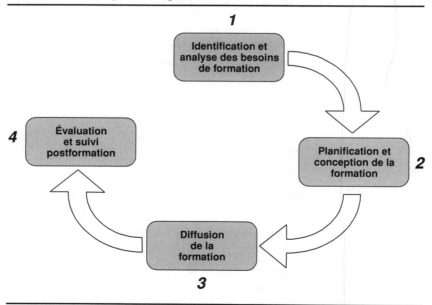

Chacune des étapes de ce cycle peut varier en longueur et en complexité selon le thème de la formation et le format choisi. Par exemple, l'organisation d'un cours universitaire nécessitera beaucoup de temps pour la préparation du contenu et pour la planification des méthodes pédagogiques à utiliser lors de la diffusion. L'accent sera donc mis sur les étapes 2 et 3 du cycle. Par contre, la constitution d'un programme de formation sur mesure, visant par exemple à préparer un groupe d'employés à adopter de nouvelles méthodes de travail, requiert une bonne analyse des besoins de formation ainsi que l'élaboration de mécanismes permettant de favoriser puis d'évaluer le transfert des apprentissages. Les étapes 1 et 4 feront alors l'objet d'une attention particulière. Néanmoins, dans tous les cas, il s'est essentiel de s'attarder à chacune des quatre étapes du cycle pour avoir une formation à la fois cohérente et efficace.

Figure 1.4
Cycle continu de gestion de la formation

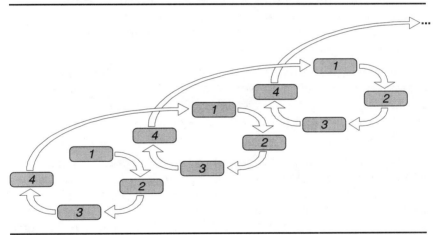

En outre, étant donné que le capital compétence se détériore progressivement et que les changements requièrent l'acquisition continue de nouveaux savoirs, le processus de gestion de la formation doit s'inscrire dans un cycle continu. C'est pourquoi le schéma de la figure 1.3 ne peut être considéré comme complet. L'évaluation des retombées de la formation et la réévaluation des écarts de performance servent d'amorce ou de point de départ à un nouveau cycle de formation. L'action de formation ne peut être comprise que dans un processus continu, évolutif et donc adaptatif et récurrent. La figure 1.4 illustre cet aspect cyclique.

Nous allons maintenant donner un aperçu du cycle de gestion de la formation en en décrivant les étapes clés. Les chapitres 3 à 6 traiteront de façon beaucoup plus détaillée de chacune des quatre étapes qui composent ce cycle global.

3.1. *Étape 1 : Identification et analyse des besoins de formation*

La première étape du cycle de gestion de la formation vise la prise de conscience et l'identification des besoins réels de formation. Pour ce faire, l'individu ou le comité responsable de la formation[9] doit recueillir les données nécessaires à la compréhension de la problématique sous-jacente aux besoins de formation. Cette recherche d'information permet de faire ressortir les éléments qui vont expliquer l'écart de performance et d'identifier les actions les plus appropriées pour résoudre cette problématique. L'analyse des besoins de formation permet en outre de s'assurer que la formation est bien la solution qui convient le mieux au contexte situationnel.

Il existe plusieurs techniques de collecte de données servant à dresser un portrait de la situation (entrevue, groupe de discussion, analyse de compétences, etc.). Ces méthodes, dont la complexité varie, peuvent nécessiter la participation de une ou plusieurs personnes.

Lorsque l'analyse des besoins de formation fait partie d'une démarche plus complète de développement des ressources humaines, il est fort probable qu'un grand nombre de besoins en formation seront identifiés. Il sera alors important que la personne responsable les classe par ordre de priorité. Ce classement doit être élaboré à partir des orientations et des objectifs stratégiques de l'entreprise.

Une fois que le choix des formations est complété, le responsable de la formation peut établir les objectifs de formation. Ceux-ci constituent l'élément central du processus de gestion de la formation, car ils permettront de s'assurer de sa cohérence tout au long du cycle, de la planification à l'évaluation.

---

9. La responsabilité de la gestion de la formation peut être donnée à diverses personnes (conseiller *staff*, cadre intermédiaire, comité, etc.). Pour simplifier la lecture, nous privilégierons dans cet ouvrage le terme « responsable de la formation ».

3.2. Étape 2 : Planification et conception de la formation

La planification de la formation consiste à organiser le programme de formation de telle manière qu'il puisse s'intégrer aisément aux activités courantes de l'entreprise tout en visant l'atteinte des objectifs prédéterminés. Une planification efficace doit pouvoir réduire les effets négatifs des contraintes internes et externes.

La planification exige donc du responsable de la formation qu'il se questionne et dresse un portrait global des implications de la formation et des éléments contextuels qui auront une influence sur son organisation. Il doit ainsi répondre à une série d'interrogations :

- Pourquoi – Que révèlent les résultats de l'analyse des besoins ?

- Quoi – Quels sont les objectifs de formation ?

- Pour qui – Quel est le contexte de l'organisation cliente ?

- Qui – Quelles sont les principales caractéristiques des personnes visées par la formation ?

- Quand – À quel moment la formation sera-t-elle donnée ?

- Où – À quel endroit et au moyen de quelle logistique la formation sera-t-elle donnée ?

La planification de la formation implique également de décider à qui cette formation sera confiée. Deux cas de figure se présentent : soit que l'organisation dispose des ressources suffisantes (personnel qualifié, logistique adaptée, etc.) et prend en charge le programme de formation, soit que ce dernier est confié à un intervenant extérieur.

Lorsque le programme est pris en charge à l'interne, la personne responsable de la formation se retrouve avec une grande quantité de données à organiser. Plusieurs actions doivent alors être entreprises pour concevoir le programme de formation. Il est suggéré de créer une carte de formation afin de visualiser rapidement l'ensemble des aspects systémiques à considérer. Le responsable de la formation peut ensuite élaborer, à partir de cette carte, un plan spécifique de formation qui sera l'outil de référence en formation à travers lequel on effectuera la validation des besoins identifiés et des objectifs visés. Finalement, une fois le plan validé, on peut procéder à l'élaboration du contenu de la formation ainsi qu'à la rédaction du manuel de formation. Le format de la formation et la structure des différents modules doivent tenir compte de l'approche d'enseignement privilégiée ainsi que du style d'apprentissage des apprenants.

3.3. *Étape 3 : Diffusion de la formation*

La troisième étape du processus de gestion de la formation est la diffusion proprement dite. Les principales préoccupations du formateur au cours de cette étape sont de savoir comment les contenus développés seront transmis et comment les apprentissages seront intégrés par les participants. En d'autres termes, le contenu théorique ayant été développé au cours de l'étape précédente, l'attention est ici portée sur la forme, sur la façon de transmettre les connaissances et les habiletés.

La diffusion d'une activité de formation est par définition complexe. Premièrement, la tenue d'une activité de formation comporte le développement d'une relation à durée déterminée entre un groupe de participants et un formateur. Au cours de cette relation, on doit retrouver une ouverture, un déroulement et une clôture. Chacune de ces périodes doit satisfaire à certaines conditions pour que la formation puisse avoir l'efficacité voulue.

Deuxièmement, la formation en entreprise implique une démarche très différente de la pédagogie utilisée dans les milieux scolaires. En fait, la formation en entreprise s'adresse à une clientèle adulte et, à ce titre, nécessite une approche particulière, celle de l'andragogue. La démarche andragogique tient compte de la spécificité des modes d'apprentissage des adultes. Nous verrons, dans le chapitre 2, l'importance de bien saisir toute la portée et les nuances de cette démarche dans la conception et la diffusion d'une activité de formation pour une telle clientèle.

Troisièmement, la diffusion d'un contenu de formation est facilitée par l'utilisation de méthodes d'enseignement. Par exemple, pour qu'une personne apprenne à communiquer et à parler en public, le formateur peut faire un exposé magistral sur les conditions à respecter pour maintenir l'intérêt d'un auditoire, lui faire une démonstration, lui présenter un reportage sur le sujet, convoquer un panel d'experts et les faire discuter ou, encore, il peut faire pratiquer directement le participant. Même si l'on sait qu'un même sujet peut être abordé de diverses manières, il demeure que certaines méthodes d'enseignement conviennent mieux que d'autres pour certains contenus. Il relève du formateur de choisir les méthodes appropriées. Nous y reviendrons au chapitre 7.

Enfin, le formateur est appelé à jouer de multiples rôles au sein du groupe. Les différentes fonctions du formateur lorsqu'il assume l'animation d'un groupe vont grandement influer sur les apprentissages. Diffuser une activité de formation revient à animer, à expliquer, à adapter, à démontrer, à faire faire et à questionner. La nature de ces fonctions nous renvoie une image bien précise : celle de l'action et de l'interaction entre le formateur et l'adulte apprenant. Elle exige du formateur de disposer de bonnes habiletés d'animation de groupe et de connaître les différents phénomènes pouvant se produire au sein d'un groupe en processus d'apprentissage.

3.4. Étape 4 : Évaluation et suivi postformation

Dans un contexte où les entreprises cherchent à rationaliser et à maximiser les retombées de leurs investissements, la quatrième étape, l'évaluation et le suivi postformation, joue un rôle essentiel. La démarche d'évaluation peut se faire à plusieurs niveaux. Par exemple, dans le cadre d'une formation sur une nouvelle méthode de travail, il est possible, dans un premier temps, de mesurer le degré de satisfaction des apprenants par rapport à l'activité de formation. Dans un deuxième temps, nous pouvons évaluer leurs apprentissages relativement à la nouvelle méthode de travail en leur faisant passer un examen théorique ou pratique ; le but est alors de mesurer leurs acquis, à savoir leurs connaissances et leurs d'habiletés. Dans un troisième temps, il peut être judicieux de vérifier si les apprenants utilisent la nouvelle méthode une fois de retour dans leur milieu de travail. L'objectif est d'évaluer le degré de transfert des apprentissages. Finalement, il est possible de calculer la rentabilité de la formation en analysant ses effets sur la performance de l'organisation. Il s'agit ici de compléter une analyse coûts-bénéfices pour vérifier si la formation a résolu la problématique identifiée au départ et si elle a donné les résultats escomptés.

Outre l'évaluation des apprentissages, il est pertinent de mesurer les déterminants du succès d'une formation. En effet, des études ont montré que certaines conditions sont essentielles pour assurer l'efficacité d'une formation. Pour qu'un apprenant intègre et mette en application de nouvelles compétences, il doit croire en sa capacité personnelle de le réussir, avoir le sentiment de pouvoir contrôler les comportements enseignés, être motivé à suivre et à appliquer la formation, et avoir la conviction qu'il bénéficiera de soutien à son retour au travail. Il est avantageux de mesurer ces conditions, car elles permettent de prédire la probabilité de succès d'une formation.

En ce qui concerne le suivi postformation, on observe que la diffusion d'une formation est rarement garante de résultats exceptionnels si aucun mécanisme d'appui aux apprentissages n'est mis sur pied. Comme le transfert des apprentissages s'effectue en trois phases (intégration des savoirs, transfert au travail et renforcement des compétences), il est essentiel qu'on s'efforce de réduire les obstacles au transfert et de renforcer la pratique des nouvelles habiletés. À ce titre, l'organisation a accès à une multitude de moyens pour favoriser le transfert des apprentissages. Idéalement, les actions doivent se situer à plusieurs niveaux (environnement de travail, programme de formation, apprenants) et être prises avant, pendant et après la diffusion du programme de formation comme telle.

Le cas de l'Hôtel Beaurivage, présenté ci-après, illustre le processus de gestion de la formation au sein d'une organisation.

Ce cas illustre l'importance de la phase 1 du cycle de gestion de la formation. En effet, si l'identification, mais aussi l'analyse des besoins de formation ne sont pas effectuées avec rigueur, c'est l'ensemble du cycle qui en souffrira, car il n'y aura pas de cohérence et de pertinence entre chacune de ces étapes. Définir précisément les objectifs que la formation doit atteindre est un exercice obligatoire, garant de l'efficacité de l'action de formation. Ce cas fait également ressortir l'aspect cyclique du processus de gestion de la formation, c'est-à-dire comment l'organisation d'une formation peut conduire à l'identification d'une nouvelle problématique qui peut, elle-même enclencher un nouveau cycle de formation.

CAS : L'amélioration du service à la clientèle à l'Hôtel Beaurivage

L'Hôtel Beaurivage désire améliorer la qualité du service à la clientèle offert par son personnel de première ligne. L'entreprise considère qu'un écart substantiel existe entre les normes de service supérieur auxquels elle aspire et le niveau de service offert par les employés.

Le directeur général fait alors appel à une firme de consultation reconnue dans le domaine du service à la clientèle. Après une analyse sommaire des besoins de formation, on s'entend pour préparer et diffuser deux sessions de formation d'une demi-journée à l'ensemble du personnel, autant aux employés de la cuisine, aux préposés aux chambres qu'aux employés de la réception. La direction de l'hôtel a pris cette décision, car, pour elle, si les employés de deuxième ligne ne sont pas sensibles à l'importance du service à la clientèle, ils n'offriront pas le soutien nécessaire aux employés de première ligne. La qualité du service offert au client s'en trouvera automatiquement altérée.

Après quelques sessions, les formateurs remarquent qu'il semble exister un conflit latent entre les employés de la réception et les préposés aux chambres. Par le fait même, la qualité du service en souffre. Une analyse approfondie révèle que les mécanismes de coordination existants pourraient être améliorés. Cette étude met également en lumière le fait que chacun des deux groupes d'employés ne comprend pas bien le travail effectué par l'autre groupe. En plus d'apporter les ajustements aux systèmes de coordination, on élabore donc un programme de sensibilisation et de formation interfonctions. De la gestion de la formation, l'Hôtel Beaurivage est ainsi passé à la mise en place de changements organisationnels.

En résumé, un cycle global de formation peut se décrire comme suit.

1. L'identification et l'analyse des besoins de formation déterminent les compétences ou habiletés devant être développées ou améliorées de même que les buts visés par la formation.

2. L'étape de la planification et de la conception consiste à analyser le contexte dans lequel va s'insérer la formation et à élaborer le plan et le contenu de formation.

3. Le processus de diffusion vise, pour sa part, à identifier les composantes et les éléments qui, lorsque bien maîtrisés, permettront au formateur d'être plus efficace devant un groupe de participants.

4. Quant à l'évaluation et au suivi postformation, ils visent à favoriser le transfert des apprentissages et à mesurer l'influence la de formation sur la performance des participants (au regard de leurs compétences et habiletés). Cette dernière étape permet également de cibler les points à améliorer lorsque l'investissement en formation ne donne pas les résultats espérés. Il peut alors être nécessaire ou pertinent de démarrer un nouveau cycle de gestion de la formation.

4. La gestion des compétences

Il est bien de considérer la gestion de la formation dans une perspective stratégique, mais il est important de se donner les moyens pour le faire. Dans une économie du savoir, l'expérience et les connaissances que possèdent également les employés sont de plus en plus recherchées et valorisées par rapport à la traditionnelle « force brute ». D'un côté, la technologie et la robotique remplacent la main-d'œuvre dans un nombre de plus en plus grand de tâches spécialisées et répétitives. De l'autre côté, la complexification des systèmes organisationnels a fait émerger des professions inexistantes il y a quelques décennies. Les qualifications recherchées pour chaque poste de travail se précisent et s'affinent de plus en plus, de telle manière que la gestion du capital humain au sein d'une organisation devient excessivement complexe. L'être humain est de moins en moins interchangeable à court terme ; il est donc difficile d'assurer le juste à temps des compétences.

C'est pourquoi la gestion du bassin de compétences au sein de l'organisation devrait être considérée comme un facteur aussi important que la gestion des actifs immobilisés et la gestion des mouvements de trésorerie. En fait, on pourrait avancer que la « quantité » de compétence (disponible ou requise), pour une compétence donnée, devient une variable de décision aussi importante en gestion de ressources humaines que la mesure de la capacité et de la charge d'une machine en gestion des opérations.

Une bonne gestion des compétences devrait, notamment, améliorer la flexibilité de l'entreprise qui pourra, de façon continue, mettre en adéquation les emplois avec les individus en comparant les compétences requises et les compétences acquises, tout en identifiant les écarts à combler par la formation. La connaissance de la valeur du capital compétence contribue ainsi à mieux intégrer les stratégies de formation au développement organisationnel.

4.1. La compétence : une définition

Une compétence peut être définie comme « une capacité à combiner et à utiliser les connaissances et le savoir-faire acquis pour maîtriser des situations professionnelles et obtenir les résultats attendus » (Flück *et al.*, cités dans Lareau, 1996). Selon Lévy-Leboyer (1996), elle constitue un répertoire de comportements observables qui mettent en œuvre de manière efficace et intégrée des aptitudes, des traits de personnalité et des connaissances acquises.

En termes simples, une compétence permet à un individu de réaliser une tâche donnée de façon satisfaisante dans des conditions variées. Par exemple, une compétence reliée à la prise de décision sera, pour un gestionnaire, sa capacité à prendre une décision dans un délai adéquat tout en considérant les objectifs de l'entreprise, le point de vue des employés, les ressources disponibles et les conséquences possibles. Cette compétence pourra être observée par différents comportements démontrant notamment les aptitudes à écouter et à communiquer du gestionnaire, ses habiletés à analyser une situation complexe et à retenir les facteurs clés ainsi que ses connaissances du marché et de son organisation.

4.2. L'approche de gestion des compétences

L'approche par compétences vise à utiliser la compétence comme élément central de la gestion du capital humain au sein de l'organisation. La description de tâches traditionnelle est habituellement restrictive et devient rapidement obsolète. L'utilisation d'une approche par compétences présente l'avantage d'être plus flexible et de résister aux fréquents changements et réorganisations.

Généralement, avec l'approche de gestion des compétences, il est possible de mettre en rapport les trois éléments suivants :

- le profil de compétences, soit les compétences requises pour remplir les fonctions d'un poste donné,

- le bilan de compétences, soit les compétences acquises et maîtrisées par un individu,

- les compétences que permet d'acquérir une formation donnée.

L'interaction entre ces trois dimensions permet notamment de gérer la formation de façon efficace et précise. Par exemple, lorsqu'un poste X se libère et doit être comblé, la comparaison du profil de compétences du poste avec le bilan de compétences de chacun des employés de l'organisation permet d'identifier les personnes les plus susceptibles d'avoir les connaissances et les habiletés requises pour le poste. De plus, grâce à l'identification des compétences manquantes, on peut sélectionner uniquement les programmes de formation appropriés.

L'élaboration d'un système interne de gestion des compétences devrait inclure les étapes suivantes :

1. Clarifier les objectifs recherchés et les orientations stratégiques de l'organisation.

2. Déterminer les profils de compétences pour chaque poste de travail :
   - identifier des pratiques d'excellence démontrées par des personnes maîtrisant les compétences requises ;
   - sélectionner des indicateurs de performance pour mesurer la pratique des compétences ;
   - élaborer un dictionnaire des compétences où seront précisés les résultats attendus (un exemple est présenté dans le tableau 1.2).

3. Compléter un bilan des compétences des employés :
   - identifier le niveau de maîtrise acquis par l'employé pour chacune des compétences de son profil ;
   - identifier les écarts pouvant être comblés par la formation.

Tableau 1.2
Modèle de dictionnaire de compétences

Compétence	Indicateurs de performance
Orientation service Comprendre les besoins du client interne et externe et y répondre en fonction de normes de service définies.	– être accessible et avoir comme priorité la prestation d'un service fiable, rapide et adapté aux besoins du client; – aider le client à comprendre clairement les services offerts et les coûts inhérents, s'il y a lieu; – traiter le client avec équité et courtoisie, en tenant compte de ses besoins particuliers et en respectant ses droits; – fournir les services de qualité avec intégrité et de la manière la plus efficiente et la plus économique possible; – évaluer périodiquement la qualité de service auprès du client dans le but de s'améliorer.
Apprendre et progresser Démontrer une ouverture au changement, une volonté d'évoluer, d'apprendre sans cesse et d'adapter ses actions en conséquence.	– maximiser l'utilisation efficiente des nouvelles technologies; – prendre en main son développement professionnel et s'engager dans un processus d'apprentissage continu; – se remettre en question, c'est-à-dire reconnaître ses succès et apprendre de ses erreurs; – se tenir à l'affût des nouvelles tendances et, s'il y a lieu, modifier ses façons de faire ou d'agir en fonction des besoins des clients et de l'organisation.

Source: Conseil des hauts fonctionnaires fédéraux du Québec (1998). *La Relève: passeport interministériel d'employabilité*, Gouvernement du Canada.

4. Définir les compétences enseignées par les divers programmes de formation internes:

- structurer les formations internes en fonction des compétences qu'elles permettent d'acquérir;
- requérir des formateurs externes des objectifs d'apprentissage formulés en termes de compétences.

L'adhésion des employés et des gestionnaires est essentielle au bon fonctionnement d'un système de gestion des compétences. Il faut donc impliquer activement des employés dans l'identification, la définition et la validation des profils et des bilans de compétences. Une attention particulière doit être portée à l'exactitude des données et au maintien de la confidentialité. De plus, comme pour tout changement, on doit préciser les objectifs du système et les bénéfices recherchés.

4.3. Les bénéfices potentiels

Une approche de gestion des compétences peut comporter plusieurs avantages. En voici quelques-uns.

4.3.1. Améliorer l'efficacité de l'organisation

–   bonne connaissance des compétences (savoir, savoir-faire et savoir-être) disponibles dans l'entreprise ;

–   gains au regard de la flexibilité de l'organisation du travail ;

–   réaction plus prompte aux changements de l'environnement ;

–   intégration des stratégies de formation au développement organisationnel.

4.3.2. Mettre en adéquation les emplois avec les individus

–   compréhension commune des compétences et de leur pratique ;

–   affectation des bonnes personnes aux postes actuels et nouveaux ;

–   gestion optimale des compétences stratégiques.

4.3.3. Maintenir le capital compétence de l'organisation

–   évaluation rapide et globale du capital humain ;

–   identification des écarts entre les compétences requises et existantes.

4.3.4. Responsabiliser les employés

–   information sur les compétences maîtrisées par chaque employé (bilan de compétence) ;

–   information sur les compétences valorisées et requises pour chacun des postes de travail ;

–   possibilité de prise en charge par l'employé de son développement professionnel.

4.3.5. Intégrer la plupart des fonctions de gestion des ressources humaines

– Le tableau 1.3 présente comment l'approche de gestion des compétences peut jouer un rôle dans les différentes fonctions de la gestion des ressources humaines.

Un système de gestion des compétences peut être très puissant. Toutefois, il peut requérir un entretien et une mise à jour qui peuvent s'avérer lourds. Le système doit donc être élaboré en fonction des besoins, des objectifs et des contraintes de l'organisation. Pour une petite entreprise, il peut se limiter à une courte description des profils de compétences qui serviront à la formation et à la sélection du personnel.

Pour une organisation de grande taille, l'ensemble du système peut être développé avec une description détaillée de chaque compétence recherchée, au tableau 1.2. Dans ce cas, un logiciel spécialisé est très utile pour gérer cette information et le dictionnaire des compétences. Plusieurs logiciels permettent d'établir des profils de compétences par poste de travail tout en les reliant aux profils des employés et aux formations offertes. En outre, avec certains d'entre eux, il est possible d'intégrer les profils de compétences à l'évaluation des postes, selon une approche respectant les principes d'équité salariale, à la gestion de la formation, tout en permettant la comptabilisation des coûts, ainsi qu'à la gestion du personnel. Il est certain que, idéalement, un système de gestion des compétences doit être mis en relation avec les systèmes existants pour éviter les doubles enregistrements et faciliter les mises à jour.

L'approche de gestion des compétences est une méthode qui permet d'envisager la formation dans une perspective stratégique. Sans être la seule, elle offre l'avantage non négligeable de bien s'intégrer aux diverses systèmes de gestion des ressources humaines tout en leur apportant une valeur ajoutée. La méthode de gestion de la formation proposée dans cet ouvrage s'inspire de cette approche.

Tableau 1.3
**Fonctions de gestion des ressources humaines
où une approche de gestion des compétences
peut jouer un rôle**

Fonction ressources humaines	Contributions
FORMATION	
– Identification des besoins de formation	Identification des écarts à combler au regard des compétences individuelles et collectives.
– Conception de la formation	Choix des contenus pour développer les compétences identifiées.
– Diffusion de la formation	Choix des techniques d'enseignement pour développer les compétences désirées.
– Évaluation de la formation	Critères pour mesurer l'efficacité de la formation.
– Suivi postformation	Compétences à observer et à renforcer pour le transfert des apprentissages.
PLANIFICATION	
– Évaluation du capital humain	Estimation de l'actif de l'entreprise en termes de compétences.
– Gestion prévisionnelle des emplois et des effectifs	Planification de l'offre et de la demande en termes compétences.
– Affectation des employés	Recherche d'une adéquation entre les compétences acquises par les employés et les compétences requises pour les postes.
– Analyse des emplois	Définition flexible et complète des profils de poste.
DOTATION	
– Sélection du personnel	Description précise des profils recherchés.
– Évaluation des candidats	Évaluation des candidatures selon une grille des compétences recherchées.
ÉVALUATION	
– Évaluation du rendement	Évaluation basée sur des critères de performance précis (comportements attendus et pratiques d'excellence valorisées).
– Mobilisation des employés	Responsabilisation individuelle dans le développement des compétences.
– Gestion des carrières	Orientation basée sur le potentiel et les intérêts des employés.
RÉMUNÉRATION	
– Structure salariale	Données pour évaluer la complexité des emplois.
– Système de rétribution basé sur les compétences	Moyen pour favoriser la polyvalence et la mobilité des ressources humaines.

Les principes d'andragogie

*Notre développement personnel doit suivre le rythme
des changements qui nous entourent*[1].
Auteur inconnu

*Je suis toujours prêt à apprendre de nouvelles choses,
mais je n'apprécie pas toujours me faire faire la leçon*[2].
Sir Winston CHURCHILL

Contrairement à ce que l'on pouvait penser au milieu du XXᵉ siècle, nous n'arrêtons pas d'apprendre à la sortie de l'école. Notre apprentissage se poursuit durant toute notre vie, autant dans notre vie personnelle que dans notre vie professionnelle. Il est toutefois évident que l'apprentissage chez l'adulte diffère considérablement de celui chez l'enfant ou l'adolescent dans un milieu scolaire.

Par ailleurs, on a tous déjà assisté à des cours où l'enseignant était incapable de transmettre ses connaissances clairement et efficacement. La compétence technique du formateur ne suffit pas à rendre la diffusion de la formation efficace et favorable à l'apprentissage. On considère qu'un bon pédagogue est quelqu'un qui, en plus d'être passionné pas sa matière, sait adapter son

---

1. Traduction libre de :
   The changes within us have to keep up with the changes around us.
2. Traduction libre de :
   I am always ready to learn, although I do not always like being taught.

approche à son public, c'est-à-dire au type de participants. Plusieurs recherches universitaires et scientifiques ont permis depuis les deux dernières décennies de mieux comprendre cette dynamique d'interaction.

Étant donné la particularité de l'enseignement aux adultes ainsi que les facteurs facilitant leur apprentissage, l'approche d'enseignement privilégiée par le formateur doit tenir compte des caractéristiques propres à l'andragogie, c'est-à-dire l'art et la science de l'éducation des adultes[3]. Pour cerner cette discipline, nous définirons, dans un premier temps, la notion d'apprentissage sur laquelle repose la théorie moderne de l'éducation des adultes. Nous verrons également pourquoi les adultes rejettent le modèle d'apprentissage proposé par le système pédagogique classique appliqué dans le contexte scolaire. Nous nous intéresserons, enfin, aux motifs de ce rejet et à la mise en place de conditions d'enseignement respectant le rythme et le cycle d'apprentissage de l'adulte en formation.

1.   La notion d'apprentissage

Bien qu'un grand nombre de théoriciens aient éprouvé de la difficulté à définir ce qu'est l'apprentissage, un consensus se dégage maintenant pour dire qu'il s'agit d'un processus par lequel s'effectue l'acquisition de nouvelles connaissances (savoir), de nouvelles habiletés (savoir-faire) et de nouvelles attitudes (savoir-être) qui, ultimement, entraînent un changement de comportement[4].

1.1.   *Le processus d'acquisition des savoirs*

Selon plusieurs études, principalement celles de Kolb (1981), le processus d'acquisition des savoirs se rapproche passablement du processus de résolution de problèmes. En se basant sur une

---

3. Par opposition à la pédagogie, qui est la science de l'éducation des enfants.
4. L'Institut de recherches psychologiques (cité dans RICARD, 1992) classe plutôt le changement selon le type de savoir concerné :
    – modification de la structure cognitive (savoir) ;
    – modification du comportement (savoir-faire) ;
    – modification de la motivation (savoir-être).
    Nous considérons que, dans chacun des cas, un changement dans le comportement pourra être observé.

approche expérientielle, il a modélisé le cycle d'apprentissage en un processus comportant quatre phases successives qui forment un cycle pouvant se répéter à l'infini (voir figure 2.1) :

1) l'expérience concrète ;

2) l'observation réflexive ;

3) la conceptualisation abstraite ;

4) l'expérimentation active.

La personne en situation d'apprentissage traverserait plus ou moins consciemment chacune des quatre phases du cycle.

Figure 2.1
Processus d'acquisition des savoirs

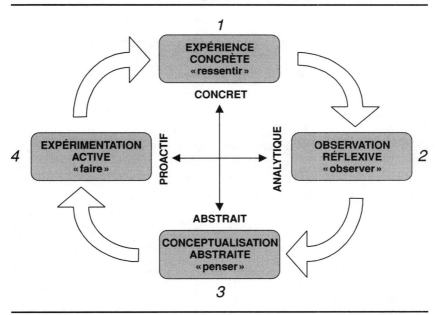

Source : Figure inspirée de GAUTHIER et POULIN (1983) et de KOLB (1981).

1.1.1. L'expérience concrète (EC)

L'expérience concrète représente le point de départ du processus d'acquisition de nouveaux savoirs. Lors de cette phase, l'apprenant entre en contact avec une situation qui pose problème et à laquelle il désire trouver une solution ou une réponse. Pour que l'expérience concrète soit valable sur le plan de l'apprentissage, il faut qu'elle soit intéressante et stimulante pour l'apprenant et qu'elle l'engage activement dans la résolution du problème.

Durant cette phase, l'apprenant est davantage centré sur ses émotions. Il « ressent » la problématique « ici et maintenant » et va chercher à établir des rapports avec les personnes qui l'entourent pour mieux comprendre et situer le contexte. Son ouverture aux autres et sa capacité d'adaptation seront déterminantes pour maximiser son apprentissage au cours de cette phase. Les questions qui lui viendront à l'esprit ressembleront à celles-ci :

- Que se passe-t-il ?

- Comment est-ce que je me sens dans cette situation ?

- Comment les autres réagissent-ils à cette situation ?

- Dois-je réagir à cette problématique ? De quelle manière ?

1.1.2. L'observation réflexive (OR)

Lorsque l'apprenant passe à la deuxième phase du processus d'apprentissage, il fait des observations à partir de l'expérience qu'il a vécue. Pour que la phase de l'observation réflexive soit bien réalisée, il faut que l'apprenant adopte diverses perspectives pour réfléchir, analyser, déduire et induire adéquatement de ses observations. Ces perspectives peuvent être obtenues par l'exploration de son expérience immédiate, par la référence à des expériences vécues antérieurement et, dans le cas d'un apprentissage en groupe, par la reconnaissance des expériences analogues vécues par les autres apprenants.

La deuxième phase amène donc l'apprenant à observer et à écouter. En se questionnant sur le « pourquoi », il cherche à comprendre le sens de l'expérience qu'il a et, pour ce faire, il se base sur son vécu et sur les perspectives pouvant être apportées par d'autres. L'apprentissage sera facilité par l'objectivité de l'apprenant et par sa patience avant d'arriver à une conclusion. Les interrogations qui apparaissent alors sont du type suivant :

- Ai-je déjà vécu une situation semblable ? Quelle a été ma réaction ?

- Qu'est-ce que ce problème signifie pour moi ?

- Que se passe-t-il réellement ? Pourquoi ?

- Est-ce que je saisis bien l'ensemble des facteurs qui influencent la situation ?

- Est-ce que je connais quelqu'un qui a déjà vécu quelque chose de semblable ?

1.1.3. La conceptualisation abstraite (CA)

Lors de la troisième phase, l'apprenant s'applique à établir des liens de cause à effet et cherche à interpréter l'expérience vécue. Il cherche ainsi, plus ou moins consciemment, à élaborer des schémas conceptuels articulés qui intègrent les observations recueillies. La phase de conceptualisation abstraite peut requérir de l'apprenant un effort de créativité personnelle qui rendra d'autant plus significatives les conclusions auxquelles il arrivera.

Durant cette troisième phase, l'apprenant tente de conceptualiser la situation pour ensuite la projeter et l'appliquer à des expériences vécues ou à des situations appréhendées. Il y a donc passage du « ici et maintenant » au « ailleurs et à un autre moment ». En anglais, *from « here and now » to « there and then »*. La résolution de la problématique repose, par conséquent, sur un modèle conscient et une planification systématique. L'apprenant cherchera à trouver des réponses aux questions suivantes :

- Comment en sommes-nous arrivés là ?

- Est-ce que la situation est différente de ce que j'ai déjà vécu ? Si oui, comment dois-je m'adapter ?

- Sur quels principes puis-je me baser pour comprendre la situation ?

- Est-ce que je peux faire des rapprochements avec des expériences semblables que j'ai déjà vécues ?

- Comment pourrais-je résoudre la problématique ?

1.1.4. L'expérimentation active (EA)

La dernière phase du cycle d'acquisition des savoirs est l'expérimentation active. À ce moment-là, l'apprenant est amené à confronter ses schémas conceptuels avec la réalité. Plus spécifiquement, il cherche à appliquer ses nouvelles connaissances pour résoudre des problèmes pratiques ou pour améliorer une situation. Pour que cette phase soit profitable, l'apprenant doit se montrer attentif aux résultats de son expérimentation et être disposé à réviser ses conceptions lorsque l'expérience ne produit pas les résultats escomptés.

L'expérimentation active est centrée sur le « comment » et vise la mise en pratique des apprentissages. L'accent est donc mis sur l'activité et la participation plutôt que sur la passivité et l'observation. L'obtention de résultats concrets et le succès vont être déterminants dans l'apprentissage. L'expérimentation active prépare également l'apprenant à envisager de nouvelles expériences concrètes et à s'engager dans un nouveau cycle d'acquisition des savoirs. Les questions que l'apprenant peut se poser durant cette phase sont les suivantes :

- Comment puis-je appliquer la solution choisie ?
- Qu'est-ce qui fonctionne et qu'est-ce qui ne fonctionne pas ?
- Est-ce que j'aurais besoin d'aide ou de support ?
- Quels sont les changements que je dois apporter ?
- Comment pourrais-je améliorer ma façon de faire ?

Pour résumer et illustrer le cycle d'apprentissage, Gauthier et Poulin (1983) utilisent une analogie intéressante avec un événement courant.

Cas : Mon grille-pain ne fonctionne pas[5]

Un bon matin, je me lève en vitesse et je m'apprête à déjeuner ; j'introduis deux tranches de pain dans le grille-pain et je branche la bouilloire. Quelques minutes plus tard, pas de rôties ; mon grille-pain de fonctionne pas ! Cela me contrarie passablement et je veux savoir ce qui se passe ! (Expérience concrète.)

Je m'assure que le cordon est bien fixé dans la prise de courant ; j'appuie fermement sur le poussoir, j'actionne la

---

5. Cas adapté de Gauthier et Poulin (1983), p. 34-36 (reproduction avec l'autorisation de l'éditeur).

manette de réglage de l'intensité... Rien ne se passe. Je tapote l'appareil, y appose la main pour sentir s'il dégage quelque chaleur, j'observe si les éléments commencent à rougir... Rien ! (Observation réflexive.)

Je soupçonne qu'il s'agit d'une panne de courant... Non, la radio fonctionne. Je fais l'hypothèse que c'est la fiche du cordon qui est défectueuse : je l'ausculte et la manipule et rien ne se passe ! J'en arrive à penser que c'est probablement l'élément qui est brisé... Pourtant, jusqu'à présent l'appareil a toujours bien fonctionné ! (Diverses tentatives d'apprentissage par essais et erreurs.)

Je m'arrête songeur, quelque peu à bout de ressources. Je réfléchis à mes tentatives vaines et je commence à examiner logiquement la situation. Hier matin, tout fonctionnait et je n'ai pas débranché l'appareil depuis. Je me souviens toutefois qu'hier soir la friteuse, branchée dans la même prise, n'était pas très chaude et n'a pas permis de bien cuire mes frites. Je commence à croire que le problème doit être soit la prise de courant ou bien le fusible. (Conceptualisation abstraite.)

Je vole vers le fusible possiblement responsable. À l'examen, il me laisse dans le doute, mais je décide de le remplacer quand même, étant donné qu'il semble être la cause rationnelle du problème. J'entends alors la bouilloire qui commence à crépiter. Ça fonctionne ! (Expérimentation active.)

J'appuie alors sur le poussoir du grille-pain et je constate que la bouilloire branchée dans la même prise s'arrête aussitôt (EC). J'accuse de nouveau le fusible ! C'est bien cela : il est tout noirci (OR). Celui que j'avais mis n'a pas résisté à la surcharge (CA). Je le remplace, je branche la bouilloire dans une autre prise et tout rentre dans l'ordre. Enfin ! (EA)

1.2. Les styles d'apprentissage

Le cycle d'apprentissage simplifie et systématise le processus par lequel l'ensemble des individus passent. On dit que, pour apprendre efficacement, une personne doit s'impliquer personnellement, observer et écouter, réfléchir et analyser, prendre une décision d'action appropriée et agir en conséquence. Toutefois, chacun de nous avons des aptitudes différentes et privilégions certaines facultés à d'autres. Par exemple, certaines personnes vont accorder plus d'importance à l'analyse et à la réflexion ; il leur faut prendre du recul pour examiner la situation sous différents angles et ainsi mieux la comprendre. D'autres vont préférer passer à l'action pour tester différentes solutions.

Cette constatation a conduit Kolb (1981) à pousser plus loin sa réflexion et à proposer différents profils d'apprentissage. Selon lui, chacun de nous allons généralement comprendre et apprendre davantage lorsque nous nous situons dans l'une ou l'autre des sections du cycle. Aussi, à partir du cadre formé par les deux axes de son cycle (concret – abstrait / proactif – analytique), il a formulé quatre styles d'apprentissage (voir figure 2.2).

Le petit test présenté à la fin de ce chapitre vous aidera à établir votre style d'apprentissage dominant.

1.2.1. L'adaptateur

Les personnes qui ont un style d'apprentissage d'adaptateur apprennent facilement lorsqu'elles peuvent vivre des expériences pratiques et des activités concrètes. Elles tirent leur apprentissage de l'action et des émotions et sentiments qu'elles ressentent durant les phases de l'expérimentation active et de l'expérience concrète. Ainsi, l'adaptateur aura de fortes aptitudes à s'adapter aux situations nouvelles en prenant des décisions rapides en fonction des circonstances. Au cours de ces activités, il aura tendance à résoudre les problèmes en se fiant à son intuition et aux informations qu'il pourra obtenir des autres personnes, plutôt qu'en procédant à une analyse rationnelle et systématique de la situation. Enfin, l'adaptateur est sensible aux opinions et aux réactions des autres et en tient compte pour évaluer ses actions. Pour respecter ce style d'apprentissage, une formation doit proposer des activités pratiques, des mises en situation et des jeux de rôle.

1.2.2. Le divergeur

Les personnes du type divergeur vont adopter une position plus distante pour observer et interpréter l'expérience vécue. Elles apprennent davantage lorsqu'elles se trouvent dans les phases de l'expérience concrète et de l'observation réfléchie. Le divergeur aimera confronter la situation à un grand nombre d'opinions et d'idées différentes, ce qui l'amènera à dégager des solutions uniques et originales. Il possède un bon sens de l'observation et beaucoup d'imagination, ce qui lui permet de relever des éléments que les autres ne remarqueront pas. Éprouvant un certain besoin d'affiliation, il s'intéressera aux personnes qui l'entourent et prendra en considération leurs émotions et leurs sentiments dans le choix d'une solution. Pour susciter l'intérêt des personnes du type divergeur, la formation doit inclure des périodes de discussion et d'échange ainsi que des images, des métaphores et des analogies.

Figure 2.2
Styles d'apprentissage

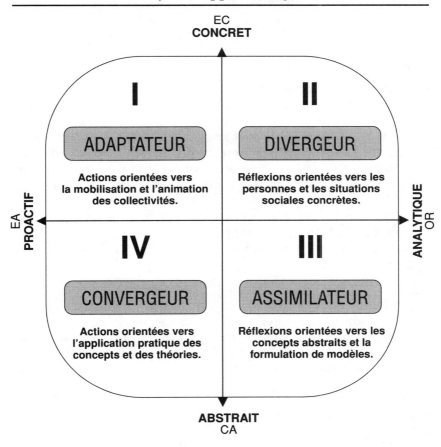

Source : Figure inspirée de Gauthier et Poulin (1983) et de Kolb (1981).

1.2.3. L'assimilateur

Les personnes du type assimilateur vont avoir une forte capacité d'assimilation et de synthèse de l'information. Elles vont privilégier la théorie à la pratique et vont aimer comprendre la dynamique de causalité d'une situation. Leurs caractéristiques viennent de leur intérêt pour la conceptualisation abstraite et l'observation réfléchie. Travaillant davantage en solitaire, l'assimilateur excelle dans le raisonnement inductif et dans l'intégration d'observations disparates ; il aimera résoudre des problèmes complexes qui impliquent un grand nombre de facteurs et de dimensions en modélisant la situation. Durant une formation, les individus privilégiant le style assimilateur vont apprécier les notions théoriques, les études de cas et la gestion de projets complexes. Ils peuvent cependant manifester de la résistance aux jeux de rôle.

1.2.4. Le convergeur

Le dernier style d'apprentissage est celui du convergeur. Les individus possédant ce style vont s'interroger sur l'application concrète des apprentissages dans leur contexte de travail. C'est en mettant en pratique les connaissances et les habiletés qu'ils vont réellement les intégrer. Leur apprentissage est favorisé durant les phases d'expérimentation active et de conceptualisation abstraite. Préférant travailler seul, le convergeur sera doué pour résoudre des problèmes concrets et identifier les solutions appropriées. Ses forces proviennent de sa capacité à dégager les implications concrètes et spécifiques de principes plus abstraits. Cette capacité de déduction de la théorie à la pratique est précieuse pour le transfert des apprentissages. Une formation adaptée au style de ces personnes devrait inclure des démonstrations, des études de cas et de la gestion de projet.

Comme nous pouvons le voir, les styles d'apprentissage ont des implications concrètes sur la conception et la diffusion d'un programme de formation. Puisque dans une formation, on a toujours affaire à des gens dont le style d'apprentissage diffère, il est important de varier les activités d'apprentissage et les techniques d'enseignement.

1.3. Les caractéristiques de l'apprenant adulte

Un processus d'apprentissage comprend généralement les mêmes phases, que ce soit chez l'adulte ou chez l'enfant. Cependant, le rôle de l'adulte à l'intérieur de ce processus à son apprentissage se distingue de celui de l'enfant.

On peut définir l'apprenant adulte[6] comme étant une personne :

– âgée généralement de 21 ans et plus ;

– engagée activement sur le marché du travail ou dont le statut socioéconomique n'est pas celui d'étudiant ;

– qui s'engage de son propre gré ou à l'initiative de son employeur dans une activité de formation.

Pouliot (1997) décrit les caractéristiques psychologiques, physiologiques, sociales ainsi que celles reliées aux habitudes de travail de l'apprenant adulte (voir tableau 2.1).

Tableau 2.1
Caractéristiques de l'apprenant adulte

Caractéristiques psychologiques	– Autonomie (besoin de respect, capacité d'initiative, capacité d'autodirection). – Besoins uniques (expériences personnelles et professionnelles particulières, motivation liée à la perception que la formation répondra à ses besoins). – Image de soi arrêtée (manifestation possible de résistance aux changements et de mécanismes de défense, meilleur engagement dans la démarche d'apprentissage favorisé par la valorisation personnelle).
Caractéristiques physiologiques	– Diminution de l'acuité visuelle et auditive après 40 ans. – Temps de réaction diminuant avec l'âge (contrainte de temps pouvant réduire le niveau d'apprentissage).
Caractéristiques sociales	– Éventail d'expériences très large (expériences pouvant contribuer ou nuire à l'apprentissage personnel et à celui des autres apprenants). – Conception du temps (perception de la valeur du temps et de l'importance de le « rentabiliser »). – Apprentissage par le groupe (partage d'expériences et de connaissances, enrichissement mutuel).
Caractéristiques reliées aux habitudes de travail	– Objectifs immédiats (implication avec un objectif de résultats concrets). – Motivation à résoudre des problèmes et à s'engager dans l'action. – Façons de penser moins flexibles (habitudes de travail et conception des problèmes plus profondément ancrées)

Source : Tableau adapté de S. Pouliot (1997). « Éducation pour la santé : recueil de textes », inédit, Université Laval, UQAR et UQTR (reproduction avec l'autorisation de l'auteur).

---

6. Cette définition est inspirée de celle de Pouliot (1997) à propos de l'étudiant adulte.

Ces caractéristiques font que l'adulte s'investit généralement de façon volontaire et active dans le processus d'apprentissage et cherche à effectuer une investigation dynamique et de rapprochement systématique avec son vécu. L'enfant reçoit plutôt l'apprentissage de façon passive. Le rapport de l'un et l'autre à l'apprentissage diffère donc fondamentalement. Cette différence s'explique par le processus de maturation qui marque le passage de l'enfance à la vie adulte et qui redéfinit constamment ce rapport à l'apprentissage. Le tableau 2.2 présente les principales distinctions entre les deux types d'apprentissage.

On comprend dès lors toute l'importance de s'attarder à la spécificité des modes d'apprentissage des adultes pour tenir compte de leur processus de maturation et, ainsi, optimiser leur implication dans l'activité de formation.

Il ne faut pas oublier que la notion d'apprentissage est en soi une démarche évolutive parfois pénible tant pour le formateur que pour l'adulte apprenant, puisque le processus visant le changement des comportements (la finalité de l'apprentissage) nécessite du temps et de la patience de part et d'autre. Dans pareil contexte, les aspects émotionnel et intellectuel de l'apprentissage ainsi que les investissements affectif et cognitif que le processus d'apprentissage requiert de la part de l'apprenant influencent l'état global de celui-ci. Or, le formateur doit apprendre à gérer et à accepter les approches rationnelles et intellectuelles de l'apprenant (son investissement cognitif) aussi bien que l'expression de ses sentiments (son investissement affectif).

Force est de constater que la spécificité des modes d'apprentissage chez l'adulte a motivé les théoriciens de l'enseignement à élaborer une approche méthodologique plus appropriée que les modèles pédagogiques traditionnels. Des réflexions de Lindeman[7] sont issus les fondements de la théorie moderne de l'apprentissage des adultes. Les principes énoncés ci-dessous résument les principes de l'apprentissage chez l'adulte.

---

7. Cité dans KNOWLES (1990), p. 45.

Tableau 2.2
Notions d'apprentissage chez l'enfant et chez l'adulte

L'enfant va...	alors que l'adulte va...
– participer sur une base obligatoire,	– participer sur une base volontaire.
– s'interroger à l'occasion sur l'utilité de ce qu'on lui enseigne,	– démontrer une volonté systématique de percevoir cette utilité.
– combler un besoin d'acquisition de connaissances,	– adapter et compléter sans cesse ses connaissances.
– poursuivre des objectifs fixés par d'autres (motivation extrinsèque),	– poursuivre des objectifs personnels (motivation intrinsèque).
– posséder une expérience limitée et peu intégrée,	– posséder une expérience complète, diversifiée et très intégrée.
– manifester peu d'intérêt d'apprendre des autres membres d'un groupe d'apprenants,	– manifester de l'intérêt à écouter et à partager les connaissances et les expériences des différents membres d'un groupe d'apprenants.
– percevoir le temps comme étant une ressource illimitée,	– avoir une conscience aiguë de la valeur du temps.
– apprendre pour plus tard,	– apprendre pour maintenant.
– démontrer une ouverture à apprendre un grand nombre de choses différentes,	– avoir des intérêts plus restreints liés aux difficultés qu'il éprouve.
– avoir une prise en charge limitée de son propre apprentissage,	– chercher à augmenter la prise en charge de son propre apprentissage.
– avoir une capacité d'apprentissage qui pourra être facilement perturbée par les événements et les étapes de sa vie,	– démontrer une capacité d'apprentissage qui pourra être stimulée par les événements et les étapes de sa vie.
– s'adapter facilement à la nouveauté,	– s'adapter plus difficilement à la nouveauté.
– avoir une capacité physique et de concentration sur une plus longue période, ce qui facilite l'apprentissage,	– avoir une capacité physique et de concentration moins grande, ce qui peut rendre l'apprentissage plus difficile.

Source : Tableau adapté de S. Pouliot (1997). « Éducation pour la santé : recueil de textes », inédit, Université Laval, UQAR et UQTR (reproduction avec la permission de l'auteur).

1.4. Les fondements de la théorie moderne de l'apprentissage

1.4.1. Premier fondement – volontariat et utilité

Pour qu'un adulte apprenant soit motivé par l'idée d'entreprendre une activité de formation, elle doit pouvoir répondre à ses besoins ou à ses intérêts. L'apprentissage ressort de la personne : il ne lui est pas imposé. Les facteurs qui motivent l'adulte à apprendre ne sont pas superficiels, mais sont plutôt reliés à un désir réel d'enrichir ses connaissances et son expérience ou sur celui de trouver des solutions à un problème qu'il a rencontré. Ainsi, la perception de l'utilité de l'apprentissage pour l'apprenant doit être le point de départ de l'organisation de toute activité de formation.

1.4.2. Deuxième fondement – pragmatisme

Le mode d'apprentissage des adultes est centré sur la réalité. L'activité de formation doit donc être conçue autour de situations réelles et non pas autour de sujets vagues et théoriques, sa contextualisation facilitant l'intégration et le développement des apprentissages. Une approche pragmatique et simple contribuera à l'utilisation des nouvelles connaissances et des habiletés, ce qui facilitera l'enseignement de notions et de concepts aux adultes.

1.4.3. Troisième fondement – expérience

Il faut considérer l'expérience de l'apprenant comme étant le facteur d'apprentissage le plus important. Tout au long du cycle de formation, les apprenants prennent eux-mêmes conscience de l'importance de l'expérience puisqu'ils établissent naturellement des liens entre ce qu'ils apprennent et ce qu'ils savent déjà. Le formateur ne doit donc pas être surpris si l'apprenant devient plus critique lorsqu'il a l'impression que ce qu'il apprend entre en contradiction avec son expérience. En fait, l'expérience peut être une ressource ou une contrainte à l'apprentissage. Une bonne activité de formation doit tenir compte des besoins, des centres d'intérêt et de l'expérience de l'adulte apprenant. Ces éléments comptent tout autant que les connaissances et l'expertise que possède le formateur.

1.4.4. Quatrième fondement – collaboration

Le rôle du formateur vise, entre autres choses, à amorcer un processus d'investigation bilatérale, c'est-à-dire à établir les bases d'un véritable échange entre le formateur qui transmet ses connaissances et l'apprenant qui contribue à leur enrichissement par son expérience. Cet échange s'établit dans un climat favorable à la coopération et à la collaboration dans lequel l'interaction entre le formateur et l'apprenant éveille la curiosité, le potentiel de l'individu, la créativité et l'imagination des apprenants. Cela représente une occasion privilégiée pour l'adulte qui, en général, aspire à se déterminer lui-même en dirigeant son propre apprentissage. Le rôle du formateur ne se limite donc plus exclusivement à la transmission et à l'évaluation des connaissances. Il consiste également à créer une ambiance informelle favorable et un climat démocratique dans lesquels l'autorité demeure entre les mains du groupe d'apprenants.

1.4.5. Cinquième fondement – diversité

Les différences individuelles ressortent davantage dans un groupe d'adultes que dans un groupe d'enfants. Un groupe d'adultes est généralement plus hétérogène, ce qui permet d'observer de nombreuses différences : cultures, styles d'apprentissage, degrés de motivation, besoins conscients et inconscients, intérêts particuliers, objectifs explicites et implicites. Le formateur doit prendre en considération ces différences individuelles dans l'élaboration de sa démarche andragogique. Pour y arriver, il peut identifier les caractéristiques de son public et adapter au besoin le rythme de son enseignement, les activités d'enseignement, leur ordre au cours de la formation ou son style de présentation.

Ces cinq principes constituent les fondements de la théorie moderne de l'apprentissage des adultes. Ils se transposent difficilement en milieu scolaire traditionnel où l'on retrouve plutôt une approche dite « pédagogique ». Les différences quant à l'expérience, à l'âge, aux contraintes et aux responsabilités propres aux adultes font qu'ils ne démontrent pas la même souplesse intellectuelle, le même idéalisme ni la même capacité d'adaptation que l'enfant.

S'il est très difficile de transposer les méthodes andragogiques dans les milieux scolaires traditionnels, l'inverse est aussi vrai.

Les adultes ont en effet et depuis longtemps rejeté le modèle utilisé dans le système éducatif. Coureau (1993) soutient que ce rejet repose sur les raisons suivantes :

–   L'autorité du formateur n'est pas acquise aux yeux des adultes apprenants parce qu'il représente avant tout un adulte comme tant d'autres ayant une fonction professionnelle. Le formateur ne projette pas l'image d'un maître omniscient comme c'est le cas avec les enfants.

–   La formation doit donner des résultats concrets, applicables dans le cadre des activités professionnelles de l'adulte. Elle doit par ailleurs favoriser son développement de carrière ou son épanouissement personnel. Contrairement à l'adulte, l'enfant ne manifeste qu'occasionnellement ce besoin de voir l'utilité de ce qui est enseigné.

–   L'adulte refuse radicalement le système de sanctions du milieu scolaire parce qu'un bon nombre de souvenirs désagréables y sont souvent associés et parce qu'il n'aime pas être traité comme un enfant.

–   L'adulte en formation souhaite voir le formateur tenir compte de ses acquis ainsi que de ses expériences. Contrairement à l'enfant qui se retrouve dans un contexte d'apprentissage où il sait peu de chose au départ, mais est ouvert à tout enseignement, l'adulte aspire plutôt à acquérir de nouveaux outils ou de nouvelles compétences qui l'aideront dans son cheminement personnel et professionnel.

2.   Les conditions d'apprentissage chez l'adulte

Les recherches de Lindeman nous ont permis de décrire de façon plus précise les fondements de l'apprentissage chez l'adulte. Le formateur doit s'assurer que certaines conditions sont présentes au cours de la formation pour que ces fondements soient respectés. Coureau (1993) établit sept conditions favorisant l'apprentissage de l'adulte.

2.1.   Un adulte apprend s'il comprend[8]

La matière qui fait l'objet d'une formation doit être présentée selon une démarche logique qui facilite l'établissement d'une relation de cause à effet. De cette façon, l'adulte peut comprendre sur quoi repose la matière qui lui est présentée. Un cours sur la mise sur pied d'un programme de formation devrait donc, par exemple, couvrir les quatre phases du cycle de gestion présentées au chapitre 1.

Le vocabulaire utilisé doit être accessible et compréhensible par les apprenants. Les exemples, les anecdotes et les illustrations dont se sert le formateur doivent être tirés de leur réalité quotidienne pour qu'ils puissent s'y référer et les comprendre aisément. Un formateur qui raconte continuellement des anecdotes reliées à une expérience de restauration pendant un cours sur le service à la clientèle aura tôt fait d'agacer des employés du domaine des télécommunications.

2.2.   Un adulte apprend si la formation
est en relation directe avec son quotidien

L'activité de formation doit être axée sur la réalité des apprenants. Les concepts vagues, les jeux et les exercices abstraits sont trop souvent déconnectés de cette réalité et finissent par ne pas donner les résultats escomptés. Les cas et les problèmes cités lors de la formation doivent donc être ancrés dans le contexte des apprenants, ce qu'ils connaissent et ce qu'ils font dans leur travail. Les liens entre l'expérience professionnelle de l'apprenant et les activités d'enseignement utilisées au cours de la formation doivent se dessiner facilement, sans qu'un effort intellectuel intense ne soit imposé à l'apprenant.

2.3.   Un adulte apprend s'il perçoit et accepte
les objectifs de formation

Les objectifs doivent être clairement énoncés au début de la formation et correspondre aux attentes des participants, lesquelles

---

8.   Pour éviter toute confusion, nous croyons important de préciser que Coureau fait probablement référence, dans cet énoncé, au sens général de la compréhension et non à la compréhension que l'on tire de la connaissance dans les taxonomies usuelles de l'apprentissage cognitif. L'auteure veut donc dire que l'adulte apprend s'il « saisit » la globalité d'une matière et l'intègre à son schème mental actuel.

doivent avoir préalablement été répertoriées lors de l'analyse des besoins de formation (traitée au chapitre 3). Il est non seulement important que l'apprenant comprenne la matière qui lui est présentée, mais il est aussi essentiel qu'il soit conscient de la raison d'être de la formation, c'est-à-dire qu'il comprenne à quoi vont lui servir ses nouvelles connaissances et habiletés dans le cadre de son travail.

Comme nous le notions plus tôt, le caractère volontaire de la formation est important. Les formations imposées suscitent habituellement beaucoup de résistance de la part des apprenants. Un formateur qui se trouve dans une telle situation doit, dès le début de la formation, être apte à faire accepter, au moins partiellement, le bien-fondé de la formation par les apprenants ainsi qu'à obtenir leur accord à participer (le chapitre 5 propose quelques techniques pour gérer adéquatement une telle situation).

2.4. Un adulte apprend s'il agit et s'engage dans l'activité de formation

Il faut voir dans cet énoncé le fait indéniable que plus l'adulte agit, plus il apprend[9]. Le formateur doit, par conséquent utiliser des techniques d'enseignement qui favorisent la participation. Il peut également présenter les exercices ou les activités de manière à éveiller l'intérêt et susciter l'engagement du participant.

Par exemple, une formation sur la supervision d'une équipe qui est constituée d'une suite interminable d'exposés théoriques aura beaucoup moins de retombées concrètes que si elle inclut notamment un questionnaire d'auto-évaluation sur les compétences en supervision, un jeu de rôles pour simuler une rencontre de supervision ainsi que des discussions animées sur les effets de l'utilisation d'un style de supervision par rapport à un autre. Ces dernières techniques d'enseignement actives permettent aux participants d'agir et de s'impliquer concrètement dans la formation.

---

9. MUCCHIELLI (1988) souligne que, en portant attention, les adultes retiennent approximativement ceci :
   - 10 % de ce qu'ils lisent ;
   - 20 % de ce qu'ils entendent ;
   - 30 % de ce qu'ils voient ;
   - 50 % de ce qu'ils voient et entendent en même temps ;
   - 80 % de ce qu'ils disent ;
   - 90 % de ce qu'ils disent et font.

2.5. Un adulte apprend si le formateur sait utiliser les effets de la réussite et de l'échec

Le rôle du formateur est essentiel pour bien gérer les effets de la réussite et de l'échec sur le participant. Il doit expliquer les objectifs à atteindre durant la progression andragogique, préciser les résultats attendus des exercices, encourager la réussite ou le succès et faire comprendre l'échec en se basant sur des observations et des faits concrets.

Un athlète peut, par exemple, faire des erreurs au cours de son entraînement. Il a alors la possibilité d'essayer de nouveau sans conséquence de façon à s'améliorer et à éventuellement réussir. Il est préférable que les fautes ou les points faibles se manifestent lors de cet entraînement, car ils peuvent être analysés et corrigés. Lors d'une compétition, par contre, l'athlète n'aura plus droit à l'erreur, il n'aura plus la même marge de manœuvre.

2.6. Un adulte apprend s'il se sent intégré dans un groupe

L'intégration d'un adulte au reste du groupe est fort importante durant une activité de formation. De fait, lors des évaluations de satisfaction, il est habituel que les participants soulignent leur appréciation quant aux exercices de groupe et aux apprentissages qu'ils ont tirés des échanges avec les autres. Un adulte se laisse en général plus facilement convaincre par ses pairs que par une personne extérieure à l'entreprise ou par un supérieur hiérarchique. Il importe donc que le mode d'enseignement favorise la synergie du groupe d'apprenants par des activités en sous-groupes et des discussions plénières. Ces techniques constituent des moyens d'intégration et d'implication de chaque individu dans l'action de formation.

2.7. Un adulte apprend s'il évolue dans un climat favorisant la participation

L'adulte doit se retrouver au centre d'une dynamique interactive impliquant le formateur et les autres membres du groupe ; il doit se sentir utile, c'est-à-dire capable d'apporter sa contribution à la progression de son équipe. Le formateur doit, quant à lui, instaurer un climat favorable à la considération respective de chacun des membres de l'équipe. Pour ce faire, l'écoute, le respect du droit de parole, l'acceptation d'idées diverses et de points de vue parfois contradictoires doivent être largement encouragés.

3. Les quatre stades de l'apprentissage

L'objectif ultime de la formation est de permettre aux adultes apprenants de maîtriser consciemment de nouvelles compétences. La prise en compte des notions reliées à l'apprentissage et le respect des conditions qui lui sont favorables vont permettre d'atteindre ce stade. Coureau (1993) soutient qu'il existe trois autres stades, dont deux sont importants à considérer dans la conception de la formation. Les quatre stades successifs sont : l'incompétence inconsciente, l'incompétence consciente, la compétence consciente et la compétence inconsciente. Ces quatre stades forment un cycle s'articulant autour de deux axes : l'axe de compétence et l'axe de conscience. La figure 2.3 présente de façon schématique ce parcours cyclique. Chaque stade est décrit en détail ci-dessous.

3.1. L'incompétence inconsciente

«Je ne sais pas que je ne sais pas.»

Le stade d'incompétence inconsciente est l'étape préalable à l'apprentissage. À ce moment-là, l'adulte n'a pas conscience de ses lacunes ou de ses manques. D'une part, il ne cherche pas naturellement à identifier de nouvelles façons de faire ce qu'il fait déjà et, d'autre part, il considère que sa façon de faire actuelle est la meilleure.

On observe régulièrement cette situation en entreprise lorsque les employés ont l'obligation de suivre un programme de formation. Ils viennent alors aux sessions de formation sans avoir conscience de ce qu'on attend d'eux, ni de ce qu'ils sont venus apprendre. Le formateur doit pouvoir rapidement reconnaître une telle situation et agir en conséquence : plutôt que de présenter immédiatement le contenu de la formation, il doit expliquer aux participants les bénéfices des enseignements qu'ils vont recevoir et les motiver à participer et à s'engager dans la démarche d'apprentissage.

Encore une fois, nous soulignons l'importance de préciser les objectifs à atteindre et de s'assurer, par une démarche progressive et responsable, que chacun des participants y adhère.

Notons que, dans certains contextes, il peut être difficile d'obtenir un accord complet à l'égard des buts recherchés. Le formateur s'assurera alors qu'il n'y a pas de réticences ni d'objections majeures au cours des premières phases de la formation. Cela ne peut se réaliser que par l'écoute active, l'explication et l'illustration des lacunes auxquelles la formation proposée veut répondre. L'apprenant peut alors passer au stade suivant.

Figure 2.3
Stades de l'apprentissage

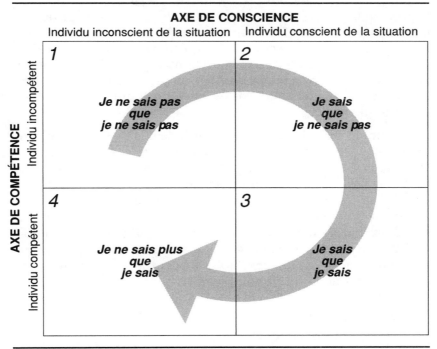

3.2. *L'incompétence consciente*

« Je sais que je ne sais pas. »

À ce stade, l'adulte est conscient de ses lacunes au regard de ses connaissances ou de ses habiletés. Il a tenté, par exemple, de faire quelque chose de nouveau, mais il a échoué. La phase d'incompétence consciente est l'étape au cours de laquelle l'apprenant prend la décision de s'engager ou non dans une démarche d'apprentissage structurée (suivre un cours, lire un livre, s'informer auprès de ses collègues, etc.).

On observe souvent à ce stade que certains adultes reconnaissent leurs lacunes, mais n'envisagent pas de modifier cette situation. Par exemple, un employé de bureau peut très bien savoir qu'il serait sûrement plus efficace d'utiliser un ordinateur pour rédiger des lettres plutôt que d'employer une machine à écrire. Il persiste néanmoins à rédiger ses lettres à l'aide d'une machine à écrire. La difficulté pour le formateur est alors de convaincre l'apprenant du bien-fondé des nouvelles connaissances ou des nouvelles méthodes et de l'inciter à intervenir activement pour les acquérir. Sa tâche sera facilitée si l'apprenant perçoit que les nouvelles compétences devront être utilisées à court terme et qu'il bénéficiera de soutien pour les mettre en pratique (il s'agit là d'un des déterminants du succès de la formation, qui sera abordé au chapitre 6).

Comme nous l'avons vu, le formateur doit être également conscient que les résistances observées peuvent être liées à la crainte de l'employé de ne pas être capable d'apprendre. Les obstacles reliés à la formation peuvent paraître trop difficiles à surmonter. L'incompétence consciente engage alors l'adulte dans une phase douloureuse où il peut rejeter toute démarche d'apprentissage et se décourager. Dans ces situations d'incertitude, le formateur doit rassurer et valoriser les apprenants en s'appuyant sur les compétences que ces derniers possèdent, tout en démontrant les avantages de la formation proposée.

3.3. *La compétence consciente*

« Je sais que je sais. »

Lors du passage au stade de compétence consciente, l'adulte commence à mettre en pratique le savoir nouvellement acquis. Cette étape du cycle d'apprentissage est la plus longue, car elle peut nécessiter un entraînement soutenu et un suivi prolongé pour que l'apprenant parvienne à la réussite. À ce stade, l'apprenant se heurte à la difficulté de changer ses anciennes façons de faire (habitudes, comportements ou habiletés). C'est alors que le formateur entendra des commentaires comme ceux-ci : « C'est compliqué ! » « Ce n'est pas naturel ! » « C'est difficile à mon âge de changer ! »

Pour que l'apprentissage soit intégré et que l'apprenant passe au quatrième stade du cycle, les efforts du formateur doivent se concentrer sur des actes de renforcement positif. C'est pour cette raison que le suivi postformation et les mécanismes de support au transfert des apprentissages revêtent une si grande importance. Pour que l'apprenant persévère, il faut maximiser ses chances de réussite tout en minimisant les occasions où il pourrait être tenté d'abandonner. Il faut ici faire preuve de prudence et de doigté pour que personne ne « perde la face » et que l'amour-propre de chaque participant soit préservé.

3.4. La compétence inconsciente

« Je ne sais plus que je sais. »

Au quatrième stade, l'adulte a complètement intégré les apprentissages, si bien qu'il pourra difficilement se remémorer et décrire les étapes à franchir pour arriver aux résultats voulus. Par exemple, un adulte qui conduit une automobile depuis longtemps n'a plus conscience des procédures à suivre pour s'engager sur une autoroute (accélérer, actionner les clignotants, surveiller l'angle mort, etc.). L'entraînement initial et la longue expérience rendent automatiques les mécanismes de la conduite automobile au point qu'il devient difficile pour l'adulte de se les remémorer et de les verbaliser.

L'apprenant parvient à ce quatrième stade de l'apprentissage par l'entraînement, l'expérience et le temps. Ce n'est pas durant le cours comme tel qu'il peut y arriver. Néanmoins, le formateur peut lui fournir les moyens appropriés et le plan d'action qui l'aideront à demeurer actif dans sa recherche d'intégration complète des apprentissages.

Lorsque les besoins de formation ont été bien identifiés, les apprenants se trouvent généralement au stade 1 ou 2 avant le début d'une formation. Si la démarche d'analyse de besoins a été omise ou mal faite, il peut arriver que le formateur se trouve en présence de participants qui maîtrisent déjà une bonne partie des compétences à développer. Si c'est le cas, le formateur devra s'adapter et probablement mettre l'accent sur la pratique et l'intégration des compétences. Il est important que le formateur reconnaisse bien le stade où se trouvent les participants du groupe en début de formation, car son principal rôle consiste à les faire progresser graduellement aux phases suivantes. Nous verrons dans le chapitre 4 quels sont les différents types d'activités qui facilitent le passage d'un stade à l'autre.

Il peut arriver, bien sûr, que le passage d'un stade à l'autre suscite des résistances chez l'apprenant. Le formateur doit alors inciter les participants à exprimer leurs réticences. Il s'attache ensuite à leur faire prendre conscience de l'importance des étapes suivantes en évoquant l'utilité et la pertinence de l'atteinte des buts fixés au début du cycle de la formation. De cette façon, le formateur atténue ou élimine les résistances présentes et amène l'apprenant à poursuivre sa propre démarche d'apprentissage.

En résumé, si l'on relie les principes andragogiques avec le cycle de gestion de la formation, une bonne gestion de la progression d'un adulte en situation d'apprentissage doit passer par les quatre étapes suivantes:

1. Au cours de la première étape (identification et analyse des besoins de formation), il faut établir ce que l'apprenant connaît et maîtrise et ce qu'il ignore ou ne maîtrise pas.

2. Lors de la conception de la formation, il importe de déterminer le stade d'apprentissage où l'apprenant se situe ainsi que son style d'apprentissage, afin de choisir les techniques d'enseignement et le processus d'apprentissage les plus appropriés.

3. Lors de la diffusion et du suivi postformation, il faut assister l'apprenant dans sa progression d'un stade à l'autre en respectant la chronologie de la formation, son rythme ainsi que les conditions d'apprentissage.

4. Au terme de la formation, on doit s'assurer que l'adulte a atteint les objectifs fixés et acquis les compétences recherchées.

Test : Mon style d'apprentissage

CONSIGNE : Pour chacun des cas présentés, choisissez l'énoncé (*a* ou *b*) qui vous décrit le mieux dans un contexte d'apprentissage. Il est possible que les deux énoncés puissent s'appliquer. Choisissez alors celui qui vous caractérise le plus.

DIMENSION 1

1. Lorsque je fais face à un problème :
    _____ *a)* je prends du recul pour évaluer la situation et les différentes avenues possibles pour résoudre le problème.
    _____ *b)* je saute tout de suite sur le problème et je travaille pour trouver une solution.

2. Lorsque j'apprends :
    _____ *a)* j'aime participer et agir.
    _____ *b)* j'aime observer.

3. Lorsque je reçois une information qui demande une action :
    _____ *a)* je prends le temps de l'analyser et je détermine quelle action est la plus appropriée.
    _____ *b)* je réalise l'action immédiatement.

4. J'apprends mieux :
    _____ *a)* lorsque j'ai la chance de mettre la théorie en pratique et de m'entraîner.
    _____ *b)* en regardant faire les autres.

5. Lorsque je rencontre de nouvelles personnes :
    _____ *a)* je les observe et tente de cerner leurs traits de personnalité.
    _____ *b)* j'interagis activement avec eux et leur pose des questions.

6. J'apprends mieux lorsque :
    _____ *a)* je peux expérimenter.
    _____ *b)* je peux regarder et comprendre la situation.

7. Quand je suis en formation et que j'ai des travaux à réaliser, je préfère :
    _____ *a)* prendre le temps de planifier comment je vais les réaliser.
    _____ *b)* les commencer immédiatement.

8. En situation d'apprentissage :
   _____ _a)_ j'aime mettre la leçon en pratique.
   _____ _b)_ j'examine toutes les facettes du problème.

9. Lorsque plusieurs possibilités s'offrent à moi :
   _____ _a)_ j'analyse les conséquences de chacune avant de prendre une décision.
   _____ _b)_ je sélectionne celle qui me semble la meilleure et je la mets en application.

10. En groupe :
    _____ _a)_ je me porte souvent responsable.
    _____ _b)_ je suis plutôt calme et réservé.

11. Lorsque j'apprends :
    _____ _a)_ j'aime observer et écouter.
    _____ _b)_ j'aime accomplir des tâches.

12. Après avoir répondu aux 11 questions précédentes :
    _____ _a)_ je veux poursuivre pour rapidement compléter le reste du questionnaire.
    _____ _b)_ je m'interroge sur l'interprétation des résultats et j'aimerais comprendre le sens de mes réponses avant de poursuivre.

DIMENSION 2

13. Habituellement, lorsque j'apprends quelque chose :
    _____ _a)_ je prends le temps d'y penser.
    _____ _b)_ je le fais sans y penser.

14. J'apprends mieux lorsque :
    _____ _a)_ je suis réceptif et je garde l'esprit ouvert.
    _____ _b)_ j'analyse les idées qui sont présentées.

15. Si je dois enseigner comment faire quelque chose :
    _____ _a)_ je donne des explications théoriques.
    _____ _b)_ je fais une démonstration de ce qu'il faut faire.

16. Mes décisions sont généralement meilleures lorsque :
    _____ _a)_ je fais confiance à mon intuition et à mes émotions.
    _____ _b)_ je me base sur un raisonnement logique.

17. Si j'ai une présentation orale à faire devant un groupe de personnes :

_____ a) je me suis préparé et je sais exactement ce que je vais dire.

_____ b) je connais les grandes lignes de ma présentation et je me laisse guider par les réactions et les discussions du groupe.

18. Lorsque j'apprends :

_____ a) je suis ouvert à de nouvelles expériences.

_____ b) j'aime analyser et disséquer le sujet.

19. Si je suis en réunion avec plusieurs experts sur un domaine :

_____ a) je leur demande, à tour de rôle, leur opinion respective.

_____ b) je discute activement avec eux et je cherche à faire partager les idées et les sentiments de chacun.

20. En cours d'apprentissage :

_____ a) je me sers de mon intuition.

_____ b) je raisonne de façon logique.

21. Lorsque je deviens impliqué émotivement dans une situation :

_____ a) je cherche à contrôler mes sentiments et essaie d'analyser la situation.

_____ b) je me laisse guider par mes émotions.

22. J'apprends mieux :

_____ a) en interagissant avec d'autres personnes.

_____ b) en me basant sur des lectures et des concepts rationnels.

23. Pour moi, la façon la plus efficace pour apprendre quelque chose, c'est :

_____ a) de lire un livre, de suivre un cours.

_____ b) de discuter avec diverses personnes, d'expérimenter et d'apprendre de mes erreurs.

24. Lorsque je prends une décision :

_____ a) je me base sur mon intuition et mes émotions.

_____ b) je me base sur mes idées.

COMPTABILISATION DU POINTAGE

CONSIGNE : Inscrivez les réponses que vous avez choisies à côté du numéro de la question correspondante dans le tableau ci-dessous. Encerclez ensuite tous les (*a*) inscrits dans la colonne 1 et la colonne 4 et tous les (*b*) inscrits dans la colonne 2 et la colonne 3. Additionnez le nombre de cercles dans chacune des colonnes et reportez le total en bas de celles-ci.

Additionnez ensuite le total des colonnes 1 et 2 et celui des colonnes 3 et 4. Le pointage de chaque dimension peut être reporté sur les axes appropriés de la figure 2.4 à la page suivante. L'intersection entre les deux pointages indique le style d'apprentissage qui vous caractérise le mieux.

DIMENSION 1		DIMENSION 2	
Colonne 1	Colonne 2	Colonne 3	Colonne 4
1. _____	2. _____	13. _____	14. _____
3. _____	4. _____	15. _____	16. _____
5. _____	6. _____	17. _____	18. _____
7. _____	8. _____	19. _____	20. _____
9. _____	10. _____	21. _____	22. _____
11. _____	12. _____	23. _____	24. _____

Nombre de cercles par colonne :

_____ _____ _____ _____

Nombre de cercles par dimension :

_____ _____

PROACTIF – ANALYTIQUE   ABSTRAIT – CONCRET

Figure 2.4
Votre style d'apprentissage

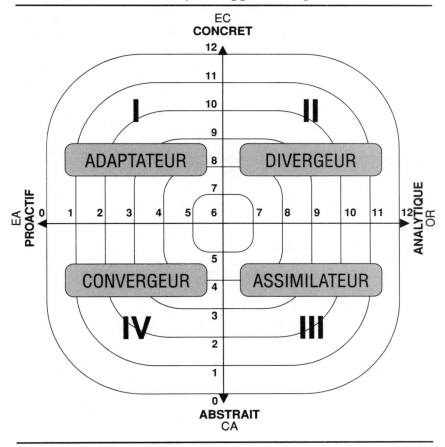

–   Quelles sont les méthodes, ou les situations, avec lesquelles vous avez le plus de facilité à apprendre ?

_____

_____

_____

_____

–   Quelles sont les méthodes, ou les situations, avec lesquelles vous avez le plus de difficulté à apprendre ?

_____

_____

_____

_____

–   Quelles sont les actions que vous pourriez prendre pour améliorer vos aptitudes à apprendre ?

_____

_____

_____

_____

CHAPITRE 3

L'identification et l'analyse des besoins de formation

Si vous doutez du diagnostic,
vous ne suivrez pas la prescription[1].
Stephen R. Covey

Si vous voulez savoir de quelle formation j'ai besoin,
demandez d'abord ce que l'on attend de moi[2].
Peter Drucker

L'identification des besoins de formation a longtemps été une phase vite expédiée au sein des organisations. Au cours des années 1970 et 1980, il était de bon ton, pour les grandes entreprises québécoises, de faire appel à des sociétés conseils américaines reconnues qui proposaient alors des programmes de formation normalisés sur les derniers concepts en gestion. Ces approches de gestion semblaient un idéal à atteindre et cela suffisait pour justifier la tenue de sessions de formation pour les employés. Avec le temps, les dirigeants d'entreprise se sont rendu compte que ces programmes ne donnaient pas les résultats escomptés pour

---

1. Traduction libre de :
   If you don't have confidence in the diagnosis,
   you won't have confidence in the prescription.

2. Traduction libre de :
   If you want to know what development do I need,
   ask first what results are expected of me.

la simple raison qu'ils ne répondaient pas aux besoins particuliers de la main-d'œuvre du Québec. Par ailleurs, une recherche de la Télé-université[3] a démontré que la culture et l'histoire du développement économique de pays comme le Japon, la Suède et l'Allemagne rendent leurs modèles de fonctionnement difficilement exportables.

Encore aujourd'hui, malgré les beaux discours sur l'importance de la formation et sur la nécessité de développer les compétences des employés, on retrouve trop souvent des programmes de perfectionnement lourds et contraignants, des approches standardisées et inadaptées aux besoins particuliers de chaque organisation, ainsi que des décisions prises sans tenir compte des objectifs stratégiques de l'entreprise. Voici quelques exemples illustrant comment la formation peut être inefficace ou mal utilisée si les besoins ne sont pas bien analysés.

- _La formation miracle._ Un directeur général s'imagine qu'en envoyant un gestionnaire suivre une formation de deux jours sur la résolution de conflits dans une grande école, il saura au retour comment gérer les tensions qui existent au sein de son équipe.

- _La formation trempette._ Un directeur du service à la clientèle reçoit un nombre grandissant de plaintes de la part de la clientèle. Craignant d'être réprimandé par ses supérieurs, il fait appel à une firme externe pour organiser une formation d'une journée ayant pour thème « le service à la clientèle : un souci d'excellence ». Les budgets étant trop restreints, aucune adaptation n'est faite et aucun suivi n'est offert.

- _Le système des diplômes._ La convention collective d'une papetière établit comme norme que tout employé qui accède au poste de conducteur sur la machine 6 doit avoir réussi une formation de trois semaines sur la production de papier. Il n'est possible de prendre en considération ni l'expérience que l'employé a pu acquérir sur d'autres machines, ni les formations qu'il aurait pu suivre durant les dernières années.

---

3. Résultats d'une recherche effectuée par Diane-Gabrielle TREMBLAY, résumés dans le journal _Les Affaires_, samedi, le 10 janvier 1998, p. B7.

- *La formation « cadeau ».* Durant une rencontre d'évaluation du rendement, un employé demande à suivre un cours sur la communication interpersonnelle, et ce, même s'il a déjà suivi un cours semblable l'année précédente. Comme il a eu une bonne performance, son supérieur lui accorde son approbation.

- *La formation « vache sacrée ».* Une entreprise qui se prépare à lancer un nouveau produit décide de créer un programme de formation complet (documentation, plan de formation, manuel de procédures, guide du formateur, etc.) qui sera offert à tous les employés. Les responsables de la formation sont fiers du résultat et de la documentation qu'ils ont conçue. À tel point qu'ils ne veulent rien changer, même si de grandes sections des manuels sont devenues obsolètes à la suite de changements dans le design et les caractéristiques du produit. De surcroît, la conception linéaire des documents de formation rend le programme rigide et difficile à adapter.

- *La formation déculpabilisante.* Dans une usine, il y a un taux d'accidents de travail élevé. Le directeur des opérations organise une formation sur la gestion des matières dangereuses pour montrer que ce problème le préoccupe. Bien qu'il soit conscient des principales causes, les équipements désuets et l'environnement de travail, il ne fait rien pour s'y attaquer.

- *La formation « un mal obligatoire ».* Depuis qu'une loi oblige toutes les organisations à dépenser des sommes en formation, un chef d'entreprise envoie chaque année ses vendeurs suivre des cours de vente. Il ne se préoccupe ni de l'efficacité, ni de l'impact de cette stratégie, son seul souci étant de respecter son obligation annuelle.

Dans chacun de ces exemples, on peut voir que l'accent est mis sur le « quoi » enseigner plutôt que sur le « pourquoi ». Aussi, sans une bonne analyse des besoins de formation, les meilleures intentions vont généralement produire des résultats plus ou moins satisfaisants. C'est à ce moment que les dirigeants d'entreprise se rendent compte que leur investissement en formation n'est pas rentable ; que les responsables de la formation se perçoivent comme des coordonnateurs de cours plutôt que des conseillers en développement des compétences; et que les participants ne saisissent pas l'importance de mettre en pratique leurs nouvelles connaissances.

Négliger la première étape du cycle de gestion de la formation peut ainsi se révéler néfaste et coûteuse. En revanche, une bonne analyse de besoins permet:

- de s'assurer que la formation est la meilleure solution à la problématique observée;

- de proposer des activités de formation qui répondent aux besoins particuliers des employés concernés et qui correspondent au contexte du milieu de travail;

- d'impliquer les employés concernés dans leur développement professionnel et dans l'amélioration du fonctionnement de l'entreprise;

- de réunir les conditions optimales pour que les investissements se rentabilisent.

Concrètement, la première étape du cycle de gestion de la formation débute à partir du moment où une problématique est relevée au sein de l'entreprise et que le responsable de la formation décide d'analyser si elle peut être résolue par une activité de formation. Elle se termine lorsque les objectifs de formation sont clairement formulés ou lorsque le responsable de la formation considère qu'un autre moyen d'action peut être utilisé pour résoudre cette problématique.

L'étape d'identification et d'analyse des besoins de formation sera plus ou moins longue selon la situation. Dans certains cas, une entreprise en période d'orientation stratégique peut vouloir réaliser un plan global de développement des ressources humaines; elle cherchera alors à dresser un inventaire complet des besoins existants et potentiels. Dans d'autres cas, l'entreprise peut avoir déjà identifié un problème de performance précis et désire alors cerner les causes de cette situation; une analyse localisée des écarts de performance permettra d'établir les besoins spécifiques de formation des employés concernés. Dans les deux cas, une démarche logique et structurée doit être suivie pour tracer un portrait de la situation et trouver des solutions adaptées.

1.   Les besoins de formation

Un besoin est défini par Tyler[4] comme la différence entre « ce qui est » et « ce qui devrait être ». Un besoin de formation apparaît lorsqu'on peut observer un écart entre une situation actuelle et une situation désirée et que cet écart est dû à une absence ou à un manque de compétences essentielles ou requises. Les objectifs stratégiques de l'entreprise modèlent une situation désirée en termes de performance, c'est-à-dire un état optimal à atteindre au présent ou dans l'avenir. C'est en comparant cet état au niveau actuel des compétences qu'il est possible de faire ressortir les besoins de formation.

Suivant cette logique, le besoin de formation peut être relié à deux situations :

- *Un problème de rendement est identifié.* La situation actuelle est insatisfaisante et la situation désirée représente la solution à ce problème (voir figure 3.1). Par exemple, une entreprise organise une formation pour tous ses opérateurs sur la mise au point de ses machines-outils, pour faire suite à une analyse qui a déterminé que les nombreux bris étaient dus à de mauvais ajustements. La formation cherche donc à combler un écart observé entre la performance de un ou plusieurs individus et le rendement attendu. De même, les situations suivantes font surgir un besoin de formation suivant la même problématique : embauche d'un employé, restructuration des opérations, réaffectation ou promotion d'un employé.

- *L'organisation aspire à une amélioration de sa performance.* La situation actuelle ne pose pas problème en soi, mais l'organisation désire introduire un changement dans ses méthodes de travail pour atteindre un niveau de performance plus élevé ou pour réagir à une nouvelle réalité du marché (voir figure 3.2). Par exemple, une formation sur l'amélioration continue et la gestion des non-conformités est offerte dans une entreprise qui désire obtenir une certification ISO afin d'améliorer ses procédés internes et de mieux satisfaire aux nouvelles exigences de ses fournisseurs.

---

4. Cité dans Mayer et Ouellet (1991), p. 70.

Auparavant, la situation était considérée satisfaisante, mais, dans ce nouveau contexte, elle ne l'est plus. Ainsi, les situations suivantes font surgir un besoin de formation suivant la même problématique : introduction d'une nouvelle technologie, changements des procédés de production, introduction d'un nouveau produit, enrichissement des tâches, etc.

Figure 3.1
**Besoin de formation –
un problème de rendement est identifié**

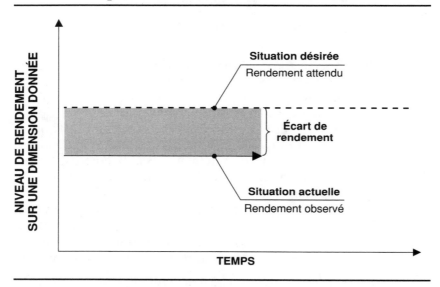

Dans les deux situations, on constate un besoin, car il existe un écart entre « ce qui est » et « ce qui devrait être ». Dans le premier cas, « ce qui est » n'est pas satisfaisant et, dans le second, « ce qui devrait être » ne l'est plus.

Le processus d'analyse de besoin comporte trois étapes. Il s'agit, d'abord, d'identifier les écarts de performance existants au sein de l'organisation. Ensuite, il importe de procéder à une analyse des causes pour déterminer si les écarts observés peuvent être comblés par de la formation et, le cas échéant, quelles sont les compétences précises qu'il faut développer. Enfin, étant donné que plusieurs écarts peuvent apparaître, il faut les classer et établir des priorités d'action.

Figure 3.2
**Besoin de formation – l'organisation
aspire à une amélioration de sa performance**

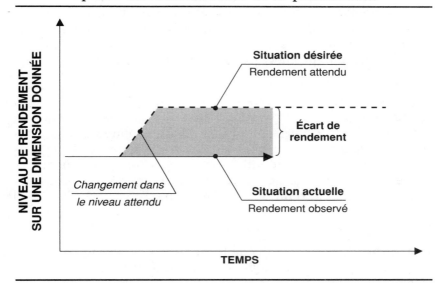

1.1. L'identification des besoins de formation

Traditionnellement, l'identification des besoins de formation était effectuée sur une base microscopique en vérifiant l'adéquation entre les postes et les individus les occupant. Pourtant, comme nous l'avons vu dans le premier chapitre, la formation doit être conçue d'une façon beaucoup plus macroscopique et globale. Aussi, des besoins de formation peuvent être relevés par tous les acteurs de l'organisation. Pour réaliser l'identification globale des besoins de formation, Côté (1997) propose de recourir à un processus structuré en trois niveaux.

1.1.1. Au niveau stratégique

Souvent appelé « plan global de formation » ou « programme de développement des ressources humaines », le processus d'identification des besoins de formation au niveau stratégique cherche à reconnaître les écarts entre les objectifs de l'entreprise et son capital compétence. Il cherche à comprendre la nature des défis et des enjeux auxquels fait face l'organisation et à définir les résultats attendus à l'échelle organisationnelle ainsi que la structure et l'organisation du travail à privilégier. Les résultats doivent ensuite être mis en relation avec le capital compétence existant afin de voir les moyens pouvant être utilisés pour combler les écarts. Les écarts identifiés peuvent provenir soit d'une nouvelle aspiration ou d'une opportunité qui se présente, soit d'une performance attendue qui n'est pas atteinte et qui doit être corrigée.

Par exemple, la direction d'une entreprise demande l'organisation d'une activité de formation pour que l'ensemble des cadres soient formés à un style de supervision de type « *coaching* ». Cette décision découle d'une aspiration à rendre l'approche de gestion plus participative. Dans un tel cas, il est important que le responsable de la formation identifie les valeurs qui sous-tendent la stratégie de la direction et tente de clarifier les résultats concrets que celle-ci attend d'une telle formation.

1.1.2. Au niveau des processus

L'identification des besoins de formation à ce niveau consiste à analyser les processus critiques qui ne produisent pas les résultats attendus, à comprendre les interrelations entre les secteurs d'activités, à identifier les maillons de la chaîne qui posent problème et à localiser ceux qui peuvent faire l'objet d'une amélioration par la formation.

Par exemple, à la suite d'un accident sur une machine à production en continu, le comité de santé et de sécurité recommande que soit organisée une session de sensibilisation aux risques inhérents à l'utilisation de cette machine et aux méthodes de travail sécuritaires pour tous les postes de travail impliqués. Le responsable de la formation doit examiner les méthodes de travail actuelles, les particularités de fonctionnement de la machinerie et les étapes critiques du processus.

Plusieurs symptômes peuvent également signaler des besoins de formation au niveau des processus : une baisse de productivité, un taux de roulement de personnel élevé, une augmentation du nombre de plaintes de la part de la clientèle, un climat organisationnel difficile, etc. Souvent, l'analyse des processus va davantage faire ressortir des problèmes organisationnels que des problèmes de formation.

1.1.3. Au niveau des postes

Au niveau des postes, l'identification des besoins de formation est centrée sur les tâches spécifiques et les employés qui les réalisent. Il s'agit d'examiner les objectifs et les standards de rendement, les tâches réalisées, les profils de compétence requis et existants, et de relever les écarts.

Par exemple, un superviseur note un problème de performance dans l'équipe des couturiers de soir. La productivité de soir est systématiquement inférieure à celle enregistrée le jour. Le responsable de la formation doit alors effectuer une analyse plus approfondie du problème de performance afin de trouver les causes de cette situation.

1.2. *L'analyse des besoins de formation*

Généralement, pour chaque besoin identifié, il importe de localiser le problème, de mesurer l'ampleur de l'écart entre la performance attendue et la performance actuelle et d'en analyser les causes.

1.2.1. Localiser le problème

En collaboration avec la personne ou le groupe qui a manifesté le besoin ou qui a signalé la problématique, le responsable de la formation doit situer le problème dans l'entreprise : qui est concerné par la situation ? Il peut s'agir de l'ensemble de l'organisation, d'une division, d'un service, d'une catégorie d'employés ou d'un employé en particulier. Si le secteur concerné a une certaine importance, on fera bien de sélectionner un échantillon représentatif du public visé pour la collecte de données.

1.2.2. Identifier l'écart de performance

Une fois la problématique localisée et les sujets de l'analyse identifiés, il est possible de procéder à l'analyse de l'écart de performance. Dans un premier temps, il faut déterminer la performance requise et attendue par la direction de l'entreprise. Ce niveau de performance peut généralement être déterminé à partir de documents existants (orientations stratégiques, plans de développement des ressources humaines, profils de poste, descriptions de tâches, etc.). En l'absence de tels documents, la performance attendue doit être établie par des entrevues avec les personnes concernées, soit des membres de la direction, des superviseurs ou des employés.

Dans un deuxième temps, il importe de situer la performance actuelle. Pour ce faire, on aura recours à des mesures de productivité, aux évaluations du rendement, à des rapports d'anomalies ou de plaintes ou à tout autre rapport de performance.

Figure 3.3
Identification de l'écart de performance

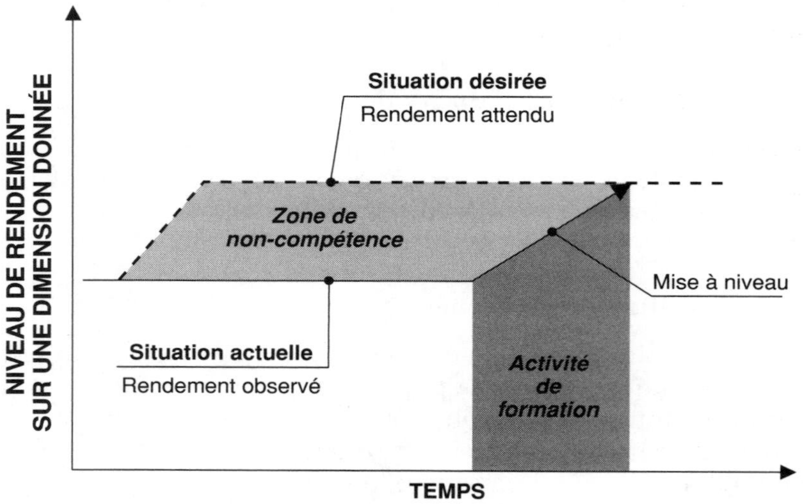

Source : Figure inspirée de D. Bouteiller (1995). « La Loi 90 : une opportunité de gérer autrement la formation », _Gestion, Revue internationale de gestion._

En comparant les deux niveaux de performance, il est possible de délimiter la zone de non-compétence, à savoir l'écart de performance (voir figure 3.3). La formation qui sera mise sur pied doit pouvoir combler cet écart en permettant une mise à niveau des compétences des employés concernés.

1.2.3. Évaluer l'importance de la problématique

Lorsque l'écart de performance est précisé, il est important d'en évaluer l'importance. Devant un problème mineur, il peut être préférable de recourir à des correctifs simples ou de maintenir le _statu quo._ Les critères suivants aideront à mesurer l'étendue du problème :

- l'importance stratégique que revêt cet écart pour l'entreprise ;

- le coût direct et indirect du problème (pertes, erreurs, ventes, climat, etc.) ;

- le nombre de départements et d'employés concernés ;

- le nombre de clients affectés ;

- le nombre d'occurrences du problème ;

- la stabilité ou la progression de l'écart (diminution ou croissance) ;

- l'urgence d'agir pour corriger la situation ;

- l'obligation de recourir à la formation (législation, compétitivité, etc.).

Si, à la lueur de ces critères, le problème est jugé important, on doit procéder à une analyse approfondie de ses causes.

1.2.4. Analyser les causes

Les écarts de performance peuvent révéler une situation complexe ; il est donc important de se demander ce qui a causé la problématique observée. Comme dans tout processus de résolution de problèmes, l'analyse des causes est au centre du processus d'analyse des besoins de formation et se réalise généralement à l'aide de techniques de collecte d'information et de résolution de problèmes. Les techniques de collecte d'information les plus fréquemment utilisées sont décrites un peu plus loin dans ce chapitre. Les différentes techniques d'analyse et de résolution de problèmes sont également utiles, mais elles ne seront pas traitées dans cet ouvrage[5].

Pour assurer une plus grande validité aux résultats de son analyse, le responsable de la formation doit, autant que possible, faire appel à plusieurs sources d'information. Les principales sont le demandeur de la formation, le groupe visé par la formation,

---

5. On pense, notamment, au schéma de causes et effets, à l'analyse de processus, au diagramme de Pareto et à l'analyse des champs de force. Différents auteurs, dont GAUTIER et MULLER (1988), MORNEAU et collab. (1992) et CAROSELLI (1992), traitent de façon détaillée de chacune de ces techniques.

leurs clients, leurs fournisseurs, leurs supérieurs immédiats, leurs subordonnés, la direction générale ou des personnes à l'interne ou à l'externe ayant une expertise particulière.

Lorsque la situation est bien comprise, il est possible de repérer les sources probables de l'écart de performance. La figure 3.4 permet de procéder par élimination et de cerner les causes sur lesquelles il y aurait lieu d'intervenir. Généralement, on peut considérer qu'un écart de performance est dû soit à un problème lié au système emploi, soit à un problème lié au système personne. L'analyse du responsable de la formation doit permettre de vérifier si le rendement insatisfaisant est occasionné par:

Figure 3.4
Analyse des causes de l'écart de performance

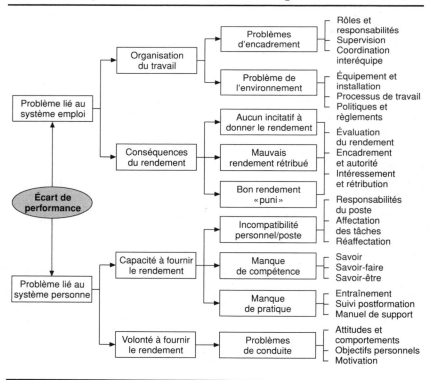

- *un problème d'ordre organisationnel* lié à l'encadrement de travail, à l'environnement de travail ou aux conséquences du rendement actuel ;

- *un problème d'ordre individuel* lié à une incompatibilité personne / poste ou à la conduite de l'employé ;

- *un problème de formation* lié à un manque de compétence ou à un manque de pratique des habiletés.

Une activité de formation ne saurait résoudre des problématiques organisationnelle ou individuelle ; dans ce cas, il faut agir sur les facteurs qui nuisent à la performance en apportant les changements appropriés. Par contre, lorsqu'il s'agit d'un problème de formation, le responsable de la formation peut procéder à l'établissement des priorités et à la définition des objectifs de formation.

1.3. L'établissement des priorités

L'analyse approfondie des causes peut faire ressortir un grand nombre de besoins de formation. Dans l'éventualité où un plan global de formation a été élaboré, il est possible d'organiser l'ensemble des besoins dans la grille ci-dessous. Celle-ci catégorise les besoins selon le niveau où ils ont été relevés et selon qu'ils constituent un écart actuel ou un écart prévisible dans un avenir rapproché.

	ÉCART ACTUEL Problèmes de rendement existants	ÉCART PRÉVISIBLE Aspirations de l'organisation (niveau stratégique)
NIVEAU DES POSTES		
NIVEAU DES PROCESSUS		

À l'examen de l'ensemble des besoins, il est évident que certains se révéleront plus urgents que d'autres. Généralement, les priorités sont établies en fonction des deux critères suivants :

- *La valeur de la solution* – quels sont les bénéfices quantitatifs et qualitatifs que pourra éventuellement tirer l'organisation ?

- *L'urgence de la problématique* – quel est l'état de la situation (problème actuel ou futur, situation stable ou se détériorant rapidement, etc.) ?

Dion et collab. (1997) proposent, pour leur part, d'utiliser le tableau présenté à la figure 3.5 pour établir les priorités d'action ; celui-ci relie l'importance stratégique d'une compétence pour l'entreprise et le degré de maîtrise actuel de cette compétence. La mise sur pied d'une activité de formation devient prioritaire lorsque la compétence visée par la formation est essentielle au développement de l'entreprise et quasi absente.

Figure 3.5
Établissement des priorités de formation

IMPORTANCE STRATÉGIQUE POUR L'ENTREPRISE

	Faible importance	Grande importance
NIVEAU DE COMPÉTENCE ACTUEL DANS L'ENTREPRISE — Haut niveau	Haut niveau de compétence Faible importance stratégique *NE PAS INTERVENIR*	Haut niveau de compétence Grande importance stratégique *MAINTENIR ET/OU AMÉLIORER*
Faible niveau	Faible niveau de compétence Faible importance stratégique *PERMETTRE LE DÉVELOPPEMENT sans accorder de priorité ni de ressources importantes*	Faible niveau de compétence Grande importance stratégique *AGIR EN PRIORITÉ consacrer l'essentiel des ressources ici*

Source : S. DION et collab. (1997). *La gestion de la formation*, Montréal, Société québécoise de Montréal, p. 61 (reproduction avec l'autorisation de l'éditeur).

1.4. *L'analyse des besoins abrégée*

Il importe de souligner que trois situations peuvent se présenter et entraver la réalisation intégrale de la démarche d'analyse des besoins :

–   Le client, interne ou externe, se dit convaincu de son besoin de formation et insiste pour que le responsable de la formation ne fasse que ce qui lui est demandé.

–   Le contexte et les orientations de l'entreprise sont changeants ou mal cernés et, par conséquent, l'état idéal recherché demeure flou (nous nous attarderons à cette situation au chapitre 4).

–   L'urgence d'agir et le manque de budget et de ressources rendent impossible une analyse approfondie des écarts et des causes.

Dans de tels cas et en dépit des pressions exercées ou du flou existant, il est essentiel que le responsable de la formation réalise une analyse sommaire lui permettant de trouver au moins une réponse satisfaisante à chacune des questions suivantes (il peut, pour ce faire, consulter un échantillon de la population visée par la formation).

–   Pour quelles raisons la formation doit-elle être organisée ? Quels sont les besoins qu'elle permettra de combler ?

–   Quels changements désire-t-on susciter chez les participants au regard des connaissances, des habiletés ou des attitudes ? Quelles sont les compétences recherchées ?

–   Quelles conséquences cette formation peut-elle entraîner sur l'organisation ?

–   Comment procédera-t-on pour favoriser l'utilisation des nouvelles compétences au milieu de travail ?

–   Comment seront évaluées la formation et l'acquisition des compétences ?

Les réponses à ces questions permettront, d'une part, de définir les objectifs de formation qui guideront la conception de celle-ci ou faciliteront la sélection d'un fournisseur externe. D'autre part, elles donneront des indications sur les moyens à mettre en œuvre pour maximiser son efficacité.

2. Les techniques de collecte de données

Les techniques de collecte de données servent à rassembler l'information requise au cours des différentes étapes de la période d'analyse des besoins de formation. Le tableau 3.1 présente les principales catégories de techniques qui peuvent être utilisées : méthodes individuelles, méthodes de groupe, observation et analyse des données existantes. Nous aborderons ces méthodes individuellement. À la fin de cette section, le tableau 3.8 résume les avantages et les limites de chaque technique ainsi que son coût approximatif et sa complexité.

Tableau 3.1
Techniques de collecte de données

Méthodes individuelles	– Entrevue individuelle
	– Questionnaire
	– Analyse des compétences
Méthodes de groupe	– Comité de formation
	– Groupe de discussion
	– Groupe de résolution de problèmes
Méthodes d'observation	– Observation participante
	– Observation méthodique
Méthodes d'analyse des données existantes	– Profils de poste
	– Système d'évaluation du rendement
	– Rapports de productivité

2.1. Les méthodes individuelles

Les techniques de collecte de données sont généralement appliquées aux individus susceptibles de participer à la formation envisagée ou aux personnes en contact régulier avec eux (supérieurs, subordonnés, pairs, clients ou fournisseurs). Les principales méthodes individuelles sont l'entrevue, le questionnaire et l'analyse des compétences. Par définition, chacune met en relation de façon individuelle une personne avec la technique de collecte de données.

2.1.1. L'entrevue individuelle

L'entrevue est la technique de collecte d'information la plus simple et la plus utilisée ; il s'agit d'un échange en face-à-face ou par téléphone avec des individus qui peuvent apporter de l'information qualitative sur la problématique. Les personnes interviewées sont généralement des informateurs clés qui possèdent une expertise reliée au sujet ou des individus impliqués personnellement dans la problématique examinée.

L'entrevue peut être structurée ou non. Une entrevue structurée comporte des objectifs précis à atteindre et une série de questions ouvertes à couvrir. Le tableau 3.2 présente des exemples de questions pouvant être posées au cours d'une entrevue pour analyser un poste de travail et identifier des besoins de formation. Une entrevue non structurée comporte également des objectifs précis, mais la personne qui conduit l'entrevue formule ses questions au gré de la discussion en se guidant sur les divers thèmes à aborder.

Tableau 3.2
**Exemples de questions ouvertes pouvant être utilisées
lors d'une entrevue**

Poste de travail
– Quelles sont les principales responsabilités de votre poste ?
– Quelles sont les compétences critiques nécessaires à l'accomplissement de votre travail ?
– Quelles sont les principales contraintes de votre travail ?
– Dans l'ensemble de vos tâches, quelles sont celles avec lesquelles vous êtes le plus à l'aise ?
– Quelles sont les tâches pour lesquelles vous croyez ne pas fournir un rendement suffisant ? Pourquoi ?

Performance
– Pouvez-vous donner des exemples précis où des problèmes de performance ont affecté les objectifs de votre unité ou de l'organisation ou la satisfaction de la clientèle ?
– Quels facteurs, internes ou externes à l'organisation, peuvent occasionner ces problèmes de performance ?
– Ces problèmes sont-ils récents ? Seraient-ils le résultat d'un quelconque changement ?
– Ces problèmes sont-ils observés chez certaines personnes seulement ou chez l'ensemble des personnes en poste ?

Formation
– Décrivez des occasions où la performance a été affectée par un manque de formation.
– Quels seraient, à votre avis, les principaux besoins en formation ?
– Si vous aviez le choix, à quelles activités de formation aimeriez-vous participer ?
– Idéalement, comment devrait être une formation pour s'adapter à votre style d'apprentissage et à votre contexte de travail ?

L'entrevue peut consister, par exemple, en une rencontre structurée avec le superviseur des commis au service à la clientèle pour identifier les principales raisons pour lesquelles la durée des appels de service dépasse les normes établies. Par la suite, des entrevues téléphoniques plus courtes peuvent être réalisées avec un échantillon de clients pour mieux comprendre la situation.

Une liste de dispositions à prendre avant de passer des entrevues est proposée au tableau 3.3.

2.1.1.1. Avantages

L'entrevue est particulièrement utile lorsque la problématique de formation n'est pas encore bien cernée et que l'ensemble des facteurs à considérer ne sont pas encore connus. Dans cette optique, elle constitue souvent une des premières techniques de collecte d'information utilisées à la suite des analyses documentaires. Elle peut également se révéler utile pour valider, infirmer ou nuancer des informations obtenues à l'aide d'autres moyens.

Généralement peu coûteuse et simple d'utilisation, l'entrevue favorise la participation et l'implication des personnes concernées par la problématique. Comme elle est très souple, elle offre la possibilité d'aborder des aspects qui surgissent au cours de l'entretien, mais qui n'ont pas nécessairement été envisagés au départ. À ce sujet, le non-verbal de la personne interviewée peut être une source précieuse d'information. Ainsi, lorsque la personne qui conduit l'entrevue réussit à créer un climat de confiance et explore les aspects qui se présentent, elle peut recueillir des informations qu'elle n'aurait pas pu obtenir autrement (aspects personnels ou sensibles, informations confidentielles, etc.) et qui peuvent mettre en lumière certaines causes de la problématique.

2.1.1.2. Limites

La principale limite de l'entrevue réside dans son caractère subjectif. En effet, à moins de réaliser des entrevues avec l'ensemble des acteurs concernés, la personne qui conduit l'entrevue risque de se faire une image biaisée, non représentative de la réalité. Compte tenu du fait que l'information recueillie est avant tout qualitative, les opinions et les idées peuvent difficilement être généralisées.

Tableau 3.3
Liste de dispositions à prendre avant les entrevues

Préparation à l'entrevue

☐ Familiarisez-vous avec la problématique à étudier.

☐ Formulez les objectifs à atteindre.

☐ Sélectionnez les personnes à interviewer (par échantillonnage si nécessaire).

☐ Pour des entrevues en face-à-face :
   ☐ choisissez un lieu de rencontre confortable et privé ;
   ☐ limitez la durée des entrevues à deux heures et réservez-vous une période tampon de 15 à 20 minutes pour organiser vos notes ;
   ☐ avisez les participants à l'avance, expliquez-leur les objectifs et la structure de l'entrevue et répondez à leurs questions.

☐ Pour des entrevues par téléphone :
   ☐ choisissez un espace de travail pratique et tranquille ;
   ☐ limitez la durée des entrevues à 20 minutes et réservez-vous une période tampon de 5 à 10 minutes pour organiser vos notes.

☐ Préparez votre canevas d'entrevue.

Choix des questions

☐ Formulez des questions pour chaque objectif à atteindre.

☐ Ordonnez les questions du général au spécifique et, si possible, placez les questions plus importantes au début et celles qui abordent des thèmes plus sensibles à la fin.

☐ Estimez le temps à consacrer à chacun des groupes de questions.

☐ Assurez-vous que les questions sont simples, claires et sans mots de jargon.

Conduite de l'entrevue

☐ Expliquez à l'interviewé les objectifs de l'entrevue, les raisons pour lesquelles vous l'avez choisi, les règles de confidentialité et l'utilisation des résultats.

☐ Mettez la personne interviewée en confiance et répondez à ses questions.

☐ Assurez-vous de couvrir toutes les questions tout en conservant une certaine marge de manœuvre pour en formuler d'autres.

☐ Faites clarifier les réponses si nécessaire en demandant de donner des exemples concrets.

☐ Demeurez objectif et distinguez les faits des opinions.

☐ Remerciez la personne de sa participation.

☐ Offrez-lui la possibilité d'ajouter des commentaires sur les sujets d'entrevue ou de poser des questions additionnelles.

☐ Demandez-lui s'il est possible de reprendre contact avec elle au besoin.

En favorisant la création d'une relation entre l'interviewer et l'interviewé, l'entrevue peut créer des attentes de la part de ce dernier. Comme on a éveillé son intérêt en lui demandant sa participation, il va souvent manifester le désir d'être mis au courant des développements de la recherche et de l'analyse. Il peut donc être utile de clarifier le rôle de la personne interviewée, ce qu'on attend d'elle dans le cadre de l'entrevue et, le cas échéant, de préciser la manière dont elle sera informée des résultats de l'étude.

2.1.2. Le questionnaire

Le questionnaire peut prendre deux formes : le « questionnaire client » et l'auto-évaluation. Le questionnaire client évalue un « fournisseur de service » et est complété par ses clients. Il peut, par exemple, s'agir des employés qui évaluent les habiletés de supervision de leur supérieur immédiat, des clients externes qui sont interrogés sur des indicateurs de performance d'un service d'expédition ou des gestionnaires à qui l'on demande leur appréciation d'un service des ressources humaines. Le questionnaire client vise donc à identifier les besoins de formation d'une « personne à former » en consultant des tiers qui sont en interrelation avec elle.

Comme son nom l'indique, l'auto-évaluation est complétée par la « personne à former » elle-même. Elle permet à un individu de faire le point sur son niveau actuel de connaissances et d'habiletés dans le cadre de ses fonctions. Si des profils de compétences existent au sein de l'organisation, une auto-évaluation peut être bâtie à partir de la liste des compétences d'un poste donné. Le tableau 3.4 présente un modèle d'auto-évaluation sur un certain nombre de compétences en gestion.

Contrairement à l'analyse des compétences, le questionnaire n'est pas un test et ne vise donc pas à susciter de « bonnes réponses ». Il a plutôt pour objectif d'obtenir l'opinion des personnes consultées sur la situation de travail, les forces et les points à améliorer, ainsi que sur les besoins de formation potentiels.

Tableau 3.4
Questionnaire d'auto-évaluation
sur des compétences en gestion

Veuillez indiquer votre niveau de maîtrise de chacune des habiletés suivantes, en utilisant l'échelle ci-dessous.

1 = très faible   2 = faible   3 = moyen   4 = fort   5 = très fort

Direction

1. Communiquer clairement la mission et les objectifs
de l'organisation.   1 2 3 4 5

2. Expliquer le fonctionnement de l'organisation
dans son ensemble.   1 2 3 4 5

3. Expliquer le rôle de son équipe et ses interrelations avec
les autres groupes dans et à l'extérieur de l'organisation. 1 2 3 4 5

4. Convenir des résultats attendus avec ses subordonnés
en ce qui a trait à leur performance.   1 2 3 4 5

5. Amener l'équipe à produire des résultats.   1 2 3 4 5

Planification et organisation

1. Formuler des objectifs mesurables liés à ceux
de l'organisation.   1 2 3 4 5

2. Établir les priorités de travail de votre équipe.   1 2 3 4 5

3. Prévoir les situations futures qui peuvent influencer
le fonctionnement de votre équipe.   1 2 3 4 5

4. Distinguer l'important de l'urgent dans le travail
à accomplir.   1 2 3 4 5

5. Établir le calendrier annuel des activités de l'usine. 1 2 3 4 5

6. Identifier les besoins de son équipe, au regard
des ressources techniques, financières et humaines.   1 2 3 4 5

Contrôle

1. Guider les activités de l'équipe pour qu'elles concordent
avec les objectifs de l'organisation.   1 2 3 4 5

2. Superviser le processus de production de son équipe. 1 2 3 4 5

3. Produire les rapports de production de son équipe. 1 2 3 4 5

4. Identifier et documenter les causes de non-conformité. 1 2 3 4 5

5. Élaborer des mesures correctives et s'assurer de leur mise
en œuvre.   1 2 3 4 5

L'utilisation d'un questionnaire demande toujours de porter une attention particulière aux questions posées et aux échelles utilisées pour qu'elles mesurent exactement ce qui est souhaité (le tableau 3.5 propose trois échelles de mesure pouvant être utilisées selon l'objectif recherché). La conception d'un questionnaire implique donc de régler les problèmes de validité (degré avec lequel les questions mesurent *parfaitement* l'objet de recherche) et de fidélité (degré avec lequel les questions mesurent *de façon constante* l'objet de recherche). C'est pourquoi un prétest est indispensable. Lorsque la population consultée est étendue, le prétest peut consister à faire remplir le questionnaire par un échantillon d'une trentaine de personnes et à compléter diverses analyses statistiques avec les données. Lorsque la population est restreinte, le prétest peut être réalisé simplement en faisant lire le questionnaire par un ou deux représentants de la population et en vérifiant leur compréhension des questions.

Tableau 3.5
Quelques échelles utiles

Échelle mesurant la complexité d'une tâche et déterminant sa durée d'apprentissage	
1 = Tâche simple	Tâche requérant peu de concentration et enseignée à l'aide de brèves indications verbales.
2 = Tâche élémentaire	Tâche requérant de la concentration et la maîtrise de quelques principes de base. Tâche enseignée à l'aide d'indications verbales et une démonstration du travail à accomplir.
3 = Tâche moyenne	Tâche requérant de la concentration et une bonne pratique pour bien intégrer les principes sous-jacents. Tâche enseignée à l'aide de nombreuses indications verbales et démonstrations ainsi que par l'observation du transfert des apprentissages.
4 = Tâche complexe	Tâche nécessitant une capacité de prise de décision et de compréhension importante. Tâche enseignée à l'aide de nombreuses indications verbales et démonstrations ainsi que par l'observation et un suivi sur quelques semaines pour vérifier le transfert des apprentissages.
5 = Tâche hautement complexe	Tâche nécessitant une compréhension globale du travail et pouvant être maîtrisée seulement après l'acquisition d'une certaine expérience. Tâche enseignée généralement par compagnonnage à l'aide de nombreuses indications verbales et démonstrations ainsi que par l'observation et un suivi sur plusieurs semaines pour vérifier le transfert des apprentissages.

Tableau 3.5 (suite)
Quelques échelles utiles

Échelle mesurant l'importance d'une compétence pour un poste donné

1 = Compétence non requise Cette compétence n'est pas nécessaire pour remplir les fonctions de ce poste.

2 = Compétence utile Cette compétence peut être utile pour remplir les fonctions de ce poste, mais elle n'est pas nécessaire.

3 = Compétence de base Cette compétence est nécessaire pour remplir les fonctions de base de ce poste, mais d'autres compétences sont plus importantes.

4 = Compétence importante Cette compétence est nécessaire et importante à maîtriser pour remplir les fonctions de ce poste.

5 = Compétence clé Une personne ne pourrait pas remplir les fonctions de ce poste ni produire les résultats attendus sans démontrer une maîtrise parfaite de cette compétence.

Échelle mesurant le niveau de maîtrise d'une tâche par un employé

1 = Absence d'habileté L'employé n'a pas la capacité d'exécuter cette tâche.

2 = Habileté minimale L'employé a besoin d'aide pour exécuter cette tâche de façon satisfaisante.

3 = Habileté de base L'employé peut exécuter cette tâche dans des situations simples et routinières, mais a besoin d'aide dans des cas plus complexes.

4 = Habileté maîtrisée L'employé peut exécuter cette tâche dans des contextes variés, autant dans des situations routinières que dans des cas particuliers plus rares.

5 = Expertise L'employé démontre une capacité supérieure à exécuter cette tâche et il est souvent appelé à aider des collègues de travail.

Le tableau 3.6 énumère les principales actions à poser lors de la préparation d'un questionnaire.

Tableau 3.6
Liste des dispositions à prendre pour préparer
un questionnaire

Planification du questionnaire

☐ Familiarisez-vous avec la problématique à étudier.

☐ Formulez les objectifs à atteindre.

☐ Déterminez les personnes les plus aptes à vous renseigner sur les besoins de formation (les personnes elles-mêmes, leurs clients ou les deux).

☐ Décidez s'il faut rejoindre la population dans son ensemble ou si un échantillon serait suffisant.

☐ Vérifiez s'il est possible d'utiliser en tout ou en partie un questionnaire déjà validé.

☐ Choisissez la méthode d'analyse des données et analysez ses implications (traitement manuel, utilisation d'un logiciel statistique ou impartition du traitement des données).

Conception du questionnaire

☐ Déterminez le type de questions (ouvertes ou fermées) qui vous sera le plus utile pour obtenir la réponse recherchée.

☐ Formulez des questions simples, claires, qui ont un seul sujet et qui n'utilisent ni jargon, ni abréviation.

☐ Assurez-vous de poser des questions pour lesquelles il vous sera possible d'obtenir une réponse.

☐ Réduisez le nombre de questions en vous assurant que chacune d'elles a sa raison d'être.

☐ Préparez une lettre d'introduction qui présente l'objectif du questionnaire, les bénéfices que le répondant peut tirer de sa participation, la dimension confidentielle ou non des réponses et les instructions pour retourner le questionnaire.

☐ Donnez des instructions claires sur la façon de remplir chaque section du questionnaire (il devrait pouvoir être rempli sans aide).

☐ Définissez les termes complexes ou pouvant porter à confusion.

☐ Offrez la possibilité aux répondants d'écrire des commentaires à la fin.

☐ Effectuez un prétest pour vous assurer de la validité du questionnaire.

2.1.2.1. Utilisation

Le questionnaire constitue un moyen pratique d'analyser une problématique de formation précise autant pour un individu que pour l'organisation dans son ensemble. Dans ce dernier cas, un questionnaire standard permet de rassembler des données globales et représentatives qui peuvent servir, par la suite, à comparer différents postes ou départements et à mettre en corrélation diverses variables. Son utilité réside dans la possibilité qu'il offre de rejoindre un grand nombre de personnes dans un délai relativement court.

Il peut être intéressant d'utiliser parallèlement l'auto-évaluation et le questionnaire client et de comparer les données recueillies. Cette façon de procéder présente l'avantage de favoriser la participation d'un grand nombre d'acteurs et, si des différences significatives existent entre les résultats du questionnaire client et ceux de l'auto-évaluation, elle peut agir comme un sérieux incitatif pour les personnes visées par la formation à s'impliquer activement dans une démarche de perfectionnement[6].

2.1.2.2. Limites

La conception d'un questionnaire fiable et fidèle peut se révéler longue et complexe. En ce sens, un manque de rigueur dans son élaboration peut donner des résultats incomplets, incohérents et difficilement comparables.

Aussi, le choix et la formulation des questions sont d'une importance capitale dans la préparation d'un questionnaire. Des questions fermées ont tendance à limiter le choix du répondant aux réponses prévues, alors que des questions ouvertes vont souvent amener des réponses vagues et incomplètes.

Enfin, l'orientation du questionnaire peut également poser problème. Une orientation trop générale risque de faire ressortir des besoins non reliés aux objectifs stratégiques de l'entreprise, alors qu'une orientation trop spécifique peut fournir une vision fragmentée des besoins et de la problématique. Ainsi, il est important d'utiliser cette technique de collecte de données pour cerner une situation relativement précise, tout en maintenant un équilibre entre des questions d'ordre général et d'ordre spécifique, ouvertes et fermées.

---

6. Cette façon de procéder, quoique déstabilisante, peut permettre aux personnes visées par la formation d'entrer dans la deuxième phase du cycle d'apprentissage (« je sais que je ne sais pas »), en leur faisant prendre conscience qu'il existe un écart entre ce qu'ils font et les attentes des clients, entre leur perception de la situation et celles de leurs clients.

2.1.3. Les tests de compétences

Les tests de compétences consistent à évaluer la capacité de un ou plusieurs individus à réaliser diverses tâches qui leur sont assignées; elle fait généralement appel à des mises en situation, à des entrevues structurées ou à des tests formalisés. Un spécialiste pourra, par exemple, évaluer la capacité d'un employé à assumer les diverses fonctions de son poste (par exemple, exercice *in-basket*). Il peut également s'agir de tests normalisés qui permettent d'identifier le niveau équivalent à la scolarité du Québec pour des employés qui proviennent d'autres provinces ou d'autres pays.

Les services d'éducation aux adultes des commissions scolaires, des cégeps, des universités et des écoles professionnelles, ainsi que des firmes privées spécialisées en formation peuvent généralement proposer différents tests selon leurs domaines d'expertise.

2.1.3.1. Utilisation

Le test de compétences permet de dresser un portrait assez juste de l'écart de performance en situant le niveau de compétences actuel des individus concernés. Les résultats obtenus sont individualisés et précisent généralement les besoins de formation requis pour chacune des personnes évaluées. Ils peuvent en outre aider un employé à planifier son perfectionnement et son développement de carrière.

Cette technique sert à cerner des problématiques bien précises et à y apporter des correctifs. Par exemple, différents tests peuvent être réalisés pour analyser les causes d'un écart chronique de rendement d'un employé ou pour comprendre les raisons d'une sous-utilisation d'un logiciel ou d'une machine à contrôle numérique. Le spécialiste qui effectue généralement ces analyses peut apporter un point de vue éclairant et des solutions intéressantes pour aider le ou les employés dans leur développement professionnel.

2.1.3.2. Limites

Les limites du test de compétences résident dans son coût souvent élevé. Comme il s'agit d'une technique rigoureuse et spécialisée nécessitant le recours à une expertise externe, les frais s'accumulent rapidement lorsqu'il faut évaluer un grand nombre d'individus. Par ailleurs, son caractère évaluatif peut susciter des résistances chez les personnes soumises à ce test. Ne favorisant aucunement l'implication, elle peut même soulever des réactions de contestation ou de dénégation. Pour se prémunir contre ces résistances, il est important d'obtenir l'accord des personnes visées et de garantir que les résultats serviront uniquement à des fins de formation.

2.2. Les méthodes de groupe

Les méthodes de groupe mettent en relation plusieurs personnes et tirent profit de leurs échanges et de leurs discussions pour obtenir les données recherchées dans le cadre de l'analyse des besoins. Nous examinerons trois techniques, à savoir le comité de formation, le groupe de discussion et le groupe de résolution de problèmes.

2.2.1. Le comité de formation

Le comité de formation est le groupe logiquement désigné pour conduire une analyse de besoins de formation. Il est normalement permanent et composé de membres de la direction, de spécialistes en formation et d'employés[7]. Dans une optique d'opérationnalisation et pour assurer une bonne représentation, l'idéal est que des membres des principales fonctions de l'entreprise fassent partie de ce comité. Les réunions peuvent avoir lieu de façon régulière (réunions bihebdomadaires, mensuelles ou bimensuelles) ou *ad hoc*, selon les besoins et les événements importants (changement technologique, acquisition, réorganisation, etc.).

2.2.1.1. Utilisation

Se consacrant exclusivement à la formation, ce comité peut acquérir au fil du temps une expertise spécifique et devenir très efficace. Comme il regroupe des personnes de différents échelons hiérarchiques et, le cas échéant, de différents départements de l'organisation, ce comité peut rapidement établir un portrait global et complet des besoins de formation, tout en s'assurant de leur lien

---

7. La *Loi favorisant le développement de la formation de la main-d'œuvre* au Québec rend ce comité de formation obligatoire pour toute organisation qui ne possède pas un service de formation interne et qui désire mettre sur pied un programme de formation qualifiante à l'interne.

avec les orientations stratégiques de la direction. Par ailleurs, dans plusieurs entreprises, le comité de formation a suffisamment d'autonomie et de crédibilité pour convoquer des ressources internes ou externes afin d'obtenir des informations particulières ou d'approfondir certains aspects de son analyse.

2.2.1.2. Limites

Les principales limites du comité de formation sont semblables à celles que l'on peut retrouver dans tout type de comité. Les réunions peuvent être mal structurées et s'éterniser sur des aspects mineurs ou peu importants. Un département ou un groupe peut tenter de soigner ses propres intérêts au détriment de l'intérêt général de l'organisation. Enfin, la direction peut se montrer réticente à laisser suffisamment d'autonomie au comité pour qu'il prenne des décisions et, de ce fait, influence la politique de gestion de la formation.

2.2.2. Le groupe de discussion

Un groupe de discussion, ou groupe-focus[8], peut se définir comme une méthode de recherche qualitative qui consiste:

- à recruter un ou plusieurs groupes de six à 12 personnes (selon le besoin: des employés, des superviseurs, des clients ou des fournisseurs);

- à susciter une discussion ouverte à partir d'une grille d'entrevue de groupe définissant les thèmes de l'étude;

- à en faire une analyse pour relever les principaux messages émis par les participants, de même que les points de convergence et de divergence[9].

Le groupe de discussion utilise de façon explicite la richesse des interactions de façon à recueillir une information qualitative variée et complète. À ce titre, cette technique est tout indiquée pour analyser le climat organisationnel, pour analyser les plaintes et les demandes de la clientèle ou pour connaître les attentes et les besoins de formation des membres d'une association. Dans

---

8. Certains auteurs préfèrent distinguer le groupe de discussion du groupe-focus. Nous avons préféré ici les traiter comme des équivalents.

9. Définition inspirée de Simard, cité dans Mayer et Ouellet (1991), p. 79.

cette optique, le groupe de discussion permet de faire ressortir autant des problèmes de formation que des problèmes d'organisation.

Le tableau 3.7 présente les principales dispositions à prendre pour organiser un groupe de discussion. Généralement, on considère que la réussite d'un groupe de discussion repose sur quatre facteurs :

1. *La sélection et le recrutement adéquats des participants.* En règle générale, on considère que l'échantillon doit être représentatif de l'hétérogénéité de la population visée par la formation. On doit donc constituer autant de groupes que nécessaire pour respecter cette hétérogénéité. Par contre, il est important de maintenir une composition relativement homogène à l'intérieur de chaque groupe de façon à éviter les opinions trop divergentes et l'autocensure qui pourrait être pratiquée par des sous-groupes.

2. *La structure et la pertinence du canevas d'entrevue.* Le canevas d'entrevue constitue le guide de l'animateur. Une introduction doit présenter le contexte de la rencontre, les objectifs poursuivis et les principes à respecter. Ensuite, le canevas doit permettre de couvrir les thèmes de l'étude et doit suivre une progression logique. Il devrait être composé de questions ouvertes formulées clairement et dans un langage simple (les questions présentées au tableau 3.2 en sont des exemples).

3. *La qualité de l'animation du groupe.* Pour bien jouer son rôle, l'animateur doit être vu comme étant impartial. Il est donc préférable de faire appel à une personne de l'externe. Le rôle de l'animateur consiste à orienter les échanges vers les thèmes du canevas d'entrevue, tout en agissant sur la dynamique et le climat. En suscitant la participation et en approfondissant certaines interventions, l'animateur doit veiller à faire ressortir un nombre maximum d'opinions et d'expériences différentes tout en s'assurant que chacune d'elles est bien explicitée.

4. *La compilation et l'analyse des résultats.* L'ensemble des résultats est regroupé selon les thèmes de l'étude et, si le nombre de groupes le permet, la fréquence d'apparition

Tableau 3.7
**Liste des dispositions à prendre pour réaliser
des groupes de discussion**

Préparation d'un groupe de discussion

☐ Familiarisez-vous avec la problématique à étudier.

☐ Formulez les objectifs à atteindre.

☐ Sélectionnez les personnes à convoquer (par échantillonnage si nécessaire) et regroupez-les en groupes homogènes.

☐ Convoquez les participants par téléphone ou par écrit en leur précisant les objectifs et le format de la rencontre et répondez à leurs questions.

☐ Laissez-vous la possibilité de convoquer d'autres groupes dans l'éventualité où vous n'arriveriez pas à un point de saturation de l'information.

☐ Choisissez un lieu de rencontre neutre, confortable et silencieux et disposez les sièges en cercle.

☐ Préparez un canevas d'entrevue en suivant les principes énumérés au tableau 3.3 dans la section « Choix des questions ».

☐ Limitez la durée des rencontres à deux heures et demie et réservez-vous une période de 30 minutes pour organiser vos notes (avec le preneur de notes, le cas échéant).

Animation du groupe de discussion

☐ Présentez le contexte de la rencontre, les objectifs poursuivis, les critères de sélection des participants et le déroulement de la discussion.

☐ Expliquez les principes d'un groupe de discussion :
   ☐ c'est une méthode pour recueillir de l'information qualitative et variée ;
   ☐ ce n'est pas un débat, il n'y a donc pas de consensus à obtenir ;
   ☐ le rôle des participants est de soumettre leur point de vue et leurs suggestions sur les sujets qui seront abordés ;
   ☐ à partir de toute l'information recueillie auprès des différents groupes, une synthèse globale sera préparée ;
   ☐ les données seront traitées de façon à préserver l'anonymat.

☐ Mettez le groupe en confiance et répondez à ses questions.

☐ Assurez-vous de couvrir toutes les questions tout en conservant une certaine marge de manœuvre pour en formuler d'autres.

☐ Remerciez les participants et indiquez-leur le moment où ils seront informés des résultats.

des énoncés doit être calculée afin de faciliter la hiérarchisation des thèmes et des sous-thèmes. À ce titre, Simard (cité dans Mayer et Ouellet [1991], p. 82) signale que « plus la fréquence d'un message est élevée, plus sa force est

grande, plus il est un indice de généralisation garantis-
sant sa validité externe (représentativité et généralisation
à l'ensemble de la population). » Par la suite, il est important de dégager les convergences et les divergences inter-
groupes afin d'obtenir un portrait représentatif et complet
de la population concernée.

2.2.2.1. Utilisation

Lorsque les participants choisis sont représentatifs de l'organisation, le groupe de discussion offre un bon aperçu du point de
vue collectif. Il est utile pour approfondir une problématique et
souvent la source d'une grande richesse de renseignements. Il
permet en outre de faire ressortir des éléments qui n'ont pas été
envisagés initialement et qui peuvent donc difficilement être
recueillis par une technique comme le questionnaire.

Le groupe de discussion présente l'avantage de faire participer les employés. En fait, cette technique suppose que chaque
personne est l'experte de son propre vécu et que son opinion est
importante. On suscite ainsi l'intérêt des participants par rapport
à la problématique et ils peuvent, par la suite, se sentir directement concernés par sa résolution et par le plan d'action mis de
l'avant.

2.2.2.2. Limites

L'animation d'un groupe de discussion requiert des habiletés
particulières que le responsable de la formation peut ne pas
posséder. De plus, l'utilisation de cette technique implique une
logistique imposante (choix des participants, convocations, prise
de notes, compilation des données, etc.) et un coût parfois élevé
(rémunération d'un animateur professionnel et, parfois, des participants).

Par ailleurs, les phénomènes de groupe (relations d'influence,
luttes de pouvoir, intérêts individuels, etc.) peuvent biaiser les
informations recueillies. Ainsi, certains participants peuvent
éprouver de la difficulté à s'exprimer dans un groupe ou encore
s'autocensurer. Il importe donc que, d'une part, le responsable
de la formation veille à la discrétion et au respect des discussions
du groupe et que, d'autre part, il puisse valider les renseignements
obtenus en consultant d'autres sources.

2.2.3. Le groupe de résolution de problèmes

Un groupe de résolution de problèmes (*task-force*) consiste à convoquer un certain nombre de personnes directement concernées par une problématique ou ayant une expertise relativement à celle-ci et à leur donner comme mandat d'en faire l'analyse et d'y apporter des solutions. Ce genre de groupe est de nature temporaire et doit remplir un mandat précis. Pour arriver à résoudre le problème, les membres doivent être libérés d'une partie de leurs tâches courantes d'emploi afin de pouvoir se réunir régulièrement et réaliser des études approfondies de la problématique, chacun dans son département ou son domaine d'expertise.

2.2.3.1. Utilisation

Lorsqu'il est bien géré, le groupe de résolution de problèmes est extrêmement efficace, en particulier avec une problématique touchant plusieurs divisions ou départements de l'organisation. Il faut souligner que le groupe de résolution de problèmes ne relèvera pas uniquement des problèmes de formation, mais également d'ordre organisationnel et individuel.

2.2.3.2. Limites

Cette technique de collecte de données exige une coordination et une organisation imposante. Elle peut donc sembler lourde et coûteuse pour résoudre des problèmes mineurs. On doit donc y faire appel avec parcimonie pour éviter la prolifération des comités que l'on observe déjà dans de nombreuses organisations.

L'animation et la gestion d'une équipe de résolution de problèmes sont des fonctions exigeantes qui demandent, de la part du chef d'équipe, du leadership et des qualités d'animation de réunion et de résolution de problèmes. Enfin, cette technique tend à concentrer son analyse des besoins de formation sur un secteur ou sur un domaine précis, ce qui la rend moins pertinente pour la réalisation d'un plan global de formation.

2.3. Les méthodes d'observation

L'observation peut prendre diverses formes. Naturellement, il s'agit d'une attention continue du responsable de la formation à l'expression de besoins de formation. Utilisée de façon systématique, elle peut toutefois prendre deux formes : l'observation participante et l'observation méthodique.

2.3.1. L'observation participante

Cette première catégorie d'observation consiste à intégrer un observateur dans le groupe étudié et à le faire participer activement au travail quotidien de ce groupe. Cette insertion peut être officielle ou clandestine, c'est-à-dire que les personnes observées peuvent en être conscientes ou ne pas avoir été mises au courant. Lofland[10] formule quelques objections contre l'observation clandestine : elle soulève des problèmes d'ordre éthique, rend difficile l'enregistrement des données sur place et implique affectivement l'observateur.

L'observation participante permet de passer d'une vision extérieure à une analyse de l'intérieur d'une problématique sous étude. Elle présente donc l'avantage de porter un regard neuf et de donner l'occasion d'observer des comportements et des actions naturels chez les sujets étudiés.

Cette technique présente toutefois certaines limites. L'observation participante est utile pour des postes opérationnels où les compétences et les connaissances peuvent être observées. Les emplois professionnels (gestionnaire, ingénieur, psychologue, conseiller en formation, etc.), pour leur part, se prêtent très mal à cette façon de recueillir des données. En outre, même si l'observateur intègre parfaitement le milieu, il peut ne pas détenir l'expertise nécessaire pour saisir les besoins précis d'une catégorie d'emploi particulière. Certains emplois sont tellement spécialisés que, sans une connaissance approfondie du domaine, il est difficile de comprendre la logique du travail. Finalement, un dernier inconvénient à cette technique réside dans son caractère subjectif et interprétatif.

2.3.2. L'observation méthodique

L'observation méthodique diffère de l'observation participante en qu'elle ne nécessite aucune insertion dans le milieu étudié. Son aspect méthodique suppose, par contre, la conception d'une grille d'observation formalisée et l'enregistrement systématique des aspects prévus dans celle-ci. Comme pour la catégorie précédente, l'observation méthodique peut être ouverte ou clandestine. Nous soulevons alors les mêmes objections, sauf au regard de l'implication affective.

---

10. Cité dans Mayer et Ouellet (1991), p. 408.

L'observation méthodique prend généralement la forme d'un enregistrement écrit (par exemple, fiche d'observation d'un « client mystère » ou feuille de relevé de production), audio (par exemple, écoute du service téléphonique à la clientèle) ou vidéo (par exemple, enregistrement du service à un guichet). Étant donné que les enregistrements peuvent être lus, écoutés ou regardés par plusieurs personnes, ce type d'observation n'a pas le caractère subjectif de l'observation participante. Par contre, si l'observation est clandestine, un problème éthique se pose de façon beaucoup plus sérieuse et peut avoir de surcroît des implications légales liées notamment au respect de la vie privée.

Lorsqu'elle est officielle, l'observation méthodique peut induire les gens qui se savent observés à modifier leurs comportements. L'observateur doit donc chercher, par sa position, sa tenue et son attitude, à incommoder le moins possible les employés qu'il regarde. Pour cette raison, l'observation est facilitée lorsqu'elle concerne des employés travaillant dans des lieux publics (service à la clientèle, commerces au détail, restauration, etc.).

2.4. Les méthodes d'analyse des données existantes

Dans la majorité des entreprises, il existe un grand nombre de données différentes auxquelles le responsable de la formation peut faire appel pour procéder à l'analyse des besoins de formation. Les principales sources de données dont il peut disposer sont les profils de poste, le système d'évaluation du rendement et les rapports de productivité.

2.4.1. Les profils de poste

Les profils de poste décrivent la performance recherchée dans le cadre d'un emploi donné. Ils sont donc utiles pour cerner la situation désirée au regard de la performance. Les profils de poste peuvent, par exemple, servir de point de référence uniforme pour compléter une analyse des compétences. Un profil de poste inclut habituellement les sections suivantes :

– la description générale du poste (titre, supérieur immédiat, subordonnés, lieu de travail) ;

– les principales tâches et responsabilités (pour un poste de gestion, on mentionne également les résultats attendus) ;

- les qualifications requises ;

- les conditions d'ambiance ou d'environnement de travail.

Dans le meilleur des cas, les profils de poste sont formulés en termes de compétences. Comme nous l'avons signalé dans le premier chapitre, les profils de compétences permettent de connaître le niveau de performance attendu tout en facilitant l'évaluation de la performance actuelle. Les compétences pour un poste peuvent généralement englober les qualifications requises, les principales tâches et le niveau de responsabilité.

2.4.2. Le système d'évaluation du rendement

Il existe une panoplie de systèmes d'évaluation du rendement. Qu'il soit appelé gestion de la performance, appréciation des contributions ou mesure du rendement, le système d'évaluation du rendement comprend essentiellement deux volets : une observation par le supérieur immédiat de la performance existante d'un employé et sa comparaison à la situation désirée.

L'évaluation du rendement se rapproche de l'analyse de besoins de formation, en ce sens que chacun vise à identifier et à analyser un écart de performance. À ce titre, la plupart des systèmes existants incluent une section où le gestionnaire peut apporter des suggestions de formation et de perfectionnement à l'employé.

Cette méthode de collecte de données, comme instrument personnalisé, peut se révéler fort utile pour faire ressortir des besoins de formation individuels. Il peut également être possible de relever des problématiques communes, si les gestionnaires font une évaluation rigoureuse, valide et comparable et qu'une compilation des résultats d'un groupe d'employés ou d'une équipe est effectuée.

Les principales difficultés de cette méthode résident dans les problèmes liés au système comme tel. Dans plusieurs organisations, le système d'évaluation du rendement existant est soit dépassé ou inadéquat, soit mal utilisé ou plus ou moins boycotté par les gestionnaires. Plutôt que de l'exploiter pour gérer la performance dans une optique de mobilisation du personnel, les gestionnaires le perçoivent comme une corvée qui amène nécessairement une confrontation avec leurs employés. Par conséquent, selon leur tempérament et la situation, il arrive fréquemment qu'ils surévaluent ou sous-évaluent leurs subordonnés. Les informations inscrites sur les formulaires d'évaluation ne sont alors plus très fiables pour identifier des besoins de formation.

2.4.3. Les rapports de productivité

Chaque entreprise recourt à différents indicateurs pour mesurer le niveau et la progression de leur productivité. Les rapports existants sont utiles pour identifier et analyser les écarts de performance. En comparant la productivité des différentes équipes (A, B, C) ou de chaque quart de travail (jour, soir, nuit), le responsable de la formation peut tenter d'établir des corrélations entre cette performance et diverses variables (le niveau de compétence, le climat, le type de supervision, etc.). Sans permettre de tracer un lien de causalité, cette comparaison peut faciliter grandement l'identification des causes et enrichir les résultats de l'analyse des besoins de formation.

Tableau 3.8
**Tableau comparatif des principales techniques
de collecte de données**

AVANTAGES	LIMITES	TEMPS REQUIS	COÛT
ENTREVUE			
■ Est souvent utile au début du processus d'analyse de besoins. ■ Peut être simple et peu coûteuse. ■ Offre une grande flexibilité pour aborder tous les facteurs de la problématique. ■ Permet de valider, d'infirmer et de nuancer de l'information obtenue par d'autres sources. ■ Permet la collecte d'informations plus sensibles. ■ Favorise la participation et l'implication des participants.	■ Comporte un caractère subjectif. ■ Apporte une information qualitative plus difficile à généraliser. ■ Crée des attentes et peut nécessiter une rétroaction. ■ Peut provoquer une certaine ambiguïté dans le rôle des personnes interviewées.	Conduite ☺ Analyse ☺ à ☺☺☺ selon le nombre d'entrevues	$ à $ $ selon le nombre d'entrevues

Tableau 3.8 (suite)
Tableau comparatif des principales techniques
de collecte de données

AVANTAGES	LIMITES	TEMPS REQUIS	COÛT
QUESTIONNAIRE			
■ Est flexible pour identifier autant les besoins individuels que ceux de l'organisation dans son ensemble. ■ Permet de rejoindre un grand nombre de personnes dans un délai relativement court. ■ Rassemble des données quantifiables et représentatives de la population pouvant être comparées.	■ Peut exiger une conception longue et complexe pour assurer la validité et la fiabilité des résultats. ■ Exige une élaboration rigoureuse et liée aux objectifs stratégiques de l'organisation. ■ Peut être perçu comme une forme d'évaluation du rendement (pour l'auto-évaluation).	Con- ception 🕐🕐🕐 Analyse 🕐	**$** si auto-évalua-tion **$ $** si question-naire général
ANALYSE DES COMPÉTENCES			
■ Fournit des résultats précis et individualisés. ■ Peut contribuer à la planification de carrières. ■ Permet de détecter les acquis et de cerner les correctifs à apporter au niveau individuel.	■ Implique un coût souvent élevé. ■ Nécessite le recours à une expertise externe. ■ Favorise plus ou moins l'implication. ■ Peut soulever des réactions de contestation ou de dénégation.	🕐🕐	**$ $ $**
COMITÉ DE FORMATION			
■ Contribue à créer une expertise en formation au sein de l'organisation. ■ Peut apporter une vision globale et multifonctionnelle. ■ Peut veiller à ce que les besoins de formation soient en lien avec les objectifs stratégiques de l'organisation.	■ Subit les mêmes contraintes et dynamiques existant au sein des différents comités (pertes de temps, inefficacité, manque de ressources, luttes de pouvoir, etc.). ■ Peut ne pas avoir suffisamment d'autonomie dans la prise de décisions.	🕐🕐	**$**

Tableau 3.8 (suite)
Tableau comparatif des principales techniques
de collecte de données

AVANTAGES	LIMITES	TEMPS REQUIS	COÛT
GROUPE DE DISCUSSION			
■ Permet d'obtenir de l'information de divers groupes et un point de vue collectif de l'organisation. ■ Fournit une grande richesse d'informations qualitatives pour aborder tous les facteurs affectant la problématique. ■ Favorise l'implication et suscite l'intérêt des participants.	■ Requiert des habiletés précises pour l'animation et l'analyse des données. ■ Implique un coût assez élevé et une logistique importante. ■ Peut être biaisé par les phénomènes de groupes (relations d'influence, lutte de pouvoir, intérêts individuels, etc.). ■ Peut indisposer certaines personnes qui craignent de s'exprimer en groupe. ■ Crée des attentes et peut nécessiter une rétroaction.	Conduite ⏲⏲ Analyse ⏲⏲⏲	$ $ à $ $ $ selon le nombre de groupes
GROUPE DE RÉSOLUTION DE PROBLÈMES			
■ Est extrêmement efficace s'il est bien géré. ■ Est utile pour résoudre des problématiques impliquant plusieurs départements.	■ Peut impliquer une coordination importante et des coûts indirects élevés. ■ Requiert des habiletés précises pour l'animation et la coordination du groupe. ■ Est moins pertinent pour la réalisation d'un plan global de formation.	⏲⏲	$ $
OBSERVATION			
■ Apporte un regard neuf sur une problématique. ■ Est utile pour les employés qui travaillent avec le public. ■ Permet de documenter la performance (temps, fréquence et modélisation).	■ Comporte un caractère subjectif (si observation participante). ■ Peut affecter ou influencer les comportements naturels (si observation ouverte). ■ Peut avoir des implications éthiques et légales (si observation clandestine). ■ Est très difficile à pratiquer pour des emplois professionnels.	Conduite ⏲⏲ Analyse ⏲⏲	$ à $ $ $ selon le type

Tableau 3.8 (suite)
**Tableau comparatif des principales techniques
de collecte de données**

AVANTAGES	LIMITES	TEMPS REQUIS	COÛT
DONNÉES EXISTANTES			
■ Est souvent utile au début du processus d'analyse de besoins. ■ Offre de l'information sur le rendement attendu et le rendement actuel. ■ Peut rassembler des données quantifiables par individu, groupe ou quart de travail pouvant être comparées.	■ La pertinence dépend entièrement de la qualité, de la quantité et de la fiabilité des informations recueillies.	Collecte ◷ Analyse ◷◷	$

Légende
La technique est :
◷　　　　　simple et rapide à mettre sur pied.
◷◷　　　relativement simple et implique moyennement de temps.
◷◷◷　　complexe et implique beaucoup de temps.
$　　　　　peu coûteuse à réaliser.
$ $　　　moyennement coûteuse à réaliser.
$ $ $　très coûteuse à réaliser.

3. Les objectifs de formation

Les étapes antérieures ont permis de relever et de comprendre les écarts de performance à combler. Il est maintenant possible de procéder à la définition des objectifs de formation et des résultats attendus en matière de performance organisationnelle.

3.1. Les différents types de savoirs

Les compétences peuvent généralement être réparties en suivant la structure utilisée pour distinguer les savoirs. Aussi, les objectifs de formation s'établissent suivant trois catégories :

- Le *savoir* est d'ordre cognitif. On parle alors généralement de connaissances, c'est-à-dire les faits, les principes et les notions qu'une personne intègre grâce à l'étude, à l'observation ou à l'expérience.

- Le *savoir-faire* est du domaine psychomoteur. On se réfère aux habiletés, aux capacités de réaliser une activité donnée à partir de procédures, de méthodes ou de techniques apprises.

– Le _savoir-être_ se rapporte au domaine affectif. On parle habituellement de l'état d'esprit, des attitudes, de la disposition intérieure à réagir d'une façon ou d'une autre par rapport à une situation donnée.

Ces trois catégories de savoirs peuvent ensuite être subdivisées en trois niveaux d'intégration.

1. L'_imitation_ consiste à être capable de mémoriser, d'imiter et de reproduire le savoir en question.

2. L'_application_ rend autonome en permettant de comprendre l'application du savoir et de le transposer dans l'action.

3. La _maîtrise_ apporte une capacité de synthétiser, de résoudre des problèmes complexes, d'agir par automatisme et d'intérioriser le savoir.

Le responsable de la formation se retrouve donc avec deux préoccupations lorsqu'il formule ses objectifs de formation. Premièrement, il voudra établir le type de savoir qu'il cherche à développer. Il s'interroge alors sur la nature de l'écart de performance : est-il lié à une compétence relevant du domaine cognitif, du domaine psychomoteur ou se rapporte-t-il à un aspect affectif ? La réponse à cette question est fondamentale, car le type de compétence à développer influera sur le contenu de la formation et sur le choix des méthodes d'enseignement. Par exemple, une approche essentiellement didactique est efficace pour atteindre des objectifs d'ordre cognitif, mais son apport est modeste pour des objectifs du domaine psychomoteur et minime pour ceux de nature affective.

Deuxièmement, le responsable de la formation s'attachera à déterminer le niveau d'intégration recherché pour chaque objectif. Est-ce que la problématique requiert une simple sensibilisation des personnes concernées ou est-il indispensable qu'elles intègrent complètement les apprentissages ? Un exemple simple peut illustrer cette considération, soit celui de la conversion d'une mesure du système impérial au système international. En fonction des trois niveaux d'intégration des connaissances, un objectif d'ordre cognitif se formulerait ainsi :

- répéter verbalement la formule mathématique pour convertir des pouces en centimètres ;

- définir la logique de la formule mathématique ;

- convertir en centimètres une série de 10 mesures données en pouces.

Cet exemple démontre également que le niveau d'intégration des apprentissages recherché influencera la durée de la formation et les méthodes d'enseignement utilisées. Dans ce cas-ci, un court exposé serait suffisant pour faire répéter la formule mathématique. La compréhension de la logique exigera un peu plus de temps et impliquera probablement une démonstration. Enfin, la conversion d'une série de mesures nécessitera, en plus de ce qui précède, des exercices pratiques.

Soulignons qu'il est très rare qu'une formation cherche à répondre à un seul type de savoir. L'exemple de la formule mathématique pour convertir des pouces en centimètres vise davantage le domaine cognitif. À une autre échelle, les calculs mathématiques font appel à des habiletés psychomotrices pour la réalisation des calculs (à la main ou à l'aide d'une calculatrice) et à des attitudes relevant du domaine affectif (la disposition intellectuelle et l'ouverture à des méthodes logiques et mathématiques). Dans le cadre de la majorité des formations, les objectifs mettront l'accent sur un type de savoir déterminé. Il est cependant souhaitable de formuler un objectif pour chacune des catégories de savoir.

3.2. La formulation des objectifs de formation

Les objectifs de formation sont un élément central du cycle de gestion de la formation. Avant la formation, ils permettent d'orienter le choix du contenu et des méthodes d'enseignement. Pendant la formation, ils aident à clarifier ce qui sera appris par les participants. Enfin, après la formation, ils donnent l'occasion d'évaluer les retombées des actions réalisées. Il va sans dire que la formulation des objectifs doit être effectuée de façon consciencieuse, méthodique et cohérente.

On trouve habituellement deux niveaux d'objectifs. Le premier, l'objectif général, est le but, défini de façon relativement large, que l'on se propose d'atteindre. Il présente une orientation globale, sans apporter de précisions. Par exemple, pour une formation sur l'utilisation d'un logiciel, l'objectif général pourrait être le suivant : « Cette formation permettra à l'apprenant d'acquérir les habiletés et les connaissances nécessaires à l'utilisation des fonctions de base du traitement de texte MS Word®. »

L'objectif spécifique opérationnalise l'objectif général, c'est-à-dire qu'il introduit une intention claire, fixe et mesurable dans le temps. C'est lui qui permet l'évaluation du transfert des apprentissages. Chaque objectif général peut comporter plus d'un objectif spécifique pour chaque catégorie de savoirs. Un objectif spécifique de savoir-faire pour l'exemple ci-dessus pourrait être énoncé comme suit : « Au terme de la formation, le participant pourra insérer dans son texte des tableaux de différentes tailles et y appliquer le format désiré. »

Certains critères sont à respecter pour une formulation convenable et utile des objectifs spécifiques. Ils doivent :

- être exprimés en des termes concrets ;
- être observables ou mesurables ;
- préciser les résultats à atteindre ou ce qui doit être accompli (le participant sera capable de...) ;
- stimuler l'action ou susciter l'engagement de l'apprenant.

Mager (cité dans Romiszowski, 1981) propose une procédure méthodique de formulation des objectifs d'apprentissage (illustrée à la figure 3.6). Selon lui, chaque objectif doit comprendre trois éléments :

- une _action observable_ à réaliser par l'apprenant (présentée en termes de comportement),
- les _conditions_ dans lesquelles l'action ou la performance doit se manifester,
- les _critères de performance_ pour évaluer les résultats acceptables et ainsi déterminer s'il y a eu apprentissage.

À titre d'exemples, voici une série d'objectifs formulés selon cette procédure.

- Au terme de cette formation, le participant pourra, de mémoire (condition), énumérer et décrire (action) les cinq étapes pour démonter un moteur à deux temps (critère).

Figure 3.6
Composantes d'un objectif de formation

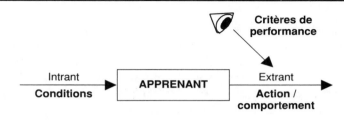

Source : Illustration traduite et adaptée de Romiszowski (1981), p. 45.

– Au terme de cette formation, le participant pourra résoudre (action) un problème mathématique simple (critère) sans l'aide d'une calculatrice (condition).

– Au terme de cette formation, le participant pourra distinguer (action) les trois catégories de qualité de bois (critère) sur la machine numéro 3 (condition).

– Au terme de cette formation, le participant pourra, à partir d'une description orale d'un accident de travail (condition), produire un rapport écrit (action) qui distingue la présentation des faits, l'analyse de l'événement et les correctifs proposés (critère).

– Au terme de cette formation, le participant pourra, au cours d'un entretien d'évaluation du rendement (condition), donner du feed-back (action) à un employé en respectant les règles d'une rétroaction constructive (critère).

On remarque, dans ces exemples, que l'objectif prend la forme d'une description d'un comportement ou d'une activité observable. L'objectif est également centré sur l'apprenant et orienté vers le futur : il décrit ce que l'apprenant pourra réaliser au terme de la formation. Les formateurs commettent fréquemment l'erreur de formuler des objectifs centrés sur ce qui sera fait au cours de la formation (le formateur va présenter un vidéo sur... et animera ensuite une discussion de 15 minutes sur... ou les participants auront l'occasion de discuter de... et, en sous-groupes, ils s'entraîneront à...). C'est plutôt en mettant l'accent sur ce que l'apprenant sera « capable de faire » au terme de la formation que le formateur présentera des objectifs clairement définis et pourra plus aisément évaluer les apprentissages.

Pour donner une orientation active et observable aux objectifs, une attention particulière doit être portée sur les verbes utilisés. Les verbes du genre connaître, se souvenir ou prendre conscience ne sont pas observables. Il est préférable de choisir des verbes d'action tels que définir, énumérer et reconnaître. Par exemple, au lieu d'opter pour une formulation d'objectifs du genre « au terme de la formation, le participant connaîtra les étapes pour conduire un entretien de vente », le formateur devrait utiliser « au terme de la formation, le participant pourra définir les cinq étapes pour mener un entretien de vente ». Le tableau 3.9 présente, à titre de référence, une liste de verbes d'action pouvant être utilisés pour la formulation d'objectifs. Cette liste a été élaborée en fonction du type de savoir et du niveau d'intégration des connaissances recherchés.

Une formulation d'objectifs qui respecte le processus développé par Mager a l'avantage de faciliter la conception de la formation et l'évaluation des apprentissages. Cette méthode rigoureuse peut toutefois se révéler fastidieuse et entraîner une formalisation démesurée de l'enseignement. L'initiative et la participation des apprenants au cours de la formation peuvent alors en être affectées. En restreignant les apprentissages à ce qui est prévu seulement, on perd tout le bénéfice des apprentissages spontanés et imprévus qui apparaissent souvent au cours d'une formation. La pertinence et l'efficacité de cette dernière s'en trouvent réduites. Par ailleurs, cette méthode se prête mal à la formulation d'objectifs d'ordre affectif, c'est-à-dire se rapportant au savoir-être.

Que la procédure rigoureuse de Mager soit utilisée ou non, la formulation de chaque objectif doit respecter les critères que nous venons de présenter et qui sont résumés dans la grille de contrôle du tableau 3.10.

Tableau 3.9
Liste de verbes d'action facilitant la formulation d'objectifs de formation

		TYPES DE SAVOIR				
		SAVOIR		**SAVOIR-FAIRE**	**SAVOIR-ÊTRE**	
		CONNAISSANCE		IMITATION	RÉCEPTIVITÉ	
NIVEAU D'INTÉGRATION DES SAVOIRS	**IMITATION**	citer décrire définir désigner énoncer énumérer	identifier nommer reconnaître répéter sélectionner souligner	appliquer reconnaître identifier reproduire imiter répéter actionner	accepter choisir accueillir imiter appliquer partager identifier reconnaître	
		COMPRÉHENSION		COORDINATION	RÉPONSE	
	APPLICATION	classer compléter décrire définir détecter développer distinguer estimer	établir formuler reconnaître rédiger représenter situer traduire	ajuster estimer assembler lire compléter mesurer coordonner produire détecter réaliser déterminer rédiger distinguer réparer disséquer utiliser	apprécier sentir approuver respecter écouter ressentir partager se conformer pratiquer sensibiliser reformuler suivre	
		RÉSOLUTION DE PROBLÈMES		AUTOMATISME	INTÉRIORISATION DES VALEURS	
	MAÎTRISE	abstraire adapter analyser calculer choisir comparer convertir corriger	déduire discriminer expliquer juger résoudre interpréter transmettre	ajuster expliquer améliorer harmoniser assembler planifier construire régler contrôler réparer coordonner vérifier	aider guider assister motiver conseiller impliquer coordonner persuader encourager	

Tableau 3.10
Grille de contrôle pour la formulation d'objectifs spécifiques

☐ L'objectif est-il exprimé en termes explicites et concrets?

☐ Est-il spécifique, lié à un savoir, à un savoir-faire ou à un savoir-être particulier?

☐ L'objectif est-il observable ou mesurable?

☐ Est-ce qu'il précise les résultats à atteindre ou ce qui doit être accompli?

☐ L'objectif et les indicateurs retenus peuvent-ils être justifiés?

☐ L'objectif incite-t-il à l'action, suscitera-t-il l'engagement de l'apprenant?

La formulation des objectifs d'apprentissage termine la phase d'identification et d'analyse des besoins de formation. Une démarche complète de cette étape est illustrée à l'aide du cas d'Industrie Métalic.

Cas : Les problèmes de mesure chez Industrie Métalic

Industrie Métalic est une entreprise d'assemblage et de soudage de structures métalliques. Le service de coupe et de soudure doit, à partir de listes de coupe, effectuer la préparation des pièces métalliques qui serviront ensuite au service d'assemblage. Le superviseur en chef observe régulièrement des erreurs de coupe et un gaspillage de la matière première au sein de ce service. Malgré des directives claires et des avertissements réguliers pour inciter les soudeurs à être attentifs, la situation ne s'améliore pas.

Le superviseur décide donc de faire appel au responsable de la formation pour qu'il mène une recherche plus poussée afin de comprendre les causes de cet écart de performance. Ce dernier réalise alors des entrevues avec quelques employés et met en place un système comptabilisant les types d'erreurs et les causes de rejet des matériaux. À la suite de l'analyse de l'information recueillie, il constate que la source des erreurs est une mesure erronée des matériaux. En procédant à une observation active des procédés de travail du personnel concerné, le responsable de la formation découvre que les erreurs sont le résultat d'une difficulté à exécuter des opérations mathématiques simples comprenant des fractions. Il en fait part au superviseur, et tous deux concluent qu'il s'agit là d'un problème de formation et non d'un problème organisationnel ou individuel.

Compte tenu de ce besoin nouvellement identifié, le responsable de la formation formule son objectif général : « La formation a pour objectif de permettre aux employés d'effectuer les calculs mathématiques simples requis dans le cadre de leur travail. » En fonction des besoins identifiés et de l'analyse de la situation, il formule trois objectifs spécifiques.

Au terme de la formation, les participants pourront :

- résoudre des additions, des soustractions, des multiplications et des divisions de fractions simples ;
- reconnaître rapidement des mesures autant sur un ruban à mesurer impérial que sur un ruban à mesurer métrique ;
- réagir de façon positive par rapport à la réalisation de calculs mathématiques simples.

CHAPITRE *4*

La planification et la conception de la formation

Lorsque les besoins de formation d'une entreprise ont été analysés de façon complète et cohérente et que les objectifs de formation ont été définis, le responsable de la formation peut s'engager dans les étapes de planification et de conception. Ces activités consistent à préparer les contenus à enseigner ainsi qu'à prévoir la logistique de la formation. Au cours de cette phase, il est de première importance de maintenir la cohérence entre la formation offerte et les stratégies organisationnelles.

En effet, comme le travail durant cette phase est souvent confié à une tierce personne, il arrive souvent que les contenus réellement enseignés s'éloignent des besoins identifiés au départ. Le responsable de la formation doit donc suivre une démarche

---

1. Traduction libre de :
   If you fail to plan, you plan to fail.

2. Traduction libre de :
   Nothing is particularly hard if you divide it into small jobs.

structurée pour coordonner le travail des différents acteurs, tout en vérifiant sur une base continue le respect des objectifs à atteindre.

Dans ce chapitre, nous aborderons, d'une part, les éléments à considérer lors de la planification d'une activité de formation ; d'autre part, nous décrirons les principales étapes de conception et de mise en forme du contenu d'une formation.

1.   La planification de la formation

La planification consiste à trouver des réponses à une série de questions afin de dresser un portrait global de la formation à mettre sur pied :

– Pourquoi organise-t-on la formation ?

– Qu'est-ce que l'on veut transmettre ?

– Qui y participera ?

– Quand se dérouleront les activités ?

– Où seront-elles tenues ?

– Qui diffusera les sessions de formation ?

Les réponses à ces questions servent généralement de cadre de référence pour la coordination de l'ensemble du cycle de gestion de la formation. Elles permettent notamment de rédiger un cahier des charges, utile lorsque la conception ou la diffusion de la formation est confiée à une tierce personne. Ces dimensions de la planification servent également de point de départ à la conception puisqu'elles clarifient les éléments à considérer pour compléter la carte de formation et le plan de formation comme tel.

Les questions à se poser dans la phase de planification peuvent être groupées en quatre catégories. Par analogie avec le théâtre, nous avons le synopsis, les acteurs, la scène et le metteur en scène.

1.1. *Le synopsis*

Le synopsis est le tableau sommaire qui permet de trouver la raison d'être de la formation et dresse les grandes lignes de ce qu'elle doit couvrir. Il s'agit plus précisément de répondre à deux questions : pourquoi et quoi.

1.1.1. Pourquoi – les conclusions de l'analyse des besoins de formation

Dans un premier temps, il faut connaître les raisons qui ont motivé la mise sur pied de la formation. Cette question renvoie à la problématique (l'écart identifié) et à ses causes qui ont lancé le cycle de gestion de la formation. Ces aspects constituent le point de départ et devraient toujours être gardés à l'esprit du responsable de la formation et des diverses personnes qui y contribuent pour ne pas qu'avec le temps la formation dévie de sa finalité, qui est de corriger la problématique.

1.1.2. Quoi – les objectifs de formation

Directement lié au pourquoi, le quoi renvoie aux objectifs de formation qui ont été formulés à la suite de l'analyse des besoins. Ces objectifs décrivent la situation à atteindre et les résultats recherchés par la formation. Comme nous l'avons souligné précédemment, les objectifs ont une influence directe sur le choix des contenus de formation et de l'approche d'enseignement.

1.2. Les acteurs

Les acteurs sont les personnes directement concernées par l'acquisition des savoirs recherchés. En se questionnant sur le « pour qui » et le « qui », on aboutit à l'organisation cliente ainsi qu'aux participants.

1.2.1. Pour qui – le système client

1.2.1.1. La cohérence de la formation

La formation étant organisée pour un système client[3], elle doit, dans la mesure du possible, s'insérer dans son plan global de formation. En l'absence d'un tel plan ou d'orientations claires, le responsable de la formation doit tout de même s'assurer qu'elle s'intègre bien aux politiques existantes et aux orientations du système client et de l'organisation. Il s'agit de prendre en considération le passé pour être cohérent et éviter les redondances de contenu ou, pire, les dissonances possibles entre les éléments que présentera le formateur et ceux déjà présentés par d'autres.

---

3. Le système client peut être un employé, une équipe, un service, un département ou même l'organisation dans son ensemble.

La personne qui élabore la planification d'une formation doit, autant que faire se peut, prendre connaissance des documents et des programmes de formation antérieurs. Il pourra alors concevoir ses propres modules en tenant compte de ce passé et maximisera non seulement la pertinence, mais aussi l'efficacité de la formation dont il est responsable.

1.2.1.1. *Les conditions de transfert*

Concevoir la formation dans une optique stratégique nous amène également à considérer l'organisation cliente comme un acteur au même titre que les apprenants. En effet, celle-ci doit offrir le renforcement qui contribuera à soutenir les apprenants lorsqu'ils auront à mettre en pratique les nouvelles compétences apprises. Il s'avère essentiel de s'assurer que les mécanismes de renforcement et de soutien à l'application des compétences désirées soient identifiés avant même la diffusion du programme de formation.

Le processus de transfert des apprentissages et les moyens qui le favorisent sont décrits en détail au chapitre 6. Il est toutefois important de souligner ici les aspects importants à considérer lors de la planification.

- *Révision des systèmes d'évaluation.* Les systèmes d'évaluation et de rétribution définissent ce que la direction d'une organisation valorise. Ils doivent donc être cohérents avec les compétences que la formation cherchent à faire acquérir. Une entreprise de télécommunications qui évalue ses préposés au service à la clientèle sur le nombre d'appels répondus à l'heure aura beaucoup de difficulté à les convaincre que la satisfaction du client est la priorité, peu importe les formations qui leur sont offertes. Pour être conséquente, l'organisation doit revoir ses systèmes existants de manière à s'assurer que le rendement rétribué est cohérent avec les objectifs d'apprentissage. Lorsque la formation revêt une importance stratégique, il est même judicieux d'instaurer des systèmes d'intéressement qui vont récompenser la pratique des compétences désirées.

- *Ajustement de l'environnement de travail.* Nous avons vu précédemment qu'une formation cherche à modifier un comportement chez l'apprenant. Toutefois, dans la majorité des cas, il est illusoire de penser obtenir un changement de comportement sans ajustement dans l'environnement de travail. Aussi irrationnel que cela puisse paraître, nous avons observé des organisations qui ont envoyé plusieurs de leurs employés suivre des cours sur un nouveau logiciel, alors qu'il n'était disponible sur aucun poste de travail... L'implantation des outils et des ressources nécessaires à l'exercice des apprentissages se doit d'être synchronisée avec la tenue de la formation. Aussi, lors de la planification d'une formation, l'ajustement de l'environnement de travail devrait tenir compte des processus de travail, des politiques et règlements ainsi que des installations physiques. L'objectif est de s'assurer que ces divers aspects permettent et même favorisent l'utilisation des compétences enseignées.

–   *Clarification des attentes envers l'apprenant.* Il arrive souvent que des participants réagissent à une formation en disant : « C'est bien intéressant, mais je n'ai pas à faire ça dans mon travail ! » Il peut s'agir, par exemple, d'un gestionnaire ayant suivi une formation sur l'évaluation de la performance qui ne considère pas avoir l'autonomie pour faire de la discipline ou d'un commis bancaire à qui on a enseigné un rôle conseil mais qui ne croit pas avoir la responsabilité de vendre des services financiers. L'utilisation de nouvelles compétences est directement liée à la perception qu'a un apprenant de ses fonctions et de ses responsabilités. Si une formation est liée à une modification des attentes de l'organisation envers ses employés, il est essentiel que ces attentes soient exprimées au préalable.

–   *Implication des supérieurs immédiats.* Pour qu'un employé utilise de nouvelles compétences dans le cadre de son travail, il doit être incité à le faire et être soutenu dans la période de mise en pratique. Pourtant, on oublie trop souvent d'impliquer son supérieur immédiat dans la démarche d'apprentissage. Un gestionnaire brusque qui accueille un de ses subordonnés au retour d'une formation en lui disant : « C'est fini les vacances ; il faut travailler maintenant ! » aura tôt fait de le décourager à utiliser ce qu'il a appris. Pour soutenir le transfert des apprentissages, il importe que le supérieur immédiat de l'apprenant connaisse le contenu de la formation ainsi que les compétences enseignées. Idéalement, le gestionnaire aura lui-même suivi la formation au préalable ; ainsi, il sera en mesure d'encourager et de soutenir l'apprenant dans la mise en pratique des apprentissages. Le tableau 4.1 relève les aspects importants qu'un gestionnaire devrait connaître sur une formation offerte à ses subordonnés.

– _Sélection de moyens pour favoriser le transfert._ Avant même la tenue de la formation, le responsable de la formation doit réfléchir sur les moyens à prendre pour soutenir l'application des apprentissages ; ils sont nombreux : création de groupes de soutien, organisation d'activités de suivi postformation, communication symbolique, distribution d'aide-mémoire, etc. On peut s'inspirer des divers moyens énumérés dans le tableau 6.7.

Tableau 4.1
Énoncés pour mesurer l'implication d'un gestionnaire au regard d'une formation offerte à ses subordonnés

Répondre par oui ou non à chacun des énoncés suivants.

	oui	non
– J'ai une bonne idée des sujets que la formation aborde.		
– Je trouve important que les employés suivent cette formation.		
– Je fais un lien direct entre ce que les employés apprendront et ce qu'ils doivent faire dans leur travail.		
– La formation va contribuer de façon très concrète à améliorer le travail des employés concernés.		
– La formation va contribuer de façon très concrète à améliorer le travail de mon service.		
– Je saisis bien l'importance que revêt cette formation pour l'atteinte des objectifs de l'organisation.		
– Je peux évaluer les employés sur ce qu'ils ont appris en formation.		
– Nous avons les ressources et les outils pour que les employés mettent en application ce qu'ils apprendront.		
– Je connais suffisamment le contenu de la formation pour pouvoir aider les employés à mettre en application leurs apprentissages.		
– J'ai déjà discuté avec les employés du sujet de la formation et de son importance avec les employés qui devront la suivre.		

Une réponse négative à un des énoncés peut révéler que le gestionnaire ne saisit pas les enjeux de la formation, ne connaît pas son contenu ou n'appuie pas le programme de formation dans son ensemble. Dans un tel contexte, il est fort probable que les employés ne seront pas motivés à suivre la formation, ce qui rendra le transfert des apprentissages très difficile.

1.2.2. Qui – les participants

1.2.2.1. Leur portrait

Les principaux acteurs de la formation sont, bien sûr, ceux qui y participent directement. Lors de la planification, on doit pouvoir établir un portrait clair des personnes qui participeront à l'activité de formation. Pour ce faire, il est important de pouvoir répondre adéquatement aux questions suivantes :

– Quelles sont les caractéristiques générales des participants (sexe, âge, culture, etc.) ?

– Quels postes les participants occupent-ils dans l'entreprise ? Depuis combien de temps travaillent-ils pour l'entreprise ?

– Quelle est leur expérience professionnelle et quel est leur niveau de formation scolaire ?

– Est-ce que les participants se connaissent ? Est-ce que la relation qui existe entre les participants peut favoriser la création de « cliques » ?

– Quel est leur niveau d'implication personnelle dans ce programme de formation (la formation leur est-elle imposée ou la suivent-ils par choix personnel) ?

– Les participants ont-ils un historique de formation ? Si oui, à quelles activités de formation ont-ils déjà participé (thèmes semblables ou différents) ?

Ces éléments permettent au formateur d'adapter le contenu du programme de formation mais aussi, et surtout, la forme qu'il lui donne. Une attention particulière doit donc être accordée à la nature du public concerné, afin que le formateur adapte non seulement son discours, les exemples qu'il compte utiliser, le degré de difficulté de ses exercices, le rythme de progression du processus de formation mais aussi les moyens d'évaluer les apprentissages.

1.2.2.2. La composition du groupe

Après avoir obtenu cette information, il importe de considérer deux autres aspects : le nombre de participants par groupe et la raison pour laquelle ils suivent la formation. Le nombre de participants par groupe est déterminant pour la réussite d'une activité de formation, puisqu'un nombre inadéquat pourrait mettre en péril l'atteinte des objectifs du cours. Chez les formateurs, on s'accorde pour dire qu'un groupe optimal est composé de 8 à 12 participants[4]. L'objectif de la formation ainsi que le degré d'émotivité qu'elle peut susciter sont également des facteurs importants à considérer. À titre d'exemple, le nombre de participants inscrits à une session de formation visant à faciliter l'acceptation de changements organisationnels ne devrait pas dépasser 10, puisqu'il s'agit d'une activité qui comporte des paramètres émotifs.

Le deuxième aspect important à considérer pour la composition d'un groupe est la raison pour laquelle les participants suivent la formation. En effet, il peut arriver que les attentes des participants soient très divergentes. Lors de l'analyse des besoins, le responsable de la formation devrait pouvoir regrouper les attentes et les préoccupations des gens de façon à composer des groupes relativement homogènes au regard des besoins et diminuer ainsi les risques d'insatisfaction.

1.2.2.3. La préparation des participants

Après avoir tracé un portrait des participants et décidé de la composition du groupe, la planification de la formation nous amène à réfléchir sur la manière de préparer les apprenants à la formation. Un employé qui apprend la veille qu'il doit suivre un cours le lendemain n'accordera pas beaucoup d'importance aux apprentissages qu'il pourra acquérir, et ce, peu importe le contenu abordé. Dans une optique stratégique, où la formation vient contribuer au développement organisationnel, on doit s'empresser d'informer les apprenants des enjeux de la formation, des raisons qui ont motivé sa mise sur pied et des changements qui seront attendus d'eux après la formation.

Les principaux éléments qui devraient être communiqués à un employé avant qu'il participe à une formation sont reliés aux questions suivantes :

---

4. Ce nombre optimal se rapporte à des formations qui font appel à des méthodes actives adaptées à l'enseignement andragogique. Ce nombre devrait cependant être réduit pour l'organisation de formations techniques nécessitant l'expérimentation par chaque participant du savoir-faire à acquérir et pourrait être plus élevé pour des formations faisant appel à des méthodes plutôt affirmatives ou expositives.

- Quel est le synopsis de la formation (Pourquoi est-elle organisée ? Quelle problématique tente-t-elle de résoudre ? Quels sont les objectifs poursuivis ?) ?

- Quelle est l'importance de la formation pour l'organisation ?

- Comment les compétences enseignées au cours de la formation vont-elles aider l'employé personnellement ou professionnellement dans son travail ?

- Quelles sont les attentes qu'on aura envers lui à son retour au travail (quant à l'utilisation des compétences et au transfert des apprentissages) ?

- De quel soutien pourra-t-il bénéficier à son retour au travail pour l'assister dans la mise en pratique des nouvelles compétences ?

Ces différents aspects ne doivent pas nécessairement être communiqués à l'employé de façon écrite et formelle. Toutefois, il est essentiel que son supérieur immédiat, le responsable de la formation ou la personne appropriée puisse en discuter au moins deux semaines avant la tenue de la formation. De cette manière, l'apprenant peut commencer à se préparer mentalement à la formation et être plus ouvert aux apprentissages qu'il viendra y acquérir. Le tableau 4.2 présente une série d'énoncés permettant d'évaluer la préparation d'un employé à une formation.

1.3. La scène

Une fois le synopsis rédigé et les acteurs préparés, il importe de s'interroger sur l'endroit et le moment où se tiendront les représentations. Le responsable de la formation doit donc planifier à quel moment et dans quel format la formation sera donnée et choisir le lieu le plus approprié.

1.3.1. Quand – le moment

1.3.1.1. La séquence

L'objectif ultime en ce qui concerne la durée de la formation est de trouver comment maximiser l'apprentissage à l'intérieur des contraintes de temps existantes. Une formation étalée sur plusieurs semaines, à raison de deux heures par semaine, exige une planification, une séquence d'activités et une dynamique tout à fait différentes d'une formation concentrée sur deux jours.

Tableau 4.2
**Énoncés pour évaluer la préparation d'un employé
à une formation donnée**

Répondre par oui ou non à chacun des énoncés suivants.

	oui	non
– J'ai une bonne idée des sujets que la formation aborde.	___	___
– Je crois que les enseignements de cette formation me seront utiles dans mon travail.	___	___
– Je saisis bien l'importance que revêt cette formation pour l'atteinte des objectifs de l'organisation.	___	___
– Je peux voir comment les compétences qui seront enseignées durant la formation vont s'inscrire dans ce que l'on attend de moi.	___	___
– Je crois avoir accès aux ressources et aux outils nécessaires pour mettre ce que j'aurai appris en application à mon retour au travail.	___	___
– Mon supérieur immédiat connaît les sujets qui seront abordés durant la formation.	___	___
– Mon supérieur immédiat considère important que j'acquière les compétences enseignées au cours de la formation.	___	___
– Je crois pouvoir bénéficier de soutien et d'aide dans la mise en application des compétences qui me seront enseignées.	___	___

Une réponse négative à un des énoncés peut révéler que l'employé n'est pas suffisamment bien préparé à suivre la formation. Il est également possible que sa perception de la formation ait été teintée de commentaires qu'il a entendus d'employés y ayant déjà participé. Dans les deux cas, il est probable que les employés percevront mal les enjeux de la formation et, par conséquent, qu'ils manifesteront peu d'ouverture aux apprentissages.

Pour décider de la répartition idéale, on doit tenir compte, d'une part, des contraintes financières et opérationnelles de l'organisation et, d'autre part, des objectifs de formation ainsi que des stratégies qui pourront maximiser son efficacité. De façon générale, on observe que les sessions courtes et progressives sont de plus en plus préférées aux cours intensifs suivis à l'externe et s'étendant sur une longue période. Cette tendance s'inscrit dans un contexte où l'acquisition et le transfert des apprentissages sont maximisés en privilégiant leur mise en pratique rapide dans le milieu de travail.

1.3.1.2. *Les trois coups*

Le « quand » nous amène également à choisir le moment idéal pour tenir la formation (le *timing* en langage populaire), c'est-à-dire le moment qui sera le plus favorable à l'apprentissage. Ainsi, une entreprise en pleine réorganisation où l'on compte faire de nombreuses réaffectations ne va pas constituer un contexte idéal pour implanter un programme de formation. Généralement, un minimum de stabilité est nécessaire pour favoriser l'apprentissage (stabilité dans les orientations organisationnelles, dans les emplois et dans les fonctions). Voici quelques aspects à considérer :

– Est-ce que le climat organisationnel va soutenir l'utilisation des nouvelles compétences ?

– Est-ce que les processus de travail vont permettre la mise en pratique des apprentissages ?

– Est-ce que les apprenants sont dans une situation qui va leur permettre d'être ouverts à l'apprentissage (niveau de stress, appréhension des changements, etc.) ?

– Est-ce que la direction de l'organisation considère la formation comme suffisamment importante pour accepter la période d'apprentissage et apporter un soutien pour renforcer le transfert ?

1.3.2. Où – le lieu

Toujours dans l'ordre de la planification, une autre question qui s'impose est celle du lieu où sera donnée la formation. Pour prendre une décision appropriée, les éléments suivants doivent être considérés :

– les techniques d'enseignement adoptées et le contenu à couvrir détermineront le choix de l'endroit (sur les lieux de travail, en salle de formation, etc.) ainsi que du matériel pédagogique ;

– le nombre de participants déterminera la taille de la salle ;

– les objectifs de formation aideront à établir s'il est préférable d'offrir la formation dans les locaux de l'entreprise ou à l'extérieur (une formation technique et pratique se tient généralement sur les lieux du travail alors qu'un contenu plus général, qui suscite une réflexion ou une remise en question, va idéalement être à l'extérieur afin de favoriser la neutralité).

1.4. Le souffleur et metteur en scène

Le dernier aspect à considérer dans la planification de la formation est le choix de la personne qui en assumera la diffusion, le « par qui ». Comme elle joue un rôle clé dans l'enseignement (souffleur) et la conduite du groupe en formation (metteur en scène), il est important que la sélection se fasse de manière consciencieuse.

1.4.1. Les critères de sélection du formateur

1.4.1.1. Interne ou externe

Pour le choix du formateur, la première chose que le responsable de la formation doit se demander, c'est s'il faut faire appel à une ressource externe ou à une ressource interne. Pour faciliter ce choix, un certain nombre d'éléments doivent être considérés, comme la disponibilité des ressources internes, l'expertise nécessaire, les objectifs recherchés et les budgets dont on dispose. Le tableau 4.3 présente les principaux avantages reliés à chacune des options.

Généralement, le choix d'une ressource interne ou d'une ressource externe sera déterminé par la nature de la formation. Pour le démarrage d'une usine, il sera beaucoup plus efficace de placer les apprenants directement en situation de travail et de les jumeler avec des formateurs internes qui maîtrisent déjà les procédés industriels que de demander à un formateur externe expert dans le domaine de former tous les employés dans une salle de classe. Inversement, l'implantation d'une approche de gestion basée sur le *coaching* sera probablement mieux réalisée par un formateur externe qui maîtrise l'approche et peut enseigner à de petits groupes en utilisant des méthodes actives.

Une approche mixte peut également être intéressante : elle consistera à adjoindre des formateurs internes à des formateurs externes. De cette façon, on pourra maximiser les avantages des options tout en évitant de monopoliser les ressources internes de l'organisation. Pour recourir à cette solution, il importe toutefois que le projet de formation ait une certaine envergure, sinon les coûts sembleront disproportionnés.

Tableau 4.3
**Avantages potentiels de recourir à
un formateur interne ou à un formateur externe**

Formateur interne	Formateur externe
– Accès à une expertise spécifique et spécialisée peu ou pas disponible à l'externe (aspect technique et procédés uniques).	– Accès à des connaissances non disponibles à l'interne et quelquefois à une expertise unique (considérant le nombre de formateurs disponibles, le bassin de connaissances est quasi illimité).
– Connaissance du milieu permettant d'apporter des exemples concrets et des réponses précises.	– Meilleure expertise sur le plan de l'enseignement et de l'andragogie.
– Développement d'une expertise de formation à l'interne.	– Objectivité ou regard neuf pouvant apporter des remises en question et des suggestions judicieuses.
– Coûts souvent moindres.	– Plus grande disponibilité et flexibilité.
– Possibilité de contribution à l'intégration des apprentissages.	– Possibilité de contribution à l'ensemble du processus de gestion de la formation.

1.4.1.2. *Les compétences recherchées*

Comme un formateur a énormément d'influence sur l'apprentissage des participants, la qualité du choix est déterminante pour la réussite de la formation. La personne choisie devrait connaître le contenu de la session mais, surtout, elle devrait avoir des aptitudes pour gérer les processus de groupe, ainsi que les dynamiques émotives qui peuvent s'y vivre. Cela exige donc des compétences bien précises que ne possède pas le premier venu. Le tableau 4.4 résume les compétences requises et souhaitables chez le formateur.

Tableau 4.4
Profil de compétences d'un formateur

Compétences requises	Définition
– Présentation	Habileté à se présenter devant un groupe, à garder un contact visuel avec les participants et à bouger naturellement ; absence de tics nerveux.
– Expression verbale	Habileté à s'exprimer clairement et avec enthousiasme.
– Habiletés interpersonnelles	Aptitude à interagir de façon positive avec des personnes de cultures et de milieux variés.
– Leadership	Aptitude à guider et à soutenir un groupe dans l'atteinte d'objectifs préétablis.
– Jugement et capacité d'adaptation	Aptitude à comprendre différentes situations, à réagir adéquatement et, si nécessaire, à modifier le plan initial pour atteindre les objectifs.
– Organisation et planification	Habileté à planifier une session de formation, à établir des priorités, à organiser les activités de manière logique et à respecter des échéanciers.
– Maîtrise du contenu	Connaissance conceptuelle et expérience pratique des compétences à enseigner.
– Connaissance de l'andragogie	Très bonne connaissance des principes de l'éducation aux adultes et de la transmission des connaissances.
– Connaissance du système client	Connaissance de base de l'organisation cliente et des participants à la formation.

Compétences souhaitables	Définition
– Communication et rétroaction	Habileté à donner du feed-back constructif à un apprenant pour l'assister dans la progression de son apprentissage.
– Initiative	Aptitude à entreprendre au besoin des actions non planifiées pour favoriser l'atteinte d'objectifs préétablis.
– Gestion des groupes	Aptitude à faire participer les membres d'un groupe et à gérer la dynamique de groupe de façon à favoriser l'acquisition et l'intégration des apprentissages.
– Questionnement	Habileté à poser des questions pour susciter la discussion et l'apprentissage.
– Expression écrite	Habileté à écrire de façon lisible, concise et sans faute.
– Connaissance du cycle de gestion de la formation	Connaissance et expérience dans la gestion de formation (analyse de besoins, conception de formation, diffusion, évaluation, etc.).

Ce profil réunit les qualités généralement recherchées lors de la sélection d'un formateur. À la lecture des compétences, on constate que plusieurs d'entre elles relèvent du savoir-être. Contrairement à l'idée admise que pour apprendre quelque chose il faille recourir à un expert en la matière, une approche andragogique requiert plutôt une personne capable de faire progresser un groupe en tirant profit d'une multitude de ressources (ses propres connaissances, celles des membres du groupe, les techniques d'enseignement utilisées, les questions pertinentes, etc.). Ce n'est donc pas tant dans son expertise technique que l'on reconnaît un bon formateur que dans son habileté à communiquer son savoir et dans sa capacité à faire avancer le groupe dans le cycle d'apprentissage. C'est pour cette raison que les compétences liées au domaine affectif se révèlent si importantes.

Outre ces compétences de base, certains critères doivent être considérés lors du choix d'un formateur, qu'il soit interne ou externe. C'est sur eux que nous nous attarderons maintenant.

1.4.2. Le choix d'un formateur interne

La principale lacune des formateurs internes est généralement de ne pas connaître les principes andragogiques ni maîtriser les techniques de transmission des connaissances. Il est donc essentiel, au préalable, de les outiller adéquatement et, à ce titre, une formation pour formateurs est tout à fait appropriée.

Par ailleurs, la sélection des ressources les plus susceptibles d'être de bons formateurs devrait suivre un processus rigoureux. Grenier (1997) conseille de se baser sur les critères suivants :

– La personne doit être une experte sur le plan du contenu. Ses façons de faire doivent être en tout point conformes à ce qui est recherché et à ce que l'on veut enseigner.

– Elle doit avoir de l'entregent, être à l'aise lorsqu'elle parle en public et « aimer le monde ».

– Elle doit avoir l'esprit d'observation. Il est important qu'elle puisse « lire » le groupe et déceler les difficultés d'apprentissage et de compréhension.

- Elle doit vouloir jouer le rôle de formateur. En plus d'enseigner comme tel, le formateur doit être prêt à travailler sur le climat et les processus de groupe et à participer au transfert des apprentissages.

- Elle doit être consciente des enjeux andragogiques et organisationnels de la formation. Il y a des objectifs à atteindre et les acquis peuvent devoir être évalués.

- Elle doit avoir la volonté de se perfectionner. Comme toute personne dans l'entreprise, elle doit s'assurer d'être au fait des plus récents développements dans les technologies d'enseignement.

- Elle doit être prête à vivre les _blues_ du formateur. Les projets de formation demandent toujours beaucoup d'effort et d'énergie ; la fin des projets peut ramener le formateur à son travail quotidien où il demeurera une personne de référence (le « dépanneur officiel »). Il doit donc, dès le départ, accepter que ses responsabilités soient élargies sur le plan interpersonnel au terme du programme.

1.4.3. Le choix d'un formateur externe

À l'opposé du formateur interne, le formateur externe maîtrise habituellement les techniques d'enseignement et de transmission des connaissances[5]. Par contre, sa principale faiblesse réside dans son manque de connaissance du système client et de la réalité du travail des apprenants. Sa capacité à bien répondre aux besoins et aux particularités du groupe peut donc s'en trouver réduite.

Lors de la sélection d'un formateur externe, il est donc important d'être attentif au langage qu'il utilise et à l'approche qu'il semble privilégier. En premier lieu, il devrait manifester de l'intérêt pour les objectifs que vous poursuivez avec la formation, les compétences à enseigner, les résultats à atteindre et les moyens favorisant le transfert des apprentissages. S'il s'empresse de parler des cours qu'il offre, des contenus qui sont abordés et des clients avec qui il a travaillé, il y a fort à parier qu'il aura de la diffi-

---

5. À ce titre, la disposition sur l'agrément des organismes formateurs de la _Loi favorisant le développement de la formation de la main-d'œuvre_ du Québec oblige tout formateur, pour être agréé, à démontrer qu'il possède un minimum de formation ou d'expérience dans les méthodes de transmission des connaissances.

culté à s'adapter aux besoins de votre organisation. Les questions suivantes devraient vous être utiles pour faire ressortir certains aspects importants :

- Est-ce qu'il saisit l'importance d'aligner la formation sur les objectifs stratégiques et les valeurs de votre organisation ?

- Est-ce qu'il adopte une approche par compétence ? Est-ce que ses objectifs d'apprentissage sont formulés en termes spécifiques permettant l'évaluation de l'acquisition de compétences ?

- Sur quelle information se base-t-il pour vous proposer le contenu de la formation ? Est-ce qu'il vous propose de rencontrer des employés ou d'analyser l'environnement pour adapter ces contenus à la réalité de votre organisation ?

- Quelles méthodes d'enseignement compte-t-il utiliser ? S'assure-t-il de tenir compte des différents styles d'apprentissage ?

- Comment voit-il votre rôle dans le cadre de l'intervention ? Va-t-il demeurer en contact pour vous informer sur une base régulière ? Allez-vous jouer un rôle actif dans la validation des contenus et de l'approche de formation ?

- Quelles méthodes vous propose-t-il pour mesurer l'efficacité de la formation ?

- Est-ce qu'il propose des moyens pour favoriser le transfert des apprentissages ?

2. La conception de la formation

La planification de la formation a permis de prévoir et d'organiser les divers aspects qui entourent la formation, mais elle n'a pas touché au contenu comme tel. La conception de la formation vise donc à structurer le contenu de la formation et à produire les divers documents qui en découlent (plan, fil rouge, manuel du participant, etc.). Nous verrons également dans cette partie du chapitre les principes à respecter lors de la conception d'une formation et de la rédaction d'un manuel de formation.

De façon pratique, la conception de la formation s'articule généralement autour d'un modèle que nous appellerons « carte de formation » ou plan de travail. Lors de cette étape, le concepteur[6] structure et organise les différents aspects qui concernent la formation. Par la suite, il peut compléter la conception à travers trois autres étapes : la préparation du plan de formation, l'élaboration du contenu et la rédaction du manuel de formation.

2.1. Le développement de la carte de formation[7]

Tout au long de l'élaboration du contenu de formation, le concepteur doit conserver un regard systémique. Pour ce faire, il doit s'aider d'un modèle qui lui permettra, d'un coup d'œil, de situer l'ensemble des facteurs qui ont une influence sur la formation et, par conséquent, sur la nature du contenu à concevoir. Il va sans dire que ce modèle doit au départ être fondé sur un objectif parfaitement clair et une problématique à résoudre bien comprise.

1. Les résultats de l'analyse des besoins ont permis de cerner la problématique et de formuler les objectifs de formation (le synopsis). De ces deux éléments doit ressortir l'idée maîtresse de la formation, son _thème central_ (par exemple, intégrer une nouvelle technologie, obtenir la certification ISO, améliorer le service à la clientèle, implanter un système de gestion de la performance, etc.). Le formateur commence la construction de la carte de formation en plaçant cette idée au centre du modèle que nous allons bâtir (voir figure 4.1).

2. Autour de ce centre, le concepteur positionne les _causes_ du problème, le pourquoi. Il ne s'agit pas ici de reprendre mot pour mot les conclusions de l'analyse des causes, mais plutôt de présenter les mots clés qui feront ressortir les aspects importants à considérer.

---

6. La conception de la formation peut être confiée au responsable de la formation, au formateur lui-même ou à une personne spécialisée dans l'élaboration de programmes de formation. Pour éviter toute confusion, nous allons utiliser ici le terme « concepteur ».

7. Cette section a été rédigée en collaboration avec Stéphane Boiteux.

3. Par la suite, il faut inscrire les *principaux effets* que le problème a actuellement ou pourrait avoir dans le futur sur le système client. On se rappelle que l'objectif ultime de la formation est d'agir sur les causes de la problématique pour en éliminer les conséquences négatives. Il est également pertinent d'énumérer les principaux effets recherchés. Quels sont les bénéfices visés par la formation ?

4. Une fois la chaîne de causalité présentée, le concepteur inscrit les *objectifs spécifiques de formation*, le quoi. S'ils ont été formulés suivant une méthode appropriée, il devrait être relativement aisé de dégager les compétences à enseigner. Sinon, le concepteur devra obtenir une réponse satisfaisante à la question suivante : « Quelles sont les connaissances, habiletés, compétences ou attitudes requises pour résoudre la problématique ? » Il importe que tous les savoirs nécessaires soient énoncés (savoir, savoir-faire et savoir-être).

5. Enfin, le concepteur inclut dans sa carte les *éléments de contexte importants* qui gravitent autour de l'idée maîtresse et qui influent sur la conception de la formation. Il peut notamment s'agir des autres aspects de la planification (le qui, le pour qui, le quand, le où et le par qui) ainsi que de tout autre facteur qui devrait être considéré dans l'élaboration du contenu de la formation. Le concepteur obtient alors une carte de formation qui ressemble à celle présentée à la figure 4.1. La figure 4.2 illustre, pour sa part, une formation technique visant à montrer à des employés comment utiliser une nouvelle balance électronique.

Comme nous l'avons indiqué, cette modélisation permet de visualiser rapidement les composantes systémiques du thème de formation. Le concepteur a alors pour rôle de cerner l'influence qu'aura le programme de formation sur les différentes cellules de la carte. Cet exercice n'a donc pas pour seul objectif de relever ou de diagnostiquer un problème. Il s'agit davantage de se donner un outil pour représenter la situation dans toute la complexité de ses interrelations, car c'est bien dans les liens entre les différents blocs de la carte que se situent les finalités de l'action de formation.

Figure 4.1
Élaboration de la carte de formation

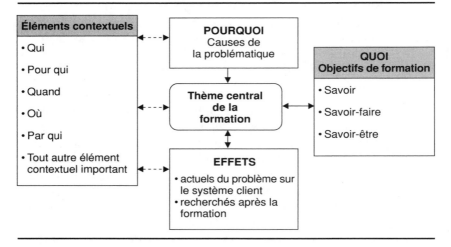

Par exemple, pour être en mesure de réparer une machine-outil, un ouvrier (le qui) doit d'abord savoir comment la démonter et comment la remonter, c'est-à-dire maîtriser un certain nombre de connaissances et d'habiletés relatives aux composantes du thème central (réparer une machine-outil). De plus, toujours pour être capable de réparer cette machine, il serait pertinent que l'ouvrier comprenne à quoi elle sert, comment elle fonctionne et quelle place elle occupe dans le système de production (divers éléments contextuels). Enfin, pour choisir les compétences à enseigner, le concepteur devra connaître les différents écarts à combler (le quoi) de même que les effets qu'il cherche à éliminer.

Avant de conclure cette première étape, mentionnons que le concepteur peut se trouver devant deux types de situations lors du développement de la carte de formation :

– _Le contexte de l'organisation a permis une analyse détaillée des besoins de formation et des écarts à combler._ Dans un tel cas, le niveau de compétences des apprenants et celui attendu sont, en règle générale, précisés, ce qui permet au concepteur de procéder à l'élaboration des contenus en se basant sur la logique et l'organisation établies dans les résultats de l'analyse.

Figure 4.2
Exemple d'une carte pour une formation technique

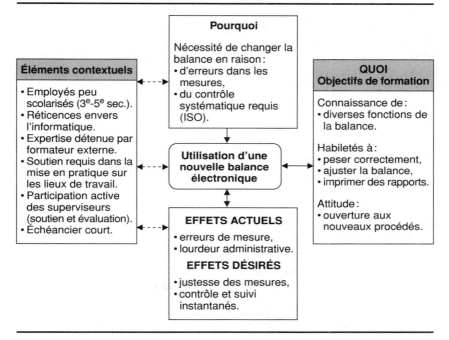

– *Le contexte de l'organisation est changeant ou encore mal appréhendé.* Si le concepteur n'a pas une idée claire des compétences recherchées, il se doit alors d'élaborer un modèle qui, d'une part, est structuré selon les compétences de base généralement reconnues pour concrétiser le thème central de la formation et, d'autre part, est suffisamment flexible pour permettre au formateur d'adapter le contenu aux besoins particuliers qui pourraient se manifester lors de la diffusion de la formation. Dans un contexte changeant où le formateur ne peut saisir tous les facteurs systémiques à l'œuvre, les apprenants doivent assumer une plus grande part de leur processus d'apprentissage. Il est alors encore plus important que la formation crée une dynamique qui incitera les participants à apprendre et à se former par eux-mêmes, c'est-à-dire « à apprendre à apprendre ».

On constate donc que la formalisation d'un programme de formation dépend de la situation particulière de chaque organisation au moment où elle décide de faire appel à un formateur. C'est pourquoi l'action de formation doit toujours être conçue en tenant compte des contraintes de diverses natures qui peuvent exister, mais aussi et surtout des objectifs recherchés et des principes andragogiques.

2.2. La préparation du plan de formation

Une fois la carte de formation établie, le concepteur doit en organiser les éléments suivant une logique compréhensible. Il lui sera par la suite possible de rédiger son plan spécifique de formation. Ce plan sert notamment à obtenir du système client la validation du contenu et de l'approche qui seront adoptés par le formateur lors de la diffusion de la formation[8]. Aussi, il fait habituellement partie intégrante des ententes contractuelles lorsque la formation est donnée par un formateur externe.

2.2.1. La structure logique

Avant d'amorcer tout travail d'envergure, il importe de tracer un cadre de travail global et logique. Pour que le concepteur puisse organiser et planifier les différents modules de l'activité de formation, il doit avant tout établir sa structure globale. L'élaboration de cette structure logique consiste à identifier la meilleure façon de diviser et d'ordonner le thème central de la formation.

Rothwell et Kazanas (1994) suggèrent six types de structure.

– *Structure chronologique*. Les modules d'apprentissage sont organisés de façon chronologique, soit dans l'ordre où les compétences doivent être mises en pratique dans la réalité.

– *Structure thématique*. Les modules sont organisés par sujet. Les sujets abordés au début de la formation aident à mieux comprendre les sujets traités par la suite.

---

8. Comme un syllabus de cours, le plan de formation détaille les principales dimensions qui permettent d'avoir un portrait précis des objectifs, du format, du contenu et de l'approche de formation. À ce titre, la _Loi favorisant le développement de la formation de la main-d'œuvre_ du Québec considère comme important que toute formation soit appuyée sur un plan spécifique de formation.

- *Structure ordonnée du global au spécifique.* Les modules sont organisés de façon à présenter d'abord le processus global pour ensuite détailler chacune des parties et décrire les liens qui les unissent.

- *Structure ordonnée du spécifique au global.* Les modules sont organisés de façon à décrire certaines fonctions ou tâches particulières pour ensuite montrer comment elles s'intègrent dans un processus global.

- *Structure ordonnée du connu à l'inconnu.* Les modules sont organisés de façon à rappeler d'abord les sujets qui sont familiers aux apprenants pour ensuite introduire des notions nouvelles ou inconnues.

- *Structure ordonnée de l'inconnu au connu.* Les modules sont organisés de façon présenter aux participants au début de la formation des notions qu'ils ne connaissent ou ne maîtrisent pas. Elles sont par la suite mises en lien avec des sujets qui leur sont familiers. Quand les apprenants manifestent de l'incompréhension ou ont de la difficulté à suivre, il est préférable de revenir à une structure ordonnée du connu à l'inconnu.

La structure logique de la formation permet d'organiser les blocs de la carte de formation en module et de clarifier leurs relations. Lors de la conception, les objectifs de la formation constituent les principaux points de repère pour développer le contenu selon une logique favorable à l'apprentissage. En somme, le contenu et les séquences des activités devraient être structurés de façon à faire cheminer le participant dans son processus d'apprentissage. La figure 4.3 donne quelques exemples de structures logiques pour trois thèmes de formation.

2.2.2. Le plan spécifique de formation

Le résultat du travail accompli jusqu'à maintenant donne toutes les informations nécessaires pour produire un plan spécifique de formation. Dans ce plan, on retrouve habituellement :

- la problématique et les objectifs (le synopsis de la formation) ;

- la clientèle visée et, le cas échéant, l'information sur le système client (les acteurs) ;

Figure 4.3
Exemples de structures logiques de formation

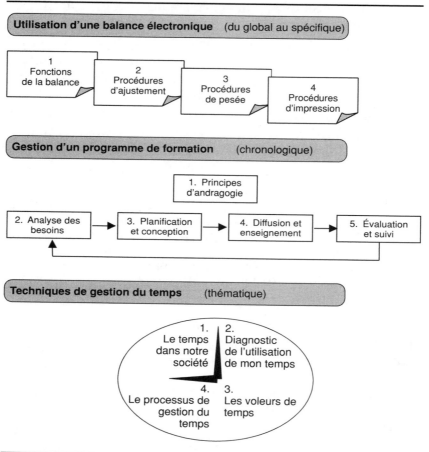

Utilisation d'une balance électronique (du global au spécifique)

1 Fonctions de la balance

2 Procédures d'ajustement

3 Procédures de pesée

4 Procédures d'impression

Gestion d'un programme de formation (chronologique)

1. Principes d'andragogie

2. Analyse des besoins

3. Planification et conception

4. Diffusion et enseignement

5. Évaluation et suivi

Techniques de gestion du temps (thématique)

1. Le temps dans notre société

2. Diagnostic de l'utilisation de mon temps

4. Le processus de gestion du temps

3. Les voleurs de temps

- la durée, le format choisi et, au besoin, le lieu (la scène);

- les formateurs désignés (le souffleur);

- les principaux éléments de contenu ou la structure logique de la formation (le scénario);

- les méthodes d'enseignement et les moyens pour favoriser le transfert (la mise en scène);

- le mode d'évaluation retenu (la « critique »).

Le tableau 4.6 reprend l'exemple de la formation sur l'utilisation d'une balance électronique et en présente le plan de formation. Le tableau 4.5 sert, quant à lui, de guide pour concevoir un plan de formation.

Avant de procéder à l'élaboration du contenu de la formation, le concepteur doit faire valider le plan de formation par son client (demandeur) et, idéalement, par les autres personnes concernées (direction, clientèle visée, etc.). Si la teneur du plan répond aux attentes et à la problématique, le formateur peut alors procéder au développement des contenus spécifiques de la formation et à la rédaction du manuel de formation.

2.3. L'élaboration du contenu de la formation

Au moment de la conception de la formation, il est important de garder à l'esprit les principes andragogiques fondamentaux ainsi que les stades d'apprentissage de l'adulte présentés au chapitre 2. Pour que cette progression andragogique soit respectée, Coureau (1993) recommande d'inclure dans chaque module, et dans cet ordre, une activité heuristique, une activité démonstrative et une activité applicative.

2.3.1. Activité heuristique

L'activité heuristique[9] vise à aider les apprenants à entrer dans la phase d'incompétence consciente. Elle consiste à provoquer une réflexion sur la situation qui fera ensuite l'objet de l'exposé lors de l'activité démonstrative. Par exemple, avant la présentation d'un module sur l'animation d'une réunion, le formateur peut demander aux apprenants de compléter un questionnaire d'auto-évaluation sur les habiletés d'animateur ou de discuter en sous-groupes des conditions d'efficacité d'une réunion.

L'objectif de l'activité heuristique est de faire prendre conscience à l'apprenant qu'il est dans une position où il peut acquérir de nouvelles compétences. L'activité donne les résultats escomptés lorsqu'elle suscite une motivation et un état d'ouverture par rapport à l'apprentissage.

---

9. Petit Robert (1978) : *heuristique* ou *euristique* (du grecque *heuriskein* « trouver »). – Didactique : Qui sert à la découverte. Hypothèse heuristique. – Pédagogie : Qui consiste à faire découvrir à l'élève ce qu'on veut lui enseigner. Méthode heuristique.

Tableau 4.5
Guide pour préparer un plan spécifique de formation

Problématique	– Pourquoi a-t-on le besoin de mettre sur pied une formation ? – Quels sont les écarts de performance observés ? – Quelles améliorations la formation va-t-elle apporter à la production ou au fonctionnement de l'organisation ?
Objectifs	– Quels sont les objectifs poursuivis par la formation ? – Qu'est-ce que l'employé pourra accomplir au terme de la formation ? – Quelle est la performance attendue ?
Clientèle visée et système client	– Quels employés sont concernés par la formation ? – Qui est le client ou le système client ? – Qu'est-ce qu'il importe de connaître à propos du système client ?
Durée et lieu	– Quelle est la durée de la formation ? – Comment est-elle répartie (formation en un bloc ou en plusieurs modules répartis dans le temps) ? – Où est-il préférable de donner la formation ?
Formateur(s)	– Qui sont le ou les formateurs attitrés ? – Qui donnera la formation ? – Qui offrira du soutien pour le transfert des apprentissages ?
Contenu	– Quels sont les sujets qui doivent être couverts durant la formation ? – Quels sont les principaux éléments que l'employé devra maîtriser pour atteindre les objectifs de la formation ? – Dans quel ordre ces contenus doivent-ils être enseignés (selon une logique d'apprentissage) ?
Méthodologies d'enseignement et transfert des apprentissages	– Quelles méthodes d'enseignement faut-il privilégier ? – Quelles sont les techniques qui vont favoriser l'acquisition des compétences enseignées ? – Quels moyens seront utilisés pour favoriser le transfert des apprentissages dans le contexte de travail ?
Matériel et équipement	– Quel est le matériel pédagogique qui sera fourni aux formateurs ? – Quels outils ou équipements particuliers seraient nécessaires à la mise en pratique des enseignements ?
Mode d'évaluation	– De quelle façon l'apprentissage des employés sera-t-il vérifié (test, observation, expérimentation, évaluation formelle, etc.) ? – Y a-t-il des compétences clés qui doivent être évaluées avant de délivrer une attestation de réussite à l'employé ?

Tableau 4.6
Exemple d'un plan spécifique de formation technique

Problématique	La constatation d'un grand nombre d'erreurs de mesure et l'implantation d'une procédure ISO ont créé le besoin de se doter d'une balance électronique pour peser les chargements de camion. Ce changement modifie les méthodes de travail. Il faut maintenant que chaque camionneur procède de façon autonome à la pesée de son chargement. Pour qu'ils puissent bien faire ce travail, les employés qui auront à utiliser la balance doivent recevoir un entraînement approprié. Le comité de formation a convenu de mettre sur pied une formation à l'interne pour répondre à ce besoin.
Clientèle visée	Les préposés à la balance (3 personnes) et les camionneurs (11 personnes).
Objectifs	Au terme de la formation, les participants pourront : – peser différents camions avec la balance électronique en utilisant les méthodes de travail appropriées ; – tester et ajuster la sensibilité de la balance à un centième près ; – imprimer des bons de livraison en utilisant le système de facturation.
Durée	6 heures (2 heures de présentation en salle et 4 heures de mise en pratique au travail).
Formateur	Représentant de la compagnie de balances et superviseur des camionneurs.
Contenu	– Description du contexte et des nouvelles procédures de travail. – Fonctions générales de la balance. – Procédures d'ajustement de la balance. – Procédures de pesage des camions. – Procédures d'impression des bons, des factures et des rapports.
Méthodologies d'enseignement	– Présentation par le représentant de la compagnie de balances (exposés théoriques et démonstration des méthodes de travail). – Entraînement à la tâche avec le superviseur (mise en pratique des apprentissages durant le travail avec assistance du superviseur).
Matériel et équipement	En salle : – rétroprojecteur et écran, chevalet, balance électronique. Sur le terrain : – balance électronique, documents de travail.
Mode d'évaluation	Observation du transfert des apprentissages : – observation des méthodes de travail ; – vérification des pesées et des bons de livraison.

Coureau fait remarquer que cette activité peut sembler une perte de temps pour certains, mais qu'elle est en parfaite concordance avec les conditions d'apprentissage propres à l'adulte. Elle permet, entre autres choses, de relier directement l'expérience et le savoir du groupe aux techniques présentées pendant la formation et de favoriser son ancrage dans le quotidien des participants et ainsi de lui donner du sens, c'est-à-dire une justification et une finalité. L'activité heuristique est également à relier au principe selon lequel il est plus facile pour une personne d'appliquer un savoir-faire ou d'adhérer à une idée lorsqu'elle a l'impression d'en être l'instigatrice que lorsqu'elle lui est imposée par un formateur ou une personne extérieure.

Il est essentiel de faire suivre l'activité heuristique par une activité démonstrative, sinon les apprenants ne verront pas l'utilité de la phase d'expression et auront l'impression que le formateur les fait participer sans but apparent. Aussi, en plus de clarifier l'objectif au début de l'activité, il est essentiel, à la fin de celle-ci, que l'apprenant puisse établir des liens entre les expériences verbalisées par le groupe et les compétences enseignées.

2.3.2. Activité démonstrative

L'activité démonstrative (ou expositive), comme son nom l'indique, consiste à démontrer, à exposer ou à faire visualiser les éléments de contenu désirés. Cette activité traditionnelle est la plus utilisée par les formateurs. Par un exposé magistral, le visionnement d'un vidéo, une démonstration pratique ou tout autre moyen démonstratif, le formateur présente les contenus formels de son activité de formation.

L'activité démonstrative vise à entamer le processus d'intégration des apprentissages en servant de point de départ pour accéder au stade de compétence consciente. Pour ce faire, elle doit permettre aux apprenants de comprendre la logique des contenus abordés et de visualiser comment ceux-ci répondent aux questions soulevées lors de l'activité heuristique.

2.3.3. Activité applicative

La progression andragogique serait incomplète sans une activité d'application, qui vise à permettre aux apprenants de mettre en pratique les connaissances ou les techniques abordées dans l'exposé ou la démonstration. L'activité applicative permet aux participants d'agir, de vivre des situations de réussite et d'échec, et de s'impliquer activement dans leur démarche d'apprentissage.

Dans la grande majorité des cas, une simple activité démonstrative ne suffit pas pour faire passer un apprenant au stade de la compétence consciente. L'activité applicative favorise ce passage en renforçant les nouvelles connaissances et habiletés acquises. Alors qu'il est déconseillé de faire suivre deux activités heuristiques ou deux activités démonstratives, il peut être pertinent de prévoir plusieurs activités applicatives l'une à la suite de l'autre. Dans ce cas, elles devraient se rapporter à la même compétence générale et se succéder selon un niveau de difficulté croissant. En débutant avec des exercices plus faciles, les apprenants acquièrent de la confiance en eux et sont mieux disposés à l'égard d'applications plus complexes.

Le tableau 4.7 présente un modèle de progression andragogique. Cette progression devrait être respectée pour chaque module lors de la rédaction des contenus de formation.

Tableau 4.7
Exemple d'une progression andragogique dans un module d'une formation sur la communication interpersonnelle

Activité heuristique	– Auto-évaluation sur les habiletés de communication. – Discussion en sous-groupes sur les bases d'une bonne communication et sur les principaux obstacles rencontrés.
Activité démonstrative	– Synthèse des discussions des sous-groupes. – Exposé interactif sur les fondements d'une communication efficace.
Activité applicative	– Jeu de rôles en dyade où les participants mettent en pratique dans une situation donnée les fondements d'une communication efficace.

Cette organisation permet le découpage temporel de la formation. En règle générale, si l'on exclut le dîner et les pauses, une journée de formation est normalement composée de quatre périodes de 90 minutes. L'organisation des modules à l'intérieur de cette période, le choix de leur contenu et la sélection des activités pertinentes devraient être complétés en tenant compte des facteurs suivants :

- le découpage établi par la structure logique de la formation ;

- le traitement choisi en fonction des objectifs d'apprentissage ;

- l'importance de chaque module et de chaque contenu dans l'atteinte des objectifs ;

- le respect de la progression andragogique et des styles d'apprentissage des apprenants ;

- le respect des rythmes biologiques des apprenants (voir le chapitre 5).

Habituellement, un module vise l'acquisition d'une compétence particulière. Ainsi, à l'extrême, il peut être considéré comme une session de formation en soi, indépendante des autres modules. Dans cette optique, un module doit avoir une structure et une logique, au même titre que le programme dans son ensemble. On considère généralement qu'un module est composé des cinq éléments suivants :

- des sous-objectifs plus spécifiques en lien avec les objectifs de la formation ;

- un contenu structuré composé de divers éléments ;

- des activités (heuristique, démonstrative et applicative) sélectionnées pour leur pertinence ;

- une durée établie en fonction du contenu à couvrir et des activités planifiées ;

- des modes d'évaluation des apprentissages adaptés.

Cette organisation peut se matérialiser dans une matrice, semblable à celle présentée au tableau 4.8, dans laquelle le concepteur ordonne les composantes de son programme de formation. Lorsque toutes ces composantes sont identifiées et choisies, il est possible de procéder à la rédaction du manuel de formation.

2.4. La rédaction du manuel de formation

Le manuel de formation sert de support à l'atteinte des objectifs de la formation. Dans le cas de formations très courtes et pratiques, il peut se limiter à un aide-mémoire qui résume et complète le contenu abordé par le formateur. Autrement, il est présenté sous la forme d'un manuel du participant et devrait contenir l'ensemble des informations nécessaires à l'apprenant pour suivre la formation.

Tableau 4.8
Matrice des modules de la formation

Composantes des modules	MODULE 1	MODULE 2	MODULE 3	MODULE 4
Objectifs spécifiques				
Contenu				
Activités				
Durée				
Évaluation				

Un manuel devrait être subdivisé en trois sections :

- une *introduction*, qui motive l'apprenant à s'engager dans un processus d'apprentissage et qui lui donne une idée globale de ce dont on va traiter ;

- le *développement des modules*, qui présente l'information, les concepts et les procédures à la base de l'apprentissage et qui est accompagné d'exemples, d'activités et de tests pratiques ;

- un *récapitulatif*, qui résume les principaux apprentissages et aide l'apprenant à les mémoriser et à les mettre en pratique.

La présentation globale d'un manuel de formation ainsi que chacune de ses trois sections devraient suivre certaines règles et contenir des éléments précis[10].

2.4.1. Présentation globale

2.4.1.1. Structure

La présentation globale devrait suivre la structure logique établie pour couvrir le contenu de la formation. En consultant le document, l'apprenant devrait pouvoir se retrouver aisément et faire le lien entre les sections et les objectifs de la formation. Pour ce faire, il est conseillé :

– de représenter la structure logique de la formation en utilisant, si possible, un diagramme ;

– de numéroter les modules et les sections ;

– de dresser une table des matières ;

– de présenter chaque module suivant une organisation standard et ordonnée (introduction, aperçu du contenu, sous-titre, développement, synthèse).

2.4.1.2. Format

Il va sans dire qu'un manuel ayant un aspect rebutant et monotone ne stimulera pas l'apprentissage. À l'opposé, un contenu attrayant et présenté dans une forme agréable et même ludique éveillera l'intérêt de l'apprenant et lui donnera le goût d'en prendre connaissance. En outre, le format utilisé devrait capter l'attention de l'apprenant, souligner les aspects importants et faciliter la lecture. Dans cette optique, le manuel devrait :

– avoir une présentation aérée avec des sections où l'apprenant peut prendre des notes ;

– privilégier une subdivision en mode plan (_bullet format_) avec peu de longs textes écrits ;

– être rédigé dans un style simple et concis et une orthographe impeccable ;

---

10. Cette section est librement inspirée de K.H. Silber et M.B. Stelnicki (1987). « Writing Training Materials » dans R.L. Craig, _Training and Development Handbook_, New York, McGraw-Hill, p. 263-285.

- utiliser des boîtes de texte, le gras, l'italique ou le souligné de façon appropriée et constante pour faire ressortir les points importants ;

- être présenté dans un classeur à anneaux plutôt que relié (pour pouvoir retirer et ajouter des feuilles à volonté).

2.4.1.3. *Mise en contexte*

Nous avons vu au chapitre 2 que l'adulte apprend en liant ce qui lui est présenté avec ce qu'il connaît et vit dans son travail. Alors que le support à ce processus d'ancrage constitue l'une des grandes responsabilités du formateur, la présentation du contenu du manuel de formation devrait également aider l'apprenant dans cette tâche. En le guidant dans le choix des liens à tracer et des points importants à retenir, le manuel peut grandement contribuer à l'intégration des apprentissages. Par exemple, pour la formation sur le fonctionnement de la balance électronique, il est pertinent de l'ancrer en indiquant qu'elle s'inscrit dans le système ISO et de souligner que la procédure à suivre ressemble à telle autre qui a été revue dernièrement. L'ancrage est important dans tous les modules du manuel. Aussi, que ce soit par des exemples, des analogies ou des images, la présentation de chaque section devrait contribuer à lier son contenu au vécu des apprenants.

2.4.2. **Introduction**

2.4.2.1. *Attention et motivation*

Évidemment, un apprentissage ne peut avoir lieu que si l'apprenant porte attention à la formation et est motivé par celle-ci. L'introduction d'un manuel devrait inclure une section qui retient l'attention de l'apprenant et lui donne le goût d'en savoir davantage. Que ce soit par une courte histoire, une analogie, un exemple ou un test pratique, il est important que l'apprenant puisse percevoir les bénéfices personnels qu'il peut en tirer. Dans cette optique, le manuel peut décrire comment le contenu de la formation :

- est directement lié au travail de l'apprenant ;

- est important pour l'organisation ;

- va rendre le travail de l'apprenant plus aisé, plus intéressant ou plus important ;

> – va contribuer à rendre l'apprenant plus qualifié, plus productif ou plus satisfait de son travail.

2.4.2.2. Crédibilité

Nous sommes disposés à apprendre si nous accordons de la crédibilité à ce que nous lisons, entendons ou observons. Dans cette optique, un manuel de formation doit donner l'impression qu'il est basé sur de l'information actuelle, valable et plausible. Il est ainsi conseillé d'inclure :

> – une courte présentation du formateur ;
>
> – des références à des recherches, à des études ou à des auteurs considérés importants dans le domaine relié à la formation ;
>
> – des résultats d'observations, d'analyses ou d'études faites au sein de l'organisation où œuvrent les apprenants.

2.4.2.3. Objectifs et structure

Comme nous l'avons déjà mentionné, il est important de communiquer clairement ce que les apprenants devraient être en mesure d'accomplir au terme de la formation. De cette façon, ils peuvent concentrer leur attention sur ce qui est important. Le manuel devrait indiquer en introduction les objectifs d'apprentissage et décrire la structure logique de la formation.

2.4.3. Développement des modules

2.4.3.1. Fractionnement du contenu

Silber et Stelnicki affirment que l'esprit humain peut percevoir un nombre limité d'information à la fois, équivalant à sept plus ou moins deux éléments. Si le contenu qui est présenté dépasse ce nombre, il est probable que l'apprenant aura plus de difficulté à l'intégrer. Les principes à suivre pour le fractionnement du contenu sont les suivants :

> – Séparez et titrez chaque section de contenu.

- Si une section contient beaucoup plus de sept éléments, subdivisez l'ensemble des éléments en sous-groupes et donnez un titre à chacun d'eux[11].

- Présentez d'abord le premier niveau (section avec titre des sous-groupes) et détaillez ensuite chaque sous-groupe.

2.4.3.2. *Illustrations et graphiques*

Il va de soi que l'apprentissage et la lecture sont facilités par la présence d'images, de graphiques et d'illustrations (« une image vaut mille mots »). Dès qu'une information apparaît difficile à expliquer avec un texte, il est recommandé d'essayer de la représenter de façon figurative. En plus d'alléger la présentation, les illustrations sont beaucoup plus faciles à mémoriser, car elles font appel autant au visuel qu'à l'auditif (voir la programmation neurolinguistique au chapitre 5). Pour représenter des concepts complexes ou de longues procédures, il est particulièrement justifié de recourir à une illustration qui représente à la fois les composantes et les interrelations.

2.4.3.3. *Exemples*

Les exemples servent à illustrer le contenu en le reliant à la réalité des apprenants (ancrage). Ils sont également pratiques pour exposer comment ce qui est abordé peut se manifester dans différentes situations. Un exemple peut également être formulé par contraste : une situation ou une image de ce que l'information donnée n'est pas. Idéalement, chaque section devrait inclure au moins deux exemples reliés le plus possible au vécu des apprenants.

2.4.3.4. *Tests et exercices pratiques*

Pour appliquer les contenus, l'apprenant doit pouvoir les mettre en pratique et évaluer s'il le fait correctement. Pour favoriser cette application, le manuel peut inclure des tests écrits, des énoncés vrais ou faux, des jeux d'association, des études de cas ou tout

---

11. Par exemple, dans le présent chapitre, la section « planification de la formation » contient quatre sous-groupes (synopsis, acteurs, scène ainsi que souffleur et metteur en scène) qui incluent en tout huit éléments. Dans cette section, quatre sous-groupes (présentation globale, introduction, développement des modules, récapitulatif) réunissent 12 éléments.

autre exercice pratique. Les instructions pour les activités pratiques et les jeux de rôle peuvent également être inclus dans le manuel. En règle générale, les exercices pratiques doivent respecter les principes suivants :

- *Pertinence* – lien direct avec les compétences à développer ;

- *Abondance* – présence dans la plupart des modules de la formation ;

- *Rétroaction* – évaluation de l'exercice permettant une auto-évaluation formative de l'apprenant (pourquoi une réponse donnée est incorrecte ou appropriée).

2.4.4. Récapitulatif

2.4.4.1. Résumé

Un très grand nombre d'informations doivent être assimilées au cours d'une session de formation. À défaut de tout retenir, il est important que l'apprenant puisse bien identifier les aspects clés à mémoriser. Un ultime exemple ou une image peut servir de point d'ancrage en illustrant l'ensemble des éléments vus ainsi que leurs interrelations. Le résumé doit se limiter aux aspects les plus importants de la formation et permettre de les relier avec les objectifs d'apprentissage formulés en introduction.

2.4.4.2. Aide-mémoire

L'aide-mémoire s'avère être un outil très pertinent pour aider les apprenants à retenir l'information importante pour qu'ils puissent l'utiliser dans leur travail. Les différentes listes de vérification et les tableaux récapitulatifs présentés tout au long de cet ouvrage sont autant d'exemples pertinents. L'aide-mémoire doit condenser l'information importante dans un format facile à lire et utilisable au travail.

Voilà qui complète le contenu de ce chapitre. En résumé, la phase de planification et de conception de la formation devrait permettre de construire un programme de formation structuré et complet. Pour maximiser son efficacité, les points suivants doivent être respectés.

2.4.4.3. *Structure pour favoriser le transfert des apprentissages*

Le programme de formation est planifié de façon à impliquer les apprenants avant même le début de la session et à assurer un suivi avec ceux-ci par la suite :

- *préformation* – information de l'apprenant sur les enjeux et les objectifs de la formation et, dans certains cas, assignation d'un exercice de préparation à la session ;

- *postformation* – élaboration d'un plan d'action ou assignation d'exercices de mise en pratique (idéalement avec soutien au transfert des apprentissages).

2.4.4.4. *Processus andragogique pour favoriser l'apprentissage*

Chaque module de formation suit une progression en trois phases :

- découverte / prise de conscience,

- exposé / démonstration,

- mise en application / exercice pratique.

2.4.4.5. *Approche pour susciter la participation et l'implication*

La formation se veut concrète et dynamique pour inciter l'apprenant à s'engager dans un processus d'apprentissage.

- *Variété des moyens.* La formation utilise différentes techniques d'enseignement et d'activités pratiques pour tenir compte des différents styles d'apprentissage des apprenants et ainsi favoriser l'intégration des compétences désirées.

- *Transfert des apprentissages.* La formation cherche, sur une base continue, à relier les concepts abordés au contexte de travail des apprenants et à trouver des moyens pour favoriser la mise en pratique ultérieure des compétences enseignées.

CHAPITRE 5

La diffusion de la formation

Un bon croquis vaut mieux qu'un long discours.
Napoléon BONAPARTE

Dis-moi et j'oublierai ;
Montre-moi et je me rappellerai peut-être ;
Implique-moi et je comprendrai [1].
Proverbe chinois

Il n'y a aucun lien direct entre la qualité de la préparation manuscrite d'une activité de formation et la qualité de sa présentation. Aussi, une fois que le contenu de formation a été développé, le responsable de la formation doit veiller à sa diffusion efficace. Lorsque l'ampleur du programme de formation le requiert, la responsabilité de la diffusion peut être donnée à plusieurs personnes. Comme nous l'avons vu au chapitre précédent, il n'est pas donné à tous d'être bon formateur. Le choix et la coordination des ressources sont donc importants.

La diffusion de la formation peut prendre diverses formes : entraînement à la tâche, formation multimédia sur support informatique, formation en salle de cours, compagnonnage, etc. La forme privilégiée dépend des objectifs recherchés et du contexte

---

1. Traduction libre de :
   Tell me and I'll forget ;
   Show me and I may remember ;
   Involve me and I'll understand.

de l'organisation. Le présent chapitre est centré sur la formation en petit groupe animée par un formateur. Ce type de formation s'avère être encore celui qui est le plus répandu considérant son efficacité et son coût souvent moindre que les méthodes individuelles.

Ce chapitre se concentre plus précisément sur le travail du formateur[2] durant la troisième phase du cycle de gestion de la formation. Plus spécifiquement, il aborde la préparation du formateur, l'enchaînement de l'activité de formation (ouverture, déroulement et fermeture) et les principes de l'animation de groupe (communication, climat d'apprentissage et phénomènes propres au fonctionnement d'un groupe). Par ailleurs, à la fin de ce chapitre, une auto-évaluation permet de mesurer les principales habiletés de formateur.

1. La préparation du formateur

C'est une vérité de La Palice que d'affirmer que le succès d'une formation, comme pour une présentation ou une conférence, repose en grande partie sur une préparation soignée. Un formateur doit avoir une vision claire de sa destination et une bonne idée du chemin qu'il compte emprunter. Cette préparation implique donc, d'une part, que le formateur connaît les attentes du client et les caractéristiques des participants et, d'autre part, qu'il maîtrise son contenu.

Lorsqu'on offre de la formation sur mesure, la connaissance des besoins de la clientèle visée est sans contredit essentielle. Ainsi, le formateur doit obtenir du responsable de la formation un portrait précis du groupe auquel il aura affaire. Le formateur devrait notamment connaître les éléments suivants de la planification, vue au chapitre précédent :

- _Les besoins et les attentes de l'organisation cliente._ Quel est son objectif ? Quel est le rôle du formateur ? Quelles actions sont prises parallèlement à la formation pour atteindre les des objectifs ? Quel est le soutien que va offrir l'organisation pour favoriser le transfert des apprentissages ?

---

2. Comme il ne s'agit pas nécessairement du responsable de la formation, nous allons ici privilégier le terme « formateur ».

- *Le niveau de compétences des participants.* Quel est leur poste respectif ? Quel est leur niveau de compétence au regard du thème de la formation ? Quelles autres formations ont-ils déjà suivies ?

- *Les autres caractéristiques du groupe.* Quel est le degré d'homogénéité du groupe ? Quel est le climat au sein du groupe ? À quoi le formateur doit-il s'attendre avec ce groupe ?

En ce qui a trait au contenu, le formateur doit revoir le plan de formation, l'ensemble du contenu ainsi que les différentes activités qu'il doit couvrir ; c'est un peu comme repasser son itinéraire sur une carte routière avant de partir pour rendre visite à un ami habitant une ville inconnue. Il est clair toutefois que le temps consacré à la préparation d'une formation est inversement proportionnel à l'expérience qu'en a le formateur. Après plusieurs visites chez l'ami en question, on a de moins en moins besoin de se remémorer le parcours à suivre.

1.1. La logistique

Chaque formation implique nécessairement une certaine logistique. Le formateur doit veiller à obtenir le matériel requis pour la formation qu'il anime. Ce matériel inclut habituellement la documentation de formation (manuel des participants, documentation complémentaire, acétates, etc.), les installations de la salle de formation (disposition de la salle, tableau, chevalet, crayons, etc.) et les équipements de soutien à la formation (rétroprojecteur, magnétoscope, téléviseur, ordinateurs, etc.). Dans la majorité des cas, c'est avec le responsable de la formation ou le demandeur de l'organisation cliente que le formateur examinera le matériel et l'organisation logistique dont il aura besoin.

Au jour J, peu importe les précautions prises, il est essentiel que le formateur se présente à l'avance afin de se familiariser avec les lieux et de préparer la salle en fonction du type de formation et de ses intentions. Il doit notamment s'assurer que tous les équipements demandés sont bien en place et qu'ils fonctionnent bien. De plus, il doit vérifier qu'il y a suffisamment de places disponibles pour le nombre de participants confirmés, afin que ces derniers se sentent les bienvenus. À cet effet, la préparation d'affichettes avec le nom de chaque participant et du formateur est utile pour personnaliser davantage la formation.

En ce qui concerne l'arrangement de la salle, la disposition des tables en « U » est privilégiée, pour la formation aux adultes, de manière à faciliter les échanges entre les participants et créer un climat propice à la participation (voir figure 5.1). La taille du groupe peut néanmoins imposer une disposition plus traditionnelle de type « classe » ou « conférence ».

Figure 5.1
Disposition en « U » de la salle de formation

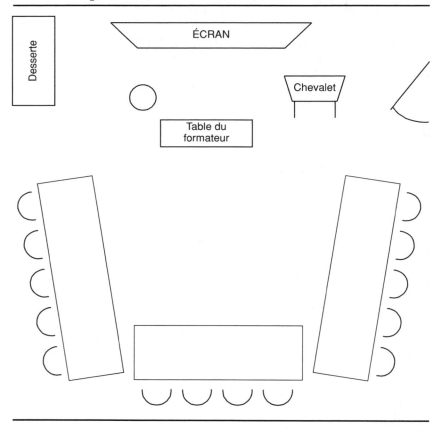

Avec une bonne préparation et bonne et gestion de la logistique, le formateur pourra être plus confiant et mieux contrôler le trac qu'il pourrait avoir. Cela lui permet également de se consacrer entièrement à l'accueil des participants, ce qui est très favorable à l'instauration d'un climat détendu et ouvert. Le tableau 5.1 liste les principaux éléments dont on doit tenir compte pour la préparation du formateur.

Tableau 5.1
Liste de vérification pour la préparation du formateur

Avant la formation

☐ Révisez le plan de formation et le contenu à enseigner.

☐ Obtenez une confirmation du nombre de participants.

☐ Préparez un horaire en minutant approximativement chaque module et activité.

☐ Révisez les différentes activités et assurez-vous d'avoir tout le matériel requis.

☐ Assurez-vous de faire reproduire en quantité suffisante les manuels du participant et la documentation à distribuer.

☐ Révisez les caractéristiques du groupe (besoins et attentes de l'organisation cliente, niveau de connaissances des participants et expérience antérieure en formation) et pensez à des exemples à apporter pour relier la formation à la réalité des participants.

☐ Le cas échéant, faites parvenir aux participants une convocation et/ou les activités préformation.

☐ Le cas échéant, révisez les évaluations des sessions précédentes.

La salle de formation

☐ Vérifiez la présence et le fonctionnement de tout le matériel nécessaire (manuel des participants, acétates, chevalet, crayons feutres, ruban adhésif, rétroprojecteur ou canon multimédia, ordinateur, écran de projection, vidéo et télévision, etc.).

☐ Disposez les tables et les chaises pour favoriser la discussion et la participation (privilégiez une disposition en « U »).

☐ Familiarisez-vous avec les lieux (salles de toilette, sorties d'urgence, téléphone, café, secrétariat).

☐ Vérifiez, le cas échéant, l'endroit et la disposition des salles de travaux en sous-groupes.

☐ Pensez à mettre à la disposition des participants de l'eau, du café et/ou une collation.

☐ Disposez sur les tables des affichettes avec le nom de chaque participant.

2. L'enchaînement de l'activité de formation

La diffusion proprement dite de l'activité de formation peut être subdivisée en trois phases distinctes : l'ouverture, le déroulement et la clôture de la formation. Le formateur doit s'assurer que l'enchaînement entre ces différentes phases est logique et cohérent.

2.1. L'ouverture de la formation

La dynamique interactive entre le formateur et l'adulte apprenant doit s'instaurer au moment où débute la diffusion de l'activité de formation. Cette dynamique s'articule autour d'une démarche structurée qui répond à des règles précises. Le formateur sera donc d'autant plus efficace qu'il maîtrisera et appliquera ces règles dans le contexte de diffusion.

Les premiers instants de la diffusion d'une activité de formation sont déterminants pour le formateur à qui incombe la responsabilité d'exposer le déroulement prévu de l'activité et d'établir un lien avec le groupe de participants. Dans un premier temps, il importe d'énoncer les objectifs de formation afin que les participants puissent connaître les raisons de leur présence à l'activité de formation, les buts poursuivis, la durée de leur présence et ce qu'ils vont y faire.

Le formateur décrit les apprentissages que les adultes apprenants devraient avoir acquis au terme de l'activité. Par la suite, il questionne les participants sur leurs attentes et leurs préoccupations à l'égard de la formation (le tableau 5.2 présente quelques questions pouvant être posées aux participants). Cette démarche donne l'occasion au formateur :

- de connaître les attentes de chacun à l'égard de l'activité de formation ;

- d'identifier les résistances et les préoccupations des participants ou regard de la formation et du processus d'apprentissage ;

- d'adapter, le cas échéant, les objectifs et les attentes du groupe de manière à s'assurer l'adhésion et l'implication de tous les participants pour la durée de la formation.

L'essentiel, au moment de l'ouverture de la session de formation, consiste à lever toute ambiguïté au sujet des objectifs de la formation, de son déroulement et de son horaire. Ensuite, il s'agit de permettre au formateur de déceler rapidement les résistances de façon à les traiter adéquatement. Pour ce faire, il est important de montrer de l'enthousiasme et de créer un lien avec les membres du groupe dès les premiers instants de la session de la formation. Le tableau 5.3 résume les principales actions que le formateur devrait réaliser lors de l'ouverture d'une formation.

Tableau 5.2
Questions ouvertes pouvant être posées
au début de la formation

– Qu'est-ce que vous aimeriez retirer concrètement de cette formation ?

– Qu'est-ce que votre supérieur immédiat aimerait que vous retiriez
de cette formation ?

– Quelle est votre principale motivation à être ici aujourd'hui ?

– Avez-vous déjà suivi une formation sur un thème semblable à celui abordé
aujourd'hui ?

– De quelle façon apprenez-vous le plus aisément ?

– Comment définiriez-vous la « mobilisation » (ou tout autre mot se rapportant
au thème principal de la formation) ?

Tableau 5.3
Liste de vérification du formateur pour l'ouverture
de la formation

☐ Accueillez les participants dès leur arrivée.

☐ Mettez les participants à l'aise et en confiance avant le début formel
de la formation.

☐ Présentez de façon brève votre expérience et vos réalisations.

☐ Présentez de façon enthousiaste les objectifs et le déroulement
de la formation.

☐ Donnez la parole aux participants afin qu'ils se présentent et verbalisent
leurs attentes et leurs préoccupations (une activité « brise-glace » est utile à
cette fin[3]).

☐ Contrôlez le temps des interventions (les participants doivent pouvoir
s'exprimer adéquatement sans pour autant que la première heure soit trop
handicapée).

☐ Faites une synthèse de ce qui a été exprimé par les participants et tracez
des parallèles avec le contenu de la formation qui sera couvert.

☐ Le cas échéant, convenez des ajustements à apporter au déroulement et
obtenez l'adhésion du groupe.

☐ Présentez aux participants, si nécessaire, les diverses informations logistiques
(procédures d'urgence, localisation des salles de toilette, etc.).

☐ Poursuivez le déroulement de la formation.

---

3. Plusieurs ouvrages y sont exclusivement consacrés, notamment ceux de Forbess-
Greene (1983) et Jones (1989).

2.2. Le déroulement de la formation

Plusieurs aspects doivent être considérés lors du déroulement de la formation. Nous aborderons plus loin dans ce chapitre les notions liées à l'animation d'un groupe de formation et nous allons traiter ici de l'attitude du formateur face au processus d'apprentissage ainsi que de la gestion du temps de formation.

2.2.1. Le formateur et l'apprentissage

Le formateur développe et entretient une relation avec les apprenants tout au long de la formation. Il ne doit pas s'imposer dans cette relation en cherchant à dominer la démarche d'apprentissage. En effet, il ne faut pas perdre de vue que celui qui détient le réel pouvoir sur la formation est l'apprenant lui-même. C'est donc dans l'échange, le dialogue et non pas dans un monologue que s'inscrit la fonction du formateur.

L'état d'apprenant au cours d'une action de formation est un état transitoire entre une situation antérieure et une nouvelle situation, représentant le but visé par les objectifs préalablement définis. Dans une démarche progressive, le formateur doit amener les apprenants à être capables de saisir toute forme d'occasion leur permettant, à la suite de son intervention, d'appréhender de nouvelles occasions d'apprentissage. Ultimement, le formateur cherche à aider les apprenants à « apprendre à apprendre ». Cette intention est bien illustrée dans ce commentaire de Jacob Neusner (cité dans Pouliot, 1997, p. 1) :

> Des connaissances que nous acquérons aujourd'hui, un grand nombre seront caduques d'ici cinq ans. À l'inverse, plusieurs des réalités dont nous n'avons encore jamais entendu parler seront importantes dans cinq ou dix ans. Si donc je vous enseigne des notions qui passent pour pertinentes aujourd'hui, je propage des idées déjà dépassées. En revanche, si je vous apprends à travailler, à aborder les questions comme il convient, à oser penser par vous-même, à frotter vos idées à celles d'autrui, à examiner un problème sous tous ses aspects, quelle que soit la manière dont je me serve pour vous inculquer ces qualités fondamentales de l'esprit et de l'intelligence, je vous fais acquérir un savoir qui vous servira longtemps, car ces qualités ne perdront jamais leur valeur.

Pour l'apprenant, prendre en main son propre apprentissage suppose une démarche personnalisée à travers laquelle il suit sa progression en fonction des objectifs qu'il atteint. Par conséquent, l'apprenant est capable d'identifier ses points faibles, ce sur quoi il doit concentrer ses efforts en collaboration et avec l'aide du formateur.

Cette démarche tient compte de la définition des objectifs d'apprentissage et de l'organisation de l'activité de formation. Nous verrons plus loin dans ce chapitre que le climat et le contexte de l'apprentissage se révèlent fort importants pour le déroulement des différents modules ou sessions qui composent la formation. Il s'agit donc ici d'intégrer la dynamique de la formation à un niveau plus large, celui de l'apprentissage. Il est alors pertinent, et surtout profitable, de situer l'action du formateur dans un schéma qui comprend les étapes de genèse et de construction de la formation, la planification, la conception et la diffusion de celle-ci mais aussi le suivi postformation et la réalisation des transferts. Le formateur doit chercher à adopter une vision large et englobante. Il conservera cette perspective au cours de la formation en ayant constamment à l'esprit :

– les objectifs et les buts poursuivis ;

– le contexte d'action et la nature du public ;

– la place en tant que « guide » qu'il désire occuper dans cette construction de nouvelles compétences.

Enfin, lors du déroulement de la formation, le formateur doit demeurer attentif aux objectifs explicites à atteindre qui renvoient au contenu de la formation et aux processus du groupe. Toutefois, il ne doit jamais négliger de prendre en considération la progression particulière du groupe avec lequel il travaille ; ce qui garantit la réussite d'une activité de formation, c'est la composition et la gestion des processus du groupe, c'est-à-dire le degré de participation des membres du groupe, les interactions, les affinités, les conflits, etc. Le formateur doit aussi démontrer une capacité à cerner rapidement la dynamique du groupe afin de transmettre son contenu en s'assurant de l'intégration des apprentissages par les participants. Cette capacité exige une grande flexibilité et une habileté à utiliser les techniques d'enseignement appropriées au contexte de formation (les principales techniques sont présentées au chapitre 7). Il est donc important pour le formateur de choisir ses principaux outils de travail tout en demeurant ouvert à la possibilité de procéder à des changements en cours de formation.

2.2.2. La gestion du temps de formation

L'organisation et le temps de formation sont généralement planifiés et détaillés dans le guide du formateur. Chaque module et chaque activité ont une durée estimée qui, une fois additionnée, remplit le temps alloué. Cependant, les formateurs d'expérience savent qu'il peut parfois être difficile de respecter cet horaire. Parry (1999) relève quatre facteurs qui influencent la capacité du formateur à gérer le temps de formation : la vitesse d'apprentissage et l'intérêt du groupe, son degré d'homogénéité, la richesse de l'expérience du formateur ainsi que la tendance à ajouter de la matière à enseigner sans en éliminer.

La gestion du temps de formation, comme dans le quotidien, doit être réalisée en fonction d'objectifs et de priorités. La décision de tenir ou d'éliminer une activité en cours de formation doit être basée uniquement sur sa contribution ou non à l'atteinte des objectifs d'apprentissage. Que cette activité soit dynamique, que ce soit la préférée du formateur ou qu'elle ait toujours un grand succès auprès des apprenants sont des considérations qui doivent demeurer secondaires. Le tableau 5.4 donne quelques conseils pour bien gérer le temps de formation.

Par ailleurs, la gestion du temps de formation doit également prendre en considération le rythme biologique des personnes en apprentissage. Coureau (1993) affirme que de nombreuses études ont permis de suivre le degré de productivité et d'attention des individus à différents moments de la journée. Le formateur devrait donc tenir compte des phénomènes suivants.

– La matinée est plus favorable au travail intellectuel. Il est donc judicieux de concentrer les méthodes expositive et démonstrative durant l'avant-midi et les méthodes actives en après-midi.

– La période de digestion après l'heure du repas est propice à la fatigue et à la passivité. La rétention d'un contenu présenté sous forme d'exposé ou de démonstration théorique en sera grandement affectée. Le formateur doit donc idéalement prévoir une activité pratique et active, même si cela implique de revoir la séquence de sa présentation.

Tableau 5.4
Quelques conseils pour la gestion du temps de formation

Avant la formation

– Préparez l'horaire de votre formation en minutant approximativement chacun des modules et des activités (si le guide de formation ne le détaille pas).

– Gardez à l'esprit que les personnes qui conçoivent des sessions de formation ont généralement tendance à prévoir beaucoup trop de contenu dans le temps alloué (l'inverse est plutôt rare).

– Pensez à une ou deux activités pratiques que vous pourriez proposer au cas où le groupe couvrirait trop rapidement le contenu à enseigner.

– Pour chaque activité, clarifiez les instructions que vous aurez à donner aux participants. Ces instructions doivent inclure des temps limites à respecter.

Pendant la formation (si vous manquez de temps)

– Respectez l'horaire du début, de la fin, des pauses et des repas. Votre propre ponctualité déterminera généralement le comportement du groupe.

– Si une activité prend plus de temps que prévu, tâchez de trouver dans votre horaire un module ou une activité qui pourrait être écourté.

– Écourtez les exposés théoriques et les discussions entre les participants.

– Évitez les longues parenthèses qui entraînent les discussions hors du thème de la formation. Si nécessaire, prenez notes des sujets importants qui ne peuvent être traités durant la formation et, le cas échéant, engagez-vous à y donner suite ultérieurement.

– Faites travailler les participants en sous-groupe pour raccourcir le temps d'une activité (par exemple, chaque sous-groupe répond à deux des dix questions d'une activité et rapportera ses réponses en plénière).

– Faites-vous aider par des membres du groupe pour certaines tâches (distribution ou collecte de documents, écriture sur le chevalet, ouverture ou fermeture des lumières, etc.).

– Demandez à un participant d'agir comme «gardien du temps». Demandez-lui de vous faire un signe cinq minutes avant les moments importants (pause, dîner, fin d'un module, etc.).

– Si vous devez prendre plus de temps que prévu, obtenez l'accord du groupe et faites-en une exception plutôt que la règle.

Pendant la formation (si vous avez trop de temps)

– Ne vous inquiétez pas si les participants prennent moins de temps pour réaliser une activité. Ce temps gagné pourra probablement être réutilisé ailleurs au besoin.

– Entamez une discussion sur un des thèmes abordés. Par exemple, demandez aux participants de discuter des avantages et des inconvénients à mettre en application une procédure que vous venez de leur présenter.

– Utilisez une des activités que vous avez réservées à cette fin.

– Essayez de trouver avec les participants des moyens pour favoriser le transfert des apprentissages.

– Ultimement, dites-vous qu'aucun formateur n'a été évalué négativement pour avoir terminé une formation plus tôt que prévu.

– Les périodes d'hypoglycémie (avant les heures de repas) peuvent rendre un individu irritable et fatigué. Il faut alors éviter de le mettre en situation d'incompétence consciente (activité heuristique) et plutôt privilégier des activités d'application, de mise en pratique et des discussions.

– Un adulte peut accomplir une même tâche à un niveau optimal de productivité pendant une période approximative de 45 minutes. Au-delà, sa motivation, sa concentration et son efficacité décroissent progressivement. Cette période est réduite de moitié lorsque la participation de l'adulte est très limitée. Aussi, le formateur doit veiller à ce que les activités expositives et démonstratives ne dépassent pas 30 minutes alors que les activités actives ne devraient pas durer plus d'une heure sur un thème donné.

2.3. La clôture de la formation

La dernière étape de la diffusion concerne la phase de clôture. Cette phase permet de résumer les éléments essentiels abordés au cours de la formation. Le formateur peut ainsi rappeler aux participants l'utilité de leurs apprentissages et les inciter à mettre en pratique ces nouvelles habiletés dès qu'ils en auront l'occasion.

La clôture d'une formation comporte également une certaine forme d'évaluation, visant soit la satisfaction des participants ou les apprentissages (l'évaluation de la formation est l'objet du chapitre suivant). Le formateur doit donc réserver suffisamment de temps pour réaliser adéquatement ces activités. Même si une évaluation formelle n'est pas prévue, il est bon que le formateur recueille la réaction verbale des participants, à savoir s'ils ont apprécié la formation et s'ils auraient des suggestions à faire pour l'améliorer. Il peut en outre passer en revue les attentes initiales formulées par les participants et s'assurer que l'ensemble des aspects ont été couverts.

Par ailleurs, il est important de terminer la session de formation sur une note positive afin que les participants en gardent un bon souvenir et soient impatients d'utiliser leurs apprentissages dans le cadre de leur réalité professionnelle. Il est donc pertinent de questionner les apprenants sur ce qu'ils ont retenu de la formation et de s'informer de ce qu'ils comptent en faire. Le tableau 5.5 présente des questions pouvant être posées au terme de la formation.

Enfin, le formateur remercie les participants de leur présence et de leur participation. Pour ajouter du dynamisme, il peut être intéressant de terminer par une courte analogie, une image ou une citation. Au départ des participants, le formateur s'assure de demeurer disponible quelque temps pour répondre à toutes questions ou recueillir les remarques que certains pourraient faire.

Tableau 5.5
Questions ouvertes pouvant être posées au terme de la formation

– En deux mots, indiquez ce que vous retenez de la matière que nous avons vue ensemble.

– Pouvez-vous relever un concept clé à retenir pour chacun des modules que nous avons couverts ?

– Si je vous demandais de faire une présentation de 10 minutes devant le prochain groupe, quel sujet choisiriez-vous d'aborder et comment le présenteriez-vous ?

– Allez-vous parler de votre apprentissage avec votre supérieur, vos subordonnés ou vos collègues de travail ? Si oui, que leur direz-vous ?

– Si votre supérieur immédiat vous demandait de faire un rapport verbal de ce que vous avez appris, que lui diriez-vous ?

3. L'animation d'un groupe de formation

La diffusion de l'activité de formation exige, de la part du formateur, des habiletés relatives à l'animation d'un groupe. En effet, il est essentiel que le formateur maîtrise les principes de gestion des dynamiques de groupe ainsi que les techniques d'animation. Il peut se trouver aux prises avec des situations conflictuelles au sein d'un groupe de participants, faire face à un climat tendu, observer des insatisfactions ou encore déceler des peurs plus ou moins clairement exprimées.

L'animation de groupe exige plus spécifiquement une connaissance des principes de communication, des différents rôles du formateur, du climat d'apprentissage, des fonctions éducatives du formateur et des phénomènes de groupe. L'animateur doit porter une attention particulière à tous ces aspects dont nous traiterons ci-dessous.

3.1. Quelques principes de communication

Diffuser un contenu de formation, c'est avant tout une question de communication. Par conséquent, le formateur doit avoir une bonne connaissance des phénomènes de communication qui peuvent se produire entre les personnes, ainsi que de son propre style de communication[4]. C'est en maîtrisant bien les principes de base d'une communication efficace que le formateur peut produire l'effet souhaité et atteindre les objectifs fixés.

Brièvement, il s'agit pour le formateur de faire preuve d'empathie, de favoriser l'interaction au sein du groupe, d'atténuer les réactions défensives ou de vaincre les résistances observées chez certains participants, d'établir des normes pour mieux encadrer les démonstrations affectives et cognitives du groupe et, finalement, de bien gérer sa présentation orale par l'utilisation d'une syntaxe, d'un débit et d'un ton appropriés. Toutes ces considérations se rapportent à la maîtrise du « comment communiquer » plutôt que du « quoi communiquer ».

Selon le modèle traditionnel, la communication est un processus linéaire de transmission d'une information, le message, d'un émetteur à un récepteur par le biais d'un canal. La figure 5.2 reproduit le schéma utilisé pour présenter ce modèle.

Figure 5.2
Schéma traditionnel et linéaire de la communication

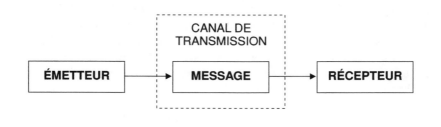

---

4. Nous aborderons dans cet ouvrage la programmation neurolinguistique comme facteur influençant le style de communication. Cormier (1995) propose, pour sa part, un outil diagnostic fort intéressant et utile pour découvrir son style de communication dominant (analytique, directif, aimable ou expressif).

Selon ce schéma, la communication semble être un processus relativement simple. Pourquoi alors existe-t-il si souvent une différence entre ce que l'on désire communiquer et ce que l'on exprime, ou encore entre le message que l'on veut passer et celui qui est effectivement compris ? Cette question nous amène à constater que le modèle traditionnel ne tient pas compte de plusieurs facteurs importants qui influent sur l'efficacité de la communication. Nous allons en expliciter quelques-uns.

3.1.1. Les multiples dimensions du message

Toute communication comporte deux dimensions interreliées : un contenu explicite (le message lui-même) et une dimension plus ou moins implicite (la relation entre les deux personnes). Cormier relève, à cet égard, que « d'une part, le contenu explicite du message transmet des informations sur des faits, des opinions, des pensées, des sentiments ; d'autre part, ce message donne en même temps des indices sur l'état affectif, les motivations, les intentions et les visées de la personne qui émet le message et sur la relation entre les deux partenaires » (Cormier, 1995, p. 44).

À titre d'exemple, la forme du message peut véhiculer un message en soi et receler une information pouvant ne pas concorder avec le contenu explicite du message principal. Le père de famille qui monte le ton en s'adressant à ses enfants : « Avez-vous fini de crier ! » exprime d'une part son désir de les voir baisser le ton et, d'autre part, la légitimité d'utiliser le cri dans certaines occasions. Il affirme du même coup son statut d'autorité dans la relation.

Chaque mot peut avoir une multitude de significations. Les mots ne sont pas neutres et, de ce fait, deux personnes peuvent attribuer un sens différent au même mot entendu dans le même contexte. Ainsi l'expression « société distincte » au Québec peut être comprise de façon très différente selon la personne qui l'entend. Dans un cas relié au monde du travail, le commentaire d'un superviseur relativement à l'importance d'être autonome peut être interprété de plusieurs façons par ses subordonnés : les uns pourront comprendre qu'ils n'ont plus à demander constamment une confirmation avant de faire leur travail (perception positive) tandis que d'autres y verront l'annonce d'un surplus de travail et un refus de la part du superviseur d'assumer ses propres responsabilités (perception négative).

L'affirmation « le médium est le message », du sociologue de renom H.M. McLuhan, signale que le moyen de communication n'est pas neutre non plus ; on attribuera un sens différent à une information selon le canal de transmission utilisé. Par exemple, une information sur l'adoption d'une nouvelle politique dans une compagnie sera perçue différemment si l'on en prend connaissance dans un mémo officiel signé par le président ou si elle est transmise lors d'une discussion de couloir entre des employés.

Le contexte structure également la communication. Une action dans un endroit particulier peut être perçue comme tout à fait normale, alors que dans un autre elle paraîtra complètement déplacée. Par exemple, une question posée par un formateur à un petit groupe sera bien accueillie, alors que la même question causera un malaise général dans une salle de conférence où il y a 500 personnes.

Finalement, le non-verbal « parle » autant, sinon plus, que les mots qui sont utilisés. Ce non-verbal est composé de l'ensemble des indices corporels qui peuvent révéler les pensées, les sentiments et les opinions d'un interlocuteur ; plus précisément, il renvoie à ce que le récepteur observe (les gestes, la position corporelle, les yeux, la respiration, etc.), entend (le ton, le timbre de voix, l'inflexion, les pauses de la voix, etc.) et ressent (l'émotivité, les intentions, la confiance, etc.). L'absence de cohérence entre le message verbal et les messages non verbaux brouille la communication et rend la compréhension du message beaucoup plus difficile. En fait, le non-verbal exprime principalement la dimension relationnelle de la communication et, étant donné ses multiples dimensions, il est beaucoup plus complexe de le décoder correctement.

3.1.2. L'activité du récepteur

Le destinataire d'un message n'est pas un sujet passif qui reçoit et enregistre l'information comme le laisse croire le schéma traditionnel de la communication. Au contraire, le récepteur analyse, filtre, décode et interprète toutes les informations que l'émetteur lui transmet. Comme nous l'avons vu dans le chapitre 2 (les principes andragogiques), l'apprenant adulte décodera et comprendra le message en établissant des liens entre l'information qu'il reçoit et son expérience personnelle.

Les filtres, pour leur part, peuvent être de nature variée (cadre conceptuel, point de référence, fatigue, préjugés, dissonance cognitive, etc.), mais chacun a immanquablement pour conséquence d'éliminer certains éléments du message ; ce phénomène réduit du même coup la pertinence et la cohérence du contenu de la communication.

Par ailleurs, dans un contexte de formation, le récepteur est également émetteur. Il réagit et participe activement à la communication et ses questions, ses commentaires et ses réactions vont avoir une influence sur l'émetteur. Cette rétroaction vient alors modifier le contenu du message ainsi que la relation entre l'émetteur et le récepteur.

3.1.3. Les enjeux de l'émetteur

Communiquer, c'est, entre autres choses, montrer une image de soi aux autres. Que ce soit pour présenter un certain aspect de sa personnalité ou pour défendre une identité particulière, l'émetteur utilise des stratégies de position dans tout type de conversation. Un tel jeu de positions s'observe, par exemple, facilement lors d'une discussion entre un superviseur et un représentant syndical ; chacun a un statut à préserver et un rôle à jouer et cela colore fortement leur communication.

Communiquer, c'est également chercher à convaincre et à influencer les autres. L'information est souvent présentée de manière à favoriser une interprétation plutôt qu'une autre. Un publiciste du domaine pharmaceutique vantera le médicament X en affirmant que 75 % des médecins consultés l'ont préféré au médicament Y. Son message aurait moins d'effet s'il disait que seulement quatre médecins ont été consultés et que leur « préférence » pour le médicament X était équivoque.

Enfin, communiquer, c'est aussi une façon de créer ou d'entretenir une relation. Par conséquent, tout acte de communication obéit à des rituels collectivement acceptés. Ces rituels (introduction, tour de parole, remerciements, etc.) ne sont pas nécessairement les mêmes pour tous et peuvent, à l'occasion, être interprétés différemment d'une personne à l'autre et être la source de malentendus.

Avec cette liste, non exhaustive, on se rend vite compte de la complexité de la communication. La figure 5.3 illustre partiellement comment ces quelques facteurs peuvent influencer le processus de communication.

Figure 5.3
Schéma illustrant la complexité de la communication

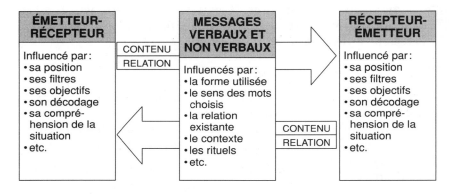

CONTEXTE

ÉMETTEUR-RÉCEPTEUR		MESSAGES VERBAUX ET NON VERBAUX		RÉCEPTEUR-ÉMETTEUR

Influencé par:
• sa position
• ses filtres
• ses objectifs
• son décodage
• sa compréhension de la situation
• etc.

CONTENU
RELATION

Influencés par:
• la forme utilisée
• le sens des mots choisis
• la relation existante
• le contexte
• les rituels
• etc.

CONTENU
RELATION

Influencé par:
• sa position
• ses filtres
• ses objectifs
• son décodage
• sa compréhension de la situation
• etc.

Devant une telle complexité, il est clair que le formateur doit porter une attention particulière à ses propres biais (préjugés, partis pris, enjeux, etc.) et à la façon dont il transmet son contenu. Il doit, entre autres choses, s'assurer que les objectifs sont bien définis et que le message exprimé est bien compris par chaque apprenant. Comme nous l'avons signalé plus tôt, une bonne connaissance du contexte et des enjeux organisationnels ainsi que l'utilisation d'un vocabulaire familier et d'exemples tirés de la réalité professionnelle des participants contribueront à assurer une communication plus claire et plus efficace.

Comme il est toutefois impossible de communiquer de façon parfaitement claire et d'éviter toute ambiguïté, le formateur doit être attentif aux réactions de son groupe. Il portera par conséquent une attention particulière à la communication non verbale (comportements, attitudes, gestes, tics nerveux, soupirs, regards, etc.) pouvant indiquer l'intérêt ou l'ennui ainsi que l'approbation ou le désaccord des participants en cours de formation. Cette information lui permet d'adapter son approche et sa matière suivant les intérêts et les attentes du groupe avec lequel il interagit.

3.1.4. Les principaux obstacles à la communication

La communication représente donc pour le formateur une partie substantielle de sa tâche d'enseignement et il ne fait aucun doute que c'est sur elle que repose le bon déroulement d'une activité de formation. Pour que son message soit crédible et bien reçu, le formateur doit éviter à tout prix que les apprenants se sentent niés, dévalorisés ou méprisés. Gibb (cité dans Cormier, 1995) relève six comportements que le formateur doit éviter, car ils ont tendance à susciter une réaction défensive chez l'apprenant.

– *L'évaluation.* Toute forme de jugement, implicite ou explicite, provoque des réactions défensives. Il ne s'agit pas ici de l'évaluation des apprentissages, mais plutôt de la tendance à juger les idées, les valeurs et les principes d'une personne.

– *Le contrôle pointilleux.* L'insistance sur des détails, les pressions à la conformité, les politiques et procédures tatillonnes viennent tous dénier l'autonomie aux participants et les mettent sur la défensive.

– *La stratégie.* Les tentatives de manipulation par des moyens détournés, par le mensonge ou par la rétention d'information suscitent immanquablement de la résistance.

– *La neutralité.* On ne parle pas ici d'être neutre sur un sujet controversé, mais plutôt de traiter l'autre comme n'ayant pas vraiment d'importance. Apparenté au mépris, ce type de réaction rend défensif par sa négation de la valeur personnelle.

– *La supériorité.* L'attitude d'un formateur qui, par sa position, son pouvoir ou son expertise, laisse transparaître sa supériorité sur les autres va invariablement les amener à se rebiffer.

– *Le dogmatisme.* L'affirmation d'idées et d'enseignement comme étant des vérités inattaquables et absolues ne peut être considérée comme favorable à l'apprentissage. Les personnes dogmatiques vont être plus préoccupées par leur besoin d'avoir raison que par l'apprentissage des participants.

Certains obstacles peuvent également entraver la communication et nuire considérablement à la formation. C'est pourquoi plus le formateur comprend la nature de ces obstacles, plus il lui sera possible de les surmonter.

– _L'écoute sélective._ En écoutant de façon sélective, le récepteur d'un message ne retient que les éléments qui présentent un intérêt à ses yeux ; par conséquent, il ne retient qu'un certain nombre d'éléments.

– _Le bruit._ La persistance de bruits indésirables dans la salle où se déroule la formation a pour effet d'attirer l'attention des participants vers l'origine des bruits, de nuire à leur concentration et de les détourner du contenu de formation. La notion de « bruit » fait également référence à des perturbations dans la transmission du message. Le formateur doit, par exemple, prendre garde à la longueur de ses interventions afin de ne pas noyer ses idées dans de longues tirades.

– _L'ignorance du non-verbal._ Dans le contexte de diffusion d'une activité de formation, il importe que le formateur demeure attentif au comportement non verbal des participants afin de pouvoir juger de leur intérêt et, si nécessaire, adapter le processus et le contenu.

– _Les réactions défensives._ Lorsque des comportements ont mis une personne sur la défensive, on observe fréquemment l'escalade d'émotions et de réactions de part et d'autre. Les principales réactions défensives sont l'attaque, la soumission, l'évitement et la justification (Cormier, 1995) ; ces réactions ont tendance à rendre le ou les interlocuteurs complètement fermés à l'apprentissage.

En tant qu'activité humaine dans laquelle la communication est centrale, la diffusion d'une activité de formation est un processus complexe. Elle implique donc que le formateur soit à l'affût des réactions de son groupe. La connaissance des styles d'apprentissage peut à ce titre grandement aider le formateur, de même que la programmation neurolinguistique dont nous allons maintenant traiter.

3.1.5. La programmation neurolinguistique

Selon l'approche de la programmation neurolinguistique (PNL), il est important d'adapter son langage pour mieux rejoindre son interlocuteur. La PNL considère que tout ce que les gens perçoivent de ce qui les entourent est filtré par les trois principaux systèmes sensoriels : la vue, l'ouïe et le toucher. Selon cette approche, chaque personne privilégierait un système à un autre ; on retrouverait alors des visuels, des auditifs et des kinesthésiques.

– Lorsqu'il parle de son expérience, un *visuel* va employer des images et utiliser des expressions comme celles-ci : « je vois ce que tu veux dire », « voulez-vous y jeter un coup d'œil », « il faudrait regarder cela de plus près », « c'est une idée brillante », « il s'agit là de ma vision des choses », etc.

– Un *auditif* va se rappeler de conversations et parler de son expérience avec des phrases comme celles-ci : « je te comprends bien », « est-ce que cela vous dit quelque chose », « j'ai une petite voix qui me dit », « ça ne sonne pas bien », « c'est un concept très intelligent », etc.

– Finalement, le *kinesthésique* va sentir le présent et se rappeler de ses expériences à partir de sensations et en utilisant des expressions comme celles-ci : « je ne me sens pas bien », « il faut mettre la main à la pâte », « tu as des chances de m'attraper », « j'ai le pressentiment », « c'est une idée sensationnelle », etc.

Selon l'approche PNL, il est suggéré d'adapter son langage à celui de l'apprenant pour faciliter le contact et s'assurer une meilleure compréhension. Pour ce faire, le formateur doit bien connaître son propre système sensoriel dominant et porter attention à celui de son interlocuteur pour ensuite adapter son langage. Le tableau 5.6 donne un exemple de cette approche.

Évidemment, cette approche est loin d'être infaillible, car il n'est pas toujours facile d'identifier le système sensoriel dominant d'une autre personne et de s'y adapter rapidement. Néanmoins, lorsqu'il a la pratique, le formateur peut harmoniser son langage à celui de l'apprenant et adopter une perspective semblable.

Tableau 5.6
Adaptation du langage en utilisant la programmation
neurolinguistique

L'apprenant (visuel)	Le formateur (auditif)
« Je ne peux pas me voir faire mieux que ce que je fais maintenant. »	« Il me semblait bien que ta dernière question me disait que tu ne comprenais pas bien. »
« J'ai de la difficulté à avoir une image claire de ce que tu attends de moi. »	« Qu'est-ce que tu ne saisis pas ? Est-ce qu'il y a quelque chose qui cloche ? »
« Je ne vois tout simplement pas où tu veux en venir. »	« Bon, je vais reprendre depuis le début et te décrire les éléments importants et tu me diras ce que tu ne comprends pas. »

L'apprenant (visuel)	Le formateur (visuel)
« Je ne peux pas me voir faire mieux que ce que je fais maintenant. »	« J'ai remarqué que tu avais l'air confus lorsque j'ai présenté ce qu'il fallait faire. »
« Oui, c'est comme si je ne pouvais avoir une image claire de ce que je dois faire. »	« Je vois ! Si on essayait de regarder ça sous un angle différent, penses-tu que ça pourrait t'aider ? »
« Oui peut-être. J'ai l'impression qu'à la façon dont tu présentes cela je ne vois pas où je dois mettre le focus. »	« Bon, nous allons reprendre les principaux éléments, mais en fonction de ton poste de travail. »

La PNL aide aussi à saisir l'importance de la variété des techniques d'enseignement. Comme un groupe est composé de plusieurs participants ayant chacun son système sensoriel dominant, il faut que le formateur varie les techniques utilisées pour maximiser les chances de compréhension. Avec un visuel, il est bon d'utiliser des graphiques, des illustrations et des images. Les auditifs vont, pour leur part, mieux suivre si le formateur utilise une tonalité vocale intéressante qui varie le ton, la vitesse et la modulation. Le kinesthésique sera à l'aise, quant à lui, s'il peut mettre en pratique les habiletés apprises et toucher la machinerie ou le matériel sur lesquels est basée la formation.

3.2. *Les différents rôles du formateur*

Les principes de communication que nous venons d'exposer et les exigences de l'enseignement demandent au formateur d'exercer diverses fonctions envers les individus et le groupe en situation de formation. Lors de la diffusion, le formateur peut opter pour différents rôles, suivant le contexte de diffusion, le contenu et la nature du public auquel il s'adresse. Le tableau 5.7 présente les principaux rôles qu'il peut adopter.

Tableau 5.7
Différents rôles du formateur

Le formateur est un...	lorsqu'il...
enseignant	– transmet ses connaissances de façon adaptée à chaque participant. – utilise les méthodes d'enseignement appropriées à l'apprentissage des adultes. – utilise les supports visuels et didactiques de façon appropriée.
expert	– a une expertise sur le contenu de formation et en fait profiter les participants.
facilitateur	– motive par son enthousiasme et son professionnalisme. – est à l'affût de nouvelles méthodes pour faciliter l'apprentissage.
guide	– précise les objectifs et l'esprit de la formation. – encourage les participants à poursuivre. – met les participants à l'épreuve pour les aider à s'améliorer. – intervient au bon moment pour donner du soutien. – situe les participants dans le contexte de la formation.
observateur actif	– observe les réactions du groupe en situation d'apprentissage et donne du feed-back. – est à l'écoute des réactions et de l'expérience des participants.
évaluateur	– évalue l'efficacité du transfert des connaissances et vérifie le degré d'atteinte des objectifs de formation.
animateur	– anime une discussion ou un séminaire avec les participants d'un groupe de formation. – favorise la participation et permet l'échange.
communicateur	– met à l'aise et motive les participants. – clarifie les notions pour être compris des participants. – vérifie la compréhension en posant des questions et en observant. – donne du feed-back au responsable de la formation dans l'entreprise.

La lecture de ces différents rôles nous amène à constater que le formateur doit maîtriser deux niveaux d'animation. Le premier se rapporte au *contenu* d'une activité de formation et fait appel à diverses habiletés de communication et de transmission de connaissances, soit les fonctions éducatives du formateur ; le second niveau est celui du *processus* et exige du formateur qu'il soit en mesure d'observer et de gérer le fonctionnement des groupes et les phénomènes interactifs. Dans cette deuxième perspective, le formateur doit veiller à instaurer d'un climat d'apprentissage positif et à comprendre la dynamique de groupe.

3.3. Les fonctions éducatives du formateur

Selon Gagné (cité dans Knowles, 1990), le formateur doit chercher à remplir huit fonctions éducatives pour améliorer son approche d'enseignement. Nous nous attarderons essentiellement à cinq d'entre elles[5].

  1. Diriger l'attention et les activités des participants.
  2. Fournir un modèle des compétences finales.
  3. Favoriser le transfert des connaissances.
  4. Évaluer les résultats de l'apprentissage.
  5. Assurer la rétroaction.

3.3.1. Diriger l'attention et les activités des participants

Comme l'environnement influence le comportement des apprenants, le formateur doit diriger leur attention à la fois sur un contenu intéressant et sur une méthode de diffusion stimulante. Diriger l'attention ou l'activité des participants ne constitue pas en soi un apprentissage, mais plutôt la mise en place de conditions préalables à l'apprentissage.

3.3.2. Fournir un modèle des compétences finales

Fournir un modèle des compétences finales constitue une fonction éducative déterminante pour les participants, mais également pour le formateur. Elle est déterminante pour les participants,

---

5. Les trois autres fonctions sont les suivantes : présenter le stimulus, procurer des repères et orienter la pensée. Ces fonctions s'appliquent moins dans le cadre d'une approche andragogique. Pour plus de détails, nous recommandons l'ouvrage de KNOWLES (1990).

car elle présente un portrait général des compétences à acquérir en cours de formation ainsi que les différents moyens qui seront utilisés. Dès lors, les participants seront au fait des nouvelles compétences qu'ils devront avoir intégrées au terme de leur formation.

Cette fonction est déterminante également pour le formateur dans la mesure où il amène les participants à établir des liens entre les éléments de la formation et la réalité professionnelle. Il incombe donc au formateur d'amener les participants à établir des liens entre le contenu de la formation et les situations ou problèmes rencontrés dans leur contexte de travail. Le modèle des compétences finales a ceci d'intéressant qu'il attire l'attention des participants sur des résultats concrets tout en rendant ces résultats accessibles dans un avenir rapproché.

3.3.3. Favoriser le transfert des connaissances

Il est ici question de la mise en application des concepts et des principes acquis dans des situations nouvelles par les participants. Le transfert des connaissances peut être abordé de différentes manières, mais la façon la plus pratique est certainement la conduite de discussions. Cette approche est d'ailleurs privilégiée par les formateurs d'expérience.

La conduite de discussions crée une dynamique interactive intéressante entre l'apprenant et son environnement même si, pour l'instant, son effet réel sur l'apprenant, au moment de ces discussions, est encore ignoré. Le processus de discussion est déclenché par des questions verbales de type « résolution de problèmes » posées par le formateur. Ce dernier peut aussi placer les participants dans une situation de questionnement et d'échange en s'appuyant sur une mise en situation ou une démonstration. Le tableau 5.8 donne des exemples de questions en ce qui concerne l'application des concepts et des activités de la formation. C'est souvent dans sa capacité à répondre de façon satisfaisante aux craintes, aux appréhensions et aux objections des apprenants que l'on reconnaît un bon formateur.

3.3.4. Évaluer les résultats de l'apprentissage

La fonction éducative d'évaluation des résultats doit aider l'apprenant à évaluer lui-même son degré d'atteinte des objectifs de formation. En mettant cette fonction éducative en application, le formateur place l'apprenant dans des situations où les compétences et les connaissances qu'il doit avoir acquises lui sont à nouveau présentées. Les questions posées par le formateur devraient s'articuler autour du degré d'atteinte des objectifs de formation en incitant l'apprenant à s'auto-évaluer le plus objectivement possible, par exemple, en lui demandant d'identifier ses forces de même que les aspects à améliorer au regard des compétences enseignées.

Tableau 5.8
**Questions ouvertes pour favoriser le transfert
des apprentissages**

- Comment pouvez-vous appliquer ce que nous venons de voir avec votre équipe de travail?
- De quelle façon pouvez-vous relier l'activité que nous venons de compléter avec votre contexte de travail?
- Quelles difficultés devrez-vous surmonter si vous désirez mettre en pratique ces nouvelles habiletés dans votre travail?
- Quel genre de soutien auriez-vous besoin pour appliquer ce que nous venons de voir?
- Quelles actions devrez-vous prendre pour vous assurer de mettre en pratique ce que vous avez appris?
- Quelles réactions ou préoccupations pourraient avoir vos clients internes ou externes à l'égard de ce que nous venons de voir?
- À quel point les concepts que je viens de présenter s'appliquent-ils dans votre vie de tous les jours?

Même si cette manière de gérer l'évaluation des résultats ne peut être considérée comme une mesure juste de l'apprentissage, elle facilite la progression de l'apprenant et la prise en charge de son propre apprentissage tout au long de l'activité de formation.

3.3.5. Assurer la rétroaction

Parallèlement à l'évaluation des résultats de l'apprentissage, il importe pour le formateur de donner un feed-back aux participants, car cela lui permet de vérifier leurs réactions lors des mises en situation et d'étudier leurs réponses aux questions posées lors de l'évaluation des résultats; le formateur est tenu d'informer les participants de l'exactitude ou de l'inexactitude de leurs réponses ou de leurs résultats.

Tout au long du processus de diffusion d'une activité de formation, le formateur doit préserver et renforcer l'estime de soi de l'apprenant par un feed-back spécifique et approprié. Autrement dit, le formateur s'assure de donner une rétroaction personnalisée en tenant compte des principes de communication, afin de ne pas enclencher de mécanismes de défense chez la personne, et des capacités de chaque apprenant.

Les fonctions éducatives qui viennent d'être exposées constituent en réalité les conditions externes à l'apprentissage. Lorsque ces conditions sont combinées à certaines facultés de l'apprenant ainsi qu'à son ouverture à l'apprentissage, elles contribuent à créer un climat d'apprentissage positif.

3.4. Le climat d'apprentissage

Afin que la formation se déroule dans un environnement favorable à l'apprentissage, le formateur doit créer une ambiance de type informel et convivial. Il ne s'agit pas tout à fait d'abandonner l'approche traditionnelle maître-élève, mais d'introduire une dynamique de collaboration qui convient mieux à l'adulte apprenant.

Le formateur doit démontrer aux participants l'importance de s'ouvrir aux divers modes d'apprentissage et de perfectionnement. L'employé qui prend en main son apprentissage et qui s'implique dans l'activité de formation n'en sera que plus à l'aise dans le cadre de son travail. Cependant, une telle prise en charge et une telle implication nécessitent des participants des efforts et un investissement en temps dans leur formation. C'est pourquoi le formateur doit rappeler à quel point la formation peut accroître leurs compétences et leurs connaissances, que ce soit pour les mettre à profit au sein de leur entreprise ou pour accroître leur employabilité sur le marché du travail.

L'activité de formation doit se dérouler dans le respect mutuel afin de prévenir un éventuel rapport de force, entre un participant et le formateur ou entre deux participants, qui nuirait considérablement à la qualité du climat d'apprentissage. Il importe également d'intervenir pour ne pas tolérer de remarques ou jugements négatifs entre les membre du groupe ni sur les employés qui participent à une activité de formation. Cette dernière devrait au contraire être perçue comme un élément de gratification professionnelle et personnelle.

3.4.1. La gestion des résistances

Lorsque les employés d'une organisation ne sont pas convaincus du bien-fondé d'une formation, plusieurs signes de résistance se manifestent avant même la diffusion de l'activité. Un responsable de formation vigilant recevra normalement des échos à ce sujet, que ce soit des employés, des gestionnaires ou du syndicat. Si aucune action n'est prise au préalable pour réduire ces résistances, elles se manifesteront immanquablement au moment où le formateur débutera sa formation. Il est alors important de se rappeler les principaux facteurs qui causent des résistances :

– l'apprenant a une mauvaise compréhension des objectifs de formation (soit qu'il n'a pas été informé des objectifs, soit qu'il considère que les objectifs réels, implicites, diffèrent de ceux qui sont exprimés) ;

– l'apprenant est convaincu que son supérieur immédiat ne lui offrira pas de soutien, ni ne valorisera la mise en application des nouvelles compétences ;

– l'apprenant ne peut se libérer l'esprit de son travail (soit qu'il se fait déranger durant la formation par d'autres personnes, soit qu'il est préoccupé par le travail qui s'accumule pendant qu'il est en formation) ;

– l'apprenant est insécure en ce qui a trait à sa capacité d'acquérir et de mettre en application les nouvelles compétences (soit qu'il a des craintes d'avouer certaines lacunes et de susciter des jugements négatifs, soit qu'il juge insurmontables les difficultés qu'il appréhende en ce qui concerne cet apprentissage) ;

– l'apprenant n'est pas conscient qu'il peut tirer un apprentissage de la formation (soit qu'il croit déjà maîtriser le contenu, soit qu'il ne perçoit pas l'utilité de modifier ses façons de faire actuelles, soit qu'il fait tout simplement preuve de mauvaise volonté).

Plusieurs de ces résistances concernent la présence ou non au sein de l'organisation de conditions qui soutiendront le transfert des apprentissages (voir à ce sujet le chapitre 4, sous « La planification de la formation », et le chapitre 6, sous « Le transfert des apprentissages »). En l'absence de telles conditions, les apprenants ne perçoivent ni la pertinence de la formation pour leur travail, ni l'utilité d'acquérir les nouvelles compétences enseignées. Comme nous l'avons signalé au chapitre 2, un formateur ne peut en aucun cas forcer la participation ou l'apprentissage chez un apprenant adulte. Il doit plutôt apprendre à déceler ces résistances rapidement et à y réagir de façon appropriée. Différentes stratégies peuvent être adoptées selon le type de résistances observé.

- Lorsque les participants n'adhèrent pas aux objectifs de la formation, il est important d'en parler dès le début de la formation (ce sentiment se manifeste généralement lorsque sont communiqués les objectifs et le contenu de la formation et lorsque les participants sont invités à formuler leurs attentes). Il importe que le formateur reconnaisse la légitimité d'un tel sentiment. En revanche, il doit encourager les participants à retirer le maximum de cette situation et, surtout, à acquérir des apprentissages pour leur propre développement professionnel.

- Lorsque un ou plusieurs participants ressentent de l'insécurité ou hésitent à s'exprimer en groupe, il est essentiel que le formateur n'insiste pas. L'établissement d'un bon climat d'apprentissage et le respect de normes positives de même que des émotions et des sentiments vont mettre les participants à l'aise et les disposer à s'exprimer. Le formateur peut également avoir recours à des techniques d'enseignement actives qui amènent les participants à s'exprimer de façon indirecte (activité pratique, étude de cas et gestion de projets).

- Les résistances peuvent apparaître lorsque les participants ne voient pas l'utilité et la pertinence des techniques d'enseignement employées par le formateur. Ce dernier doit surveiller les réactions et être attentif aux commentaires des participants afin d'être en mesure de détecter ce type de résistance. Si tel est le cas, le formateur peut donner les raisons de l'exercice ou, si nécessaire, il peut même revoir son approche en modifiant les activités prévues. Rappelons que le rôle primordial du formateur est de faciliter l'apprentissage et non de suivre un plan de cours au pied de la lettre.

– Lorsque le groupe est amorphe ou passif (comme au début de la formation ou après le dîner), le formateur peut le stimuler en proposant des activités qui vont rompre la glace ou détendre l'atmosphère, ou encore un exercice pratique.

Il est clair qu'il n'existe pas de recettes miracle pour vaincre les résistances d'un groupe. Il faut retenir que c'est la capacité d'adaptation du formateur et sa compréhension de la dynamique des groupes qui le rendront en mesure de prendre les actions appropriées au contexte.

3.5. *La dynamique de groupe*

À l'instauration d'un climat d'apprentissage s'ajoute la gestion relationnelle du groupe tant dans sa dimension affective que cognitive. La connaissance et la maîtrise des phénomènes de groupe ne sont pas données à tous ; elles sont cependant essentielles au formateur, car ces phénomènes conditionnent dans une large mesure l'efficacité et la réussite de l'animation de groupe. Voici les phénomènes de groupe que nous allons considérer : les phases de développement d'un groupe, les niveaux de fonctionnement d'un groupe et la nature des émotions et des sentiments présents dans un groupe.

3.5.1. Les phases de développement d'un groupe

Afin de bien comprendre les phénomènes qui peuvent se produire dans un groupe, le formateur doit connaître les phases de développement d'un groupe. Tout regroupement de personnes, qu'il s'agisse d'une équipe de travail ou d'un groupe hétérogène inscrit à une formation, passe par quatre phases de développement avant d'atteindre un certain degré de maturité : la constitution, la turbulence, la normalisation et le plein rendement. Évidemment, ces phases sont influencées par les caractéristiques des personnes impliquées, par les situations qu'elles vivent ainsi que par le temps qu'elles ont passé ensemble.

1. *La constitution.* La première phase de développement d'un groupe est principalement marquée par des périodes d'anxiété et d'insécurité. C'est en effet le moment durant lequel les individus se demandent ce qu'on attend d'eux.

Au cours de cette phase, le formateur doit clarifier les objectifs de la formation et les différents rôles que chacun devra jouer de manière à lever toute ambiguïté possible.

2. *La turbulence.* La deuxième phase est caractérisée par un certain degré de turbulence. Pendant cette phase, les individus commencent à prendre leur place et expriment leurs opinions et leurs idées sans se préoccuper des autres participants. En fait, les membres du groupe poursuivent des objectifs personnels plutôt que des objectifs communs. À ce moment-là, le formateur doit amener le groupe à développer un climat de respect et de confiance en rappelant les objectifs communs.

3. *La normalisation.* La phase de normalisation permet d'établir un consensus sur les normes de fonctionnement et sur les règles plus ou moins formelles du groupe. Elle constitue donc, en quelque sorte, le calme après la tempête. Comme les participants ont exprimé leurs attentes et ont débattu leurs opinions lors de la phase précédente, ils apprécient généralement l'accalmie de la phase de normalisation. Toutefois, les participants ressentent une certaine crainte à s'exprimer ouvertement, de peur de retomber dans une période de désordre. Afin de réduire ces craintes et d'amener le groupe à progresser, le formateur doit respecter les normes établies et démontrer des habiletés à gérer les processus de groupe. L'objectif est de continuer à faire participer les individus tout en maintenant ce climat de sérénité et de respect.

4. *Le plein rendement.* Cette dernière phase de développement du groupe est basée sur l'ouverture et la maturité. Un groupe atteint cette phase lorsqu'il y a consensus à l'égard des objectifs visés, qu'une cohésion du groupe existe et que celui-ci est en mesure de résoudre les conflits éventuels pour poursuivre son développement. Lors de sessions de formation, la phase de plein rendement est généralement rapidement atteinte par des groupes homogènes dont les membres travaillent ensemble ou évoluent dans un même programme de formation depuis quelque temps. Cette phase de développement favorise les discussions, les échanges et les interactions stimulantes.

3.5.2. Les niveaux de fonctionnement d'un groupe

Il existe trois niveaux de fonctionnement au sein d'un groupe : le niveau du contenu, le niveau de la procédure et le niveau du climat socio-émotif.

- Le *niveau du contenu* concerne tous les échanges formels qui ont lieu au sein du groupe et qui portent sur la matière de l'activité de formation (informations, opinions, questions, explications, etc.).

- Le *niveau du processus* désigne la manière dont les objectifs de formation sont poursuivis. Le processus constitue en somme l'organisation interne du groupe et inclut, par exemple, les normes du groupe, les rôles attribués aux divers participants et les techniques d'enseignement utilisées.

- Le *niveau de climat socio-émotif* recouvre l'ensemble des actions et des réactions émotives plus ou moins secrètes, plus ou moins conscientes, qui influencent de façon positive ou négative l'interaction entre les membres du groupe. Ces actions peuvent accélérer ou retarder l'atteinte des objectifs de formation.

La considération de ces trois niveaux permet de connaître le fonctionnement d'un groupe. À partir d'une analyse approfondie, le formateur pourra déterminer sur quel niveau il doit agir pour amener le groupe à progresser dans sa démarche d'apprentissage. Il doit être particulièrement attentif aux sentiments qu'exprime le groupe, car la dimension émotive influence grandement la dimension « structurelle » du groupe.

3.5.3. Les émotions et les sentiments présents dans le groupe

On a souvent tendance à se concentrer sur la dimension cognitive d'un groupe en laissant de côté sa dimension émotive. Or, entre le formateur et les membres du groupe s'établit généralement une relation particulière au centre de laquelle se retrouvent l'amour et la haine, l'indifférence et la fausse indifférence, l'attente d'être séduit et la tentative de séduire, la passion ou la lassitude, etc.

Au-delà des démonstrations émotives, les membres d'un groupe cherchent à satisfaire différents besoins tels les suivants :

être acceptés, être valorisés en démontrant du leadership, se sentir uniques en suscitant l'admiration et la flatterie des autres et, finalement, être guidés ou conseillés dans leurs choix. Tous ces besoins s'articulent autour de celui d'aimer et d'être aimé. Nous pouvons donc dire que, dans une certaine mesure, une activité de formation regroupant plusieurs personnes remplit une fonction affective et sociale.

Le formateur se trouve ainsi dans une situation où il doit faire preuve de finesse et de prudence puisqu'il est appelé à gérer la dimension affective et sociale des phénomènes de groupe tout en veillant à contrôler ses propres émotions et sentiments. Le formateur, en tant que responsable du groupe, évitera de manifester ses préférences ou ses affinités envers certains membres et cherchera ainsi à tous les traiter de façon équitable. De plus, il doit pouvoir canaliser l'expression des émotions et des sentiments du groupe tout en demeurant attentif aux objectifs implicites des individus qui le composent. Ces objectifs implicites, bien que souvent irrationnels, ne sont que l'expression des désirs personnels de chaque participant. Non seulement il semble tout à fait normal qu'ils existent, mais ils ont également leur raison d'être en tant que facteurs de motivation individuelle. Il peut s'agir du désir de rencontrer des gens, de rompre une certaine solitude, de satisfaire une curiosité pour autrui, d'obtenir le cautionnement d'une équipe après avoir proposé une solution à un problème, d'exercer du pouvoir sur quelques individus ou sur l'ensemble du groupe ou d'évacuer des conflits d'ordre personnel en s'engageant activement dans une activité.

La gestion de ces dimensions socio-émotives exige du formateur qu'il soit apte à déceler les tensions existantes au sein du groupe et à les contrôler. Cela n'empêchera pas cependant l'émergence à l'occasion de situations problématiques que la formateur n'aura pu régler par anticipation. Dans de telles circonstances, le formateur ne pourra compter que sur sa personnalité et son style propre. Toutefois, quelques principes de base pourront l'aider à garder un certain contrôle sur le déroulement de la formation ; en voici quelques-uns :

- être conscient des sentiments qu'on éprouve et rester serein ;

- avoir un certain détachement et éviter de s'engager dans une lutte de pouvoir avec un participant ;

–   recourir à l'humour pour désamorcer une situation plus critique ;

–   établir un contact personnel avec chaque participant ;

–   impliquer, si nécessaire, les autres participants pour régler une situation problématique ;

–   protéger les participants des attaques ou des critiques éventuelles ;

–   rappeler les règles de fonctionnement du groupe pour rétablir l'ordre et le faire respecter.

Ces quelques principes peuvent faciliter la gestion des dimensions interpersonnelles au cours de l'animation de groupe, sans pour autant régler toutes les situations problématiques. Le formateur doit donc retenir qu'il faut d'abord utiliser à bon escient les techniques d'animation, posséder un sens critique aigu et un jugement impartial afin d'être efficace en tant que formateur et animateur d'un groupe.

TEST : MES HABILETÉS DE FORMATEUR

CONSIGNE : En utilisant l'échelle ci-dessous, complétez cette auto-évaluation en indiquant la fréquence à laquelle vous mettez en pratique chaque énoncé.

1 = jamais
2 = occasionnellement
3 = souvent
4 = toujours
? = ne sais pas

CONTENU ET DÉROULEMENT

1. Je m'assure que la logistique du local est adéquate avant le début de chaque session de formation.   1 2 3 4 ?

2. Je maîtrise bien le contenu de la formation.   1 2 3 4 ?

3. Je fais une brève présentation du contenu et des objectifs de la formation au début de la session.   1 2 3 4 ?

4. Je présente aux participants le déroulement général de la formation.   1 2 3 4 ?

5. Je fais un résumé au terme de chaque module.   1 2 3 4 ?

6. Je m'assure de faire le lien entre chaque module.   1 2 3 4 ?

7. Je respecte l'horaire planifié de la formation.   1 2 3 4 ?

8. Je fais preuve de flexibilité au regard de l'horaire et du déroulement de la formation, lorsque nécessaire.   1 2 3 4 ?

9. Je m'assure de couvrir tout le matériel à enseigner.   1 2 3 4 ?

10. Les participants peuvent suivre sans problème le déroulement de la formation dans leur manuel.   1 2 3 4 ?

11. Je fournis des instructions claires et précises pour les tests, les exercices et les autres activités.   1 2 3 4 ?

12. Je prévois des pauses périodiques pour permettre aux participants de se délasser.   1 2 3 4 ?

PRÉSENTATION

13. Je considère le contenu à enseigner comme étant intéressant.   1 2 3 4 ?

14. J'ai une attitude ouverte et positive envers les participants.   1 2 3 4 ?

15. Je contrôle efficacement mon stress devant
le groupe.   1 2 3 4 ?

16. J'ai l'occasion de regarder chaque participant
dans les yeux.   1 2 3 4 ?

17. Mes mouvements et mes déplacements
sont naturels devant le groupe
(absence de tics nerveux).   1 2 3 4 ?

18. Je contrôle le débit et le ton de ma voix pour
que tous les participants m'entendent bien.   1 2 3 4 ?

19. J'utilise un vocabulaire que les participants
comprennent bien.   1 2 3 4 ?

20. Je peux garder l'intérêt du groupe tout
au long de la formation.   1 2 3 4 ?

21. J'utilise l'humour pour détendre l'atmosphère.   1 2 3 4 ?

PARTICIPATION

22. Je donne l'occasion aux participants d'exprimer
leurs attentes dès le début de la session.   1 2 3 4 ?

23. Pendant la formation, je suis disponible pour
répondre aux questions des participants.   1 2 3 4 ?

24. Avant et après la formation, je suis disponible
pour répondre aux questions des participants.   1 2 3 4 ?

25. Je m'adresse aux participants en les appelant
par leur nom.   1 2 3 4 ?

26. Je souligne, lorsque approprié, les commentaires
pertinents et les apports positifs des participants. 1 2 3 4 ?

27. Je réagis adéquatement aux réactions verbales
et non verbales des participants.   1 2 3 4 ?

28. J'aide les participants à se sentir à l'aise.   1 2 3 4 ?

29. Je garde le contrôle du groupe durant
la formation.   1 2 3 4 ?

30. Je fais appel à l'expérience et aux connaissances
des participants.   1 2 3 4 ?

31. Je traite chacun des participants sur un pied
d'égalité en faisant preuve d'aucune
discrimination.   1 2 3 4 ?

32. Je transforme les situations problématiques
en expériences d'apprentissage pour le groupe. 1 2 3 4 ?

QUESTIONNEMENT

33. Lors des révisions, je donne la possibilité aux participants de poser des questions.   1 2 3 4 ?

34. Je pose des questions ouvertes pour inciter les participants à discuter et à partager leurs opinions.   1 2 3 4 ?

35. J'utilise des questions fermées pour clore les discussions.   1 2 3 4 ?

36. Je pose des questions pour tester les connaissances et les habiletés des participants.   1 2 3 4 ?

37. Je réponds clairement et correctement aux questions des participants.   1 2 3 4 ?

38. Si je ne connais pas la réponse à une question, je fais des recherches afin d'y répondre ultérieurement.   1 2 3 4 ?

39. Je réponds aux questions sans être sur la défensive et sans dénigrer ceux qui les posent.   1 2 3 4 ?

40. Lorsque j'en vois l'utilité, je pose une question à l'ensemble des participants.   1 2 3 4 ?

41. Je suis en mesure de réagir de façon appropriée à une question ou à une réaction non pertinente ou hors contexte.   1 2 3 4 ?

TECHNIQUES D'ENSEIGNEMENT

42. J'utilise différents supports audiovisuels (tableau-papier, rétroprojecteur, vidéo, ordinateur, etc.) pour faciliter l'apprentissage des participants.   1 2 3 4 ?

43. Je choisis les techniques d'enseignement en fonction des objectifs poursuivis par la formation.   1 2 3 4 ?

44. Si nécessaire, j'adapte les méthodes d'enseignement selon les besoins des participants.   1 2 3 4 ?

45. Je varie les techniques d'enseignement utilisées de façon à répondre à chaque style d'apprentissage.   1 2 3 4 ?

ÉVALUATION

46. Je vérifie les acquis des participants en début de formation.   1 2 3 4 ?

47. Je fais une évaluation personnelle de l'efficacité de la formation durant les pauses, de façon à apporter les modifications nécessaires.   1 2 3 4 ?

48. Lorsque la formation dure plus d'une session, je demande verbalement aux participants de faire des commentaires sur le déroulement de chaque session.   1 2 3 4 ?

49. J'évalue ma propre performance au terme de chaque session.   1 2 3 4 ?

50. Au terme de la formation, je fais compléter une évaluation écrite par les participants.   1 2 3 4 ?

51. J'apporte les changements nécessaires pour améliorer mes prochaines prestations.   1 2 3 4 ?

52. Je communique les résultats de ces évaluations aux personnes concernées (client, concepteur, superviseur ou autres).   1 2 3 4 ?

S'il y a plusieurs énoncés où vous n'êtes pas certain de votre réponse, sollicitez les commentaires de personnes ayant participé à vos formations ou enregistrez sur cassette vidéo votre prochain cours.

– Quelles sont les pratiques ou dimensions dans lesquelles vous excellez (où votre score est le plus élevé) ?

_____

_____

_____

– Quelles sont les pratiques ou dimensions avec lequelles vous avez plus de difficultés (où votre score est le plus faible) ?

_____

_____

_____

– Que pourriez-vous faire pour améliorer vos habiletés de formateur ?

_____

_____

_____

CHAPITRE 6

L'évaluation
et le suivi postformation

On ne peut améliorer que ce que l'on mesure.
W. Edwards DEMING

Avec le temps et les sommes d'argent importantes que les entreprises investissent au cours des années, la question des retombées et de la rentabilité de la formation devient une réelle préoccupation pour les chefs d'entreprise. La finalité de la formation est d'accroître l'efficacité de l'entreprise (ventes accrues, augmentation de la productivité, réduction de l'absentéisme, diminution des pertes, etc.). Pour ce faire, il est nécessaire que la formation fournisse de nouvelles compétences aux employés (savoir, savoir-faire, savoir-être), que ces compétences soient par la suite utilisées dans le cadre de leur travail et que ce transfert améliore le fonctionnement de l'organisation.

Nous décrirons dans ce chapitre les deux activités qui complètent le cycle global de gestion de la formation. Nous verrons d'abord la dimension d'évaluation de la formation et les différents niveaux d'intégration des apprentissages pouvant faire l'objet d'une analyse. Les déterminants du succès de la formation ainsi que le processus d'évaluation seront également abordés. Dans un second temps, nous traiterons du suivi postformation. Plus spécifiquement, nous discuterons du processus de transfert des apprentissages ainsi que des facteurs qui y contribuent. Enfin, nous présenterons quelques activités de suivi pouvant être organisées pour intégrer les nouveaux savoirs chez les apprenants.

1. L'évaluation de la formation

La diffusion d'une activité de formation occasionne des investissements importants pour l'entreprise (temps, argent et ressources matérielles). L'évaluation de la formation renvoie à l'analyse des rendements obtenus sur ces investissements. Il est donc essentiel pour l'entreprise de procéder à une évaluation de la formation, et ce, pour plusieurs raisons.

- Le *caractère objectif* de l'évaluation permet de dresser un portrait détaillé des retombées directes et indirectes de la formation.

- Son *caractère observable* permet de repérer les zones où la formation n'a pas donné les résultats escomptés ainsi que les aspects pouvant être améliorés.

- Son *caractère rétroactif* permet de recueillir les commentaires et de connaître les préoccupations des employés qui ont participé à la formation.

- Son *caractère mesurable* sert à calculer le degré de rentabilité d'une formation donnée.

Avant tout, l'évaluation de la formation cherche à vérifier si les objectifs fixés au départ ont été atteints. En comparant les objectifs d'apprentissage aux résultats obtenus (la situation de départ à la nouvelle situation), il est possible de juger à quel point l'activité de formation a été bénéfique pour les participants et si elle s'est traduite par des retombées concrètes pour l'entreprise.

La réalisation d'une telle évaluation est d'autant plus pertinente qu'elle sera bénéfique pour tous les acteurs concernés.

- Elle permet à l'*apprenant* de s'interroger et de faire le point sur les nouvelles connaissances et habiletés acquises. Elle peut également l'aider à vérifier l'accroissement réel de ses compétences. Un constat positif lui donnera une plus grande confiance et accroîtra son autonomie au travail.

– L'évaluation permet au *formateur* de mesurer son degré d'efficacité lors de la diffusion de l'activité de formation. Elle peut également lui servir à repérer des points précis à améliorer et des changements à apporter dans l'avenir au programme de formation.

– Elle donne à l'*entreprise* une mesure objective des bénéfices qu'a procurés la formation. Comme nous l'avons vu précédemment, cette information permet à l'entreprise d'augmenter son efficacité dans l'utilisation de la formation comme levier stratégique.

1.1. Les niveaux de l'évaluation – Kirkpatrick

Malgré tous les bénéfices qu'une bonne évaluation peut procurer aux acteurs impliqués dans le processus de gestion de la formation, les entreprises ont tendance à limiter cet exercice à l'évaluation de la qualité de l'enseignement. La mesure de la satisfaction des participants quant à la qualité de la logistique du cours et du dynamisme du formateur a d'ailleurs longtemps constitué le seul élément permettant d'évaluer la formation. Pourtant, on sait bien qu'il y a une grande différence entre le fait d'apprécier un cours et celui d'en retirer quelque chose de valable.

Kirkpatrick suggère donc de mesurer la qualité d'une formation à partir de trois autres niveaux supplémentaires[1] : les apprentissages, le transfert des acquis au travail ainsi que les effets sur l'entreprise. La figure 6.1 présente ces quatre niveaux en indiquant où ils interviennent dans le cycle de gestion de la formation.

1.1.1. Le degré de satisfaction des participants

Le degré de satisfaction des participants constitue le premier élément de formation à évaluer. Il s'agit de recueillir les réactions et les commentaires des participants à la suite de la diffusion de la formation. Verbale ou écrite, formelle ou informelle, cette évaluation constitue un moyen rapide et peu coûteux de déterminer le degré d'appréciation des participants à l'égard d'une activité de formation donnée.

---

1. Ces niveaux d'évaluation ont été élaborés pour la première fois par Kirkpatrick en 1954 (BÉLANGER et collab., 1988).

Figure 6.1
**Les quatre niveaux d'évaluation et leur intervention
dans le cycle de la formation**

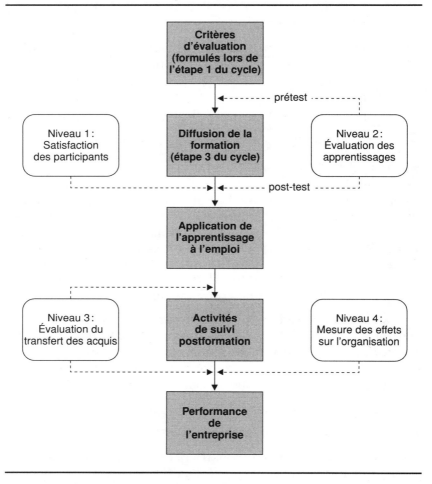

Les aspects généralement visés par l'évaluation de la satisfaction des participants sont les suivants :

– la pertinence et l'adéquation des objectifs de formation au contenu de l'activité de formation ;

– la pertinence des méthodes d'apprentissage utilisées ;

– la qualité de l'animation et le dynamisme du formateur ;

- l'organisation de la formation (durée, format, lieu, environnement, logistique, etc.) ;

- la qualité du matériel d'enseignement (manuel du participant, vidéo, acétates, etc.).

Le tableau 6.1 présente une formule type pour mesurer la satisfaction des participants à une formation. Outre les aspects mentionnés ci-dessus, elle permet également de mesurer des aspects liés au transfert des apprentissages.

Tableau 6.1
Formule d'évaluation de la satisfaction des participants

Indiquez votre degré d'accord pour chacun des énoncés présentés ci-dessous, en utilisant l'échelle suivante :

1 = tout à fait en désaccord
2 = en désaccord
3 = plus ou moins en accord
4 = en accord
5 = tout à fait en accord

Objectifs et contenu

1. Les objectifs de la formation étaient clairs et précis.	1 2 3 4 5
2. Le contenu de la formation correspondait à mes besoins et à mes préoccupations.	1 2 3 4 5
3. Les objectifs ont, à mon avis, été atteints.	1 2 3 4 5

Méthodologie et matériel d'enseignement

4. Les techniques d'enseignement utilisées ont favorisé l'apprentissage.	1 2 3 4 5
5. Il y avait un bon équilibre entre la théorie et la pratique.	1 2 3 4 5
6. La documentation était bien rédigée et me sera utile ultérieurement.	1 2 3 4 5
7. Les exercices et les activités proposés étaient pertinents à la formation.	1 2 3 4 5
8. Les supports audiovisuels étaient bien conçus et ont contribué à mon apprentissage.	1 2 3 4 5

Personne-ressource

9. Le formateur était bien préparé et organisé.	1 2 3 4 5
10. Le formateur avait une bonne connaissance du sujet.	1 2 3 4 5
11. Le formateur communiquait de façon claire et dynamique.	1 2 3 4 5
12. Le formateur favorisait les échanges et la participation du groupe.	1 2 3 4 5
13. Le formateur répondait clairement aux questions.	1 2 3 4 5
14. Les exemples apportés par le formateur étaient pertinents et en nombre suffisant.	1 2 3 4 5

Tableau 6.1 (suite)
Formule d'évaluation de la satisfaction des participants

Groupe et participation

15. Les échanges entre les participants étaient riches en
    information et ont contribué à mon apprentissage.   1   2   3   4   5
16. L'atmosphère générale était amicale et incitait au travail.   1   2   3   4   5

Organisation

17. J'étais motivé à participer à cette formation.   1   2   3   4   5
18. Les locaux de formation étaient appropriés à ce type
    de cours.   1   2   3   4   5
19. La durée de la formation était ni trop longue,
    ni trop courte.   1   2   3   4   5

Apprentissages

20. Cette formation m'a permis d'accroître mes connaissances
    et d'en acquérir de nouvelles.   1   2   3   4   5
21. Les compétences enseignées peuvent être directement
    appliquées dans mon travail.   1   2   3   4   5
22. Je compte utiliser ces nouvelles compétences dès
    mon retour au travail.   1   2   3   4   5
23. Je sens que j'aurai l'appui de mon supérieur immédiat
    pour mettre en pratique ce que j'ai appris.   1   2   3   4   5

Appréciation globale

24. De façon globale, je suis très satisfait de la formation
    reçue.   1   2   3   4   5
25. Je recommanderais à mes collègues de travail de suivre
    cette formation.   1   2   3   4   5

Commentaires et recommandations :

_____

_____

_____

_____

_____

_____

La principale force de ce niveau d'évaluation réside dans le fait que l'on peut aisément apporter des améliorations au processus d'enseignement. Ainsi, l'insatisfaction exprimée au regard de certains aspects peut inciter à apporter des changements assez rapidement en ce qui concerne, par exemple, la salle de formation, le format de la session, les techniques d'enseignement ou même le formateur. Car ce n'est bien sûr pas une très bonne politique que de continuer à offrir un cours que les participants abhorrent.

Par ailleurs, cette facilité à recueillir la réaction des participants et à identifier des actions correctrices est inversement proportionnelle à la fiabilité de ce niveau d'évaluation à mesurer l'apprentissage des participants. Alors qu'il constitue une bonne mesure du degré de satisfaction des participants, il ne permet pas de savoir si les participants ont réellement appris quelque chose. Plusieurs études, dont celles de Werner et Simon (1997) et d'Alliger et collab. (1997), démontrent que les résultats de ce niveau d'évaluation ne peuvent en aucun cas être considérés comme des prédicateurs de l'efficacité de la formation. Par ailleurs, le caractère subjectif des énoncés généralement utilisés et le fait que ces fiches d'évaluation sont souvent complétées de façon expéditive à la fin de la formation constituent deux autres faiblesses importantes. En réalité, si l'animateur est un tant soit peu dynamique et si le contenu est présenté de façon intéressante, on peut vraisemblablement s'attendre à des réactions positives de la part des participants. Toutefois, il est possible de combler certaines lacunes de ce niveau d'évaluation en procédant comme suit:

– en ajoutant des questions visant l'auto-évaluation des apprentissages – par exemple, en posant la question suivante: «Dans quelle mesure la formation vous a-t-elle rendu apte à planifier la tenue d'une réunion?»; vous répétez ce genre de question, pour chaque compétence que la formation cherche à développer (animer une réunion, susciter la participation, former un consensus, etc.);

– en ajoutant des questions sur la pertinence de la formation et sur le transfert des apprentissages (comme celles présentées dans le tableau 6.1);

– en demandant au formateur une évaluation personnelle de la session (le tableau 6.2 présente un modèle);

–   en complétant l'évaluation en y adjoignant un ou plusieurs autres niveaux, notamment l'évaluation de l'apprentissage et du transfert des acquis.

Tableau 6.2
Formule d'évaluation par le formateur

Évaluez la qualité des différents aspects de la formation à l'aide de l'échelle ci-dessous. Vos commentaires seraient appréciés pour les aspects ayant un score de 3 et moins.

1 = très faible
2 = faible
3 = moyen(ne)
4 = bon(ne)
5 = très bon(ne)

1. Adéquation du contenu avec les besoins des participants.	1	2	3	4	5
2. Atteinte des objectifs.	1	2	3	4	5
3. Pertinence de la méthodologie d'enseignement.	1	2	3	4	5
4. Organisation et structure de la formation.	1	2	3	4	5
5. Pertinence des exercices et des activités.	1	2	3	4	5
6. Qualité de votre présentation.	1	2	3	4	5
7. Intérêt et participation du groupe.	1	2	3	4	5
8. Logistique de la formation.	1	2	3	4	5
9. Équilibre entre la durée de la formation et le contenu à aborder.	1	2	3	4	5
10. Potentiel au regard du transfert des apprentissages.	1	2	3	4	5

COMMENTAIRES :

_____

_____

_____

_____

_____

_____

1.1.2. L'évaluation des apprentissages

Si le premier niveau mesure le degré de satisfaction des participants, le deuxième vise à évaluer si les participants ont effectivement appris quelque chose. C'est le niveau d'évaluation le plus fréquemment utilisé dans le milieu de l'éducation et pour les apprentissages techniques. Dans la plupart des cas, il prend la forme d'un examen pratique ou théorique qui teste les acquis. Certaines entreprises poussent leur analyse plus loin encore et font passer le même examen aux participants avant et après la formation (prétest et post-test) ; cette façon de procéder permet d'établir précisément le degré d'acquisition des connaissances.

Ce type d'évaluation convient particulièrement bien aux apprentissages théoriques (savoir) et pratiques (savoir-faire). Toutefois, son utilisation ne va pas de soi lorsqu'il s'agit de vérifier un changement d'attitudes ou l'acquisition d'une nouvelle habileté interpersonnelle (savoir-être). Que ce soit pour le fonctionnement d'une nouvelle machine ou pour l'application d'une nouvelle politique, ce niveau d'évaluation permet de mesurer si l'individu a acquis les connaissances et les habiletés nécessaires pour remplir ces fonctions.

Avec ce niveau d'évaluation, on peut procéder de trois manières :

–   Évaluer, à l'aide d'un post-test, si un apprenant maîtrise au terme de la formation un savoir attendu, prédéterminé par objectif de formation.

–   Évaluer l'acquisition absolue d'un savoir par l'apprenant en comparant les résultats qu'il a obtenus à un post-test à ceux d'un prétest à la formation.

–   Évaluer l'acquisition d'un savoir par un groupe d'apprenants en comparant leur niveau de connaissances à celui d'un groupe témoin qui n'a pas suivi la formation.

Malgré la richesse de l'information pouvant être recueillie, il est très difficile, sinon coûteux, dans la plupart des organisations de construire des prétests ou de faire appel à un groupe témoin. Pour cette raison, l'évaluation des apprentissages se limite généralement à mesurer, au terme de la formation, si les apprenants ont atteint les objectifs d'apprentissage.

Pour ce faire, il s'agit de développer des tests qui vont permettre de mesurer les connaissances des apprenants. Ces tests peuvent prendre diverses formes, selon le type d'objectifs de formation. En règle générale, on devrait suivre les principes suivants :

–   un savoir est évalué par un test oral ou écrit (examen, test à choix multiples, résolution de problèmes, etc.) ;

– un savoir-faire est évalué par un test pratique (application des habiletés acquises, exécution d'une tâche donnée, démonstration par l'apprenant, etc.) ;

– un savoir-être est évalué par une variété de techniques (auto-évaluation, mise en situation, discussion avec le formateur, etc.).

Comme nous l'avons mentionné, l'acquisition d'un savoir-être est beaucoup plus difficile à mesurer. Étant donné qu'une formation vise normalement l'acquisition de plus d'un type de savoirs, il est pertinent de faire appel à plus d'un type de test ; un peu comme l'obtention d'un permis de conduire exige à la fois la réussite d'un test écrit théorique sur la sécurité routière et d'un test pratique de conduite sous la supervision d'un professeur.

1.1.3. L'évaluation du transfert des acquis

Le bon sens ainsi que les résultats de nombreuses études démontrent que ce n'est pas parce que des apprenants ont apprécié la formation et qu'ils ont appris quelque chose que leurs comportements en milieu de travail s'en trouveront nécessairement modifiés. Le troisième niveau d'évaluation cherche ainsi à vérifier si les participants à une formation se servent de leurs acquis dans leur milieu de travail. Il va sans dire que, sans ce transfert, il ne pourra être question de retombées concrètes sur la performance au travail.

Voici un cas type qui démontre l'importance de l'évaluation du transfert des acquis. Une entreprise envoie l'un de ses employés suivre une formation publique sur le leadership donnée par une firme privée réputée. Au terme de la formation, l'employé se dit très satisfait et affirme avoir beaucoup appris. Toutefois, après trois mois, on consulte son supérieur immédiat et ses collègues de travail, qui affirment n'avoir remarqué aucun changement concret dans les façons de travailler de l'employé. Les explications de cet échec peuvent être multiples : une mauvaise analyse des besoins au départ, un contenu de formation qui ne correspond pas à la réalité de l'entreprise, l'acquisition d'habiletés difficilement observables, un environnement de travail ne permettant pas à l'employé de mettre ces habiletés en pratique, etc. Un tel cas fait ressortir la pertinence d'évaluer le transfert des acquis.

L'évaluation du transfert des acquis vise à mesurer le degré d'utilisation des nouvelles connaissances et habiletés dans le contexte du travail. Trois approches sont généralement utilisées :

– l'observation directe par l'utilisation de techniques comme celles décrites dans le chapitre 3, sous « Les techniques de collecte de données » ;

– l'auto-évaluation par l'apprenant lui-même quatre à huit semaines après la formation (le tableau 6.3 présente un modèle d'auto-évaluation du transfert des apprentissages pouvant être utilisé[2]) ;

– l'observation et l'évaluation par le supérieur immédiat de l'apprenant, ses collègues de travail, ses subordonnés, ses clients et/ou ses fournisseurs (le tableau 6.4 présente une formule visant à évaluer, après une période d'entraînement, la capacité d'un employé à remplir les fonctions de son poste).

Encore une fois, la mesure du transfert d'un savoir ou d'un savoir-faire technique est relativement aisée. L'évaluation du transfert d'un savoir-faire relationnel (habileté de gestion, habileté interpersonnelle) et d'un savoir-être est quant à elle, plus difficile à réaliser. Dans ces situations précises, l'auto-évaluation par l'apprenant, quoique plus subjective et moins fiable, ainsi que l'évaluation par des pairs s'avèrent plus pertinentes. À ce sujet, une évaluation à 360 degrés impliquant l'entourage de l'apprenant (supérieur immédiat, collègues, subordonnés, clients, fournisseurs) apporte un ensemble de perceptions qui permet de dresser un portrait assez juste de l'utilisation des compétences désirées.

1.1.4. La mesure des effets sur l'organisation

Le quatrième et dernier niveau à évaluer concerne les effets réels de la formation sur l'équipe, le département et l'entreprise dans son ensemble. Il s'agit de voir à quel point la formation a contribué accroître l'efficacité et la performance de l'organisation. Plus précisément, il vise à vérifier si les problèmes relevés lors de l'analyse des besoins de formation sont résolus.

---

2. Cette formule inclut des questions pour évaluer les retombées de la formation ainsi que deux déterminants du succès de la formation (sentiment d'efficacité personnelle et soutien perçu) qui seront abordés dans la section suivante.

Tableau 6.3
Formule d'auto-évaluation du transfert des apprentissages

Indiquez votre degré d'accord à l'égard de chacun des énoncés présentés ci-dessous, en utilisant l'échelle suivante :

1 = tout à fait en désaccord
2 = en désaccord
3 = plus ou moins en accord
4 = en accord
5 = tout à fait en accord

Confiance dans la pratique des habiletés

1. Je me sens tout à fait apte à mettre en application les compétences enseignées en ce qui concerne :
   - la planification d'une réunion ; 1 2 3 4 5
   - l'animation d'une réunion ; 1 2 3 4 5
   - etc. 1 2 3 4 5

2. La formation a augmenté ma confiance en mes capacités de mettre en pratique ces habiletés. 1 2 3 4 5

Utilisation des compétences

3. J'utilisais déjà les compétences enseignées avant de suivre la formation. 1 2 3 4 5

4. J'ai eu l'occasion de mettre en pratique les compétences enseignées en ce qui concerne :
   - la planification d'une réunion ; 1 2 3 4 5
   - l'animation d'une réunion ; 1 2 3 4 5
   - etc. 1 2 3 4 5

Soutien au transfert des apprentissages

5. Mon supérieur immédiat m'a offert du soutien pour que je me prépare et que j'assiste à la formation. 1 2 3 4 5

6. Le contenu et les exemples apportés durant la formation étaient représentatifs de mon contexte de travail. 1 2 3 4 5

7. J'ai accès aux ressources (équipements et information) pour appliquer les compétences enseignées. 1 2 3 4 5

8. J'ai pu bénéficier de soutien et d'assistance professionnelle (*coaching*) pour m'aider à mettre en pratique des compétences enseignées. 1 2 3 4 5

Retombées de la formation

9. Ce cours a contribué à accroître la qualité de mon travail. 1 2 3 4 5

10. Après avoir suivi ce cours, ma compétence en ce qui concerne :
    - la planification d'une réunion a augmenté de _____ % ;
    - l'animation d'une réunion a augmenté de _____ % ;
    - etc.

11. Après avoir suivi ce cours, ma performance générale a changé de _____ % (indiquer + ou –).

Tableau 6.3 (suite)
Formule d'auto-évaluation du transfert des apprentissages

Commentaires et recommandations :

_____

_____

_____

_____

_____

Tableau 6.4
Formule d'évaluation du transfert des apprentissages
par le supérieur immédiat

Indiquez le niveau de maîtrise de l'employé pour chacune des tâches de son poste à l'aide de l'échelle ci-dessous. Indiquez les mesures qui pourraient être prises pour corriger les aspects où l'évaluation est de 3 et moins.

1 : L'employé n'a pas démontré sa capacité à exécuter cette tâche.
2 : L'employé a de la difficulté à exécuter cette tâche sans aide.
3 : L'employé peut exécuter cette tâche sans aide dans des situations simples.
4 : L'employé peut exécuter cette tâche de façon autonome et satisfaisante.
5 : L'employé démontre une aptitude supérieure à exécuter cette tâche.

Fonctions du poste	Évaluation	Actions à prendre
Connaissances générales		
– Connaître le fonctionnement de la quincaillerie.	1 2 3 4 5	_____
– Connaître l'emplacement et la disponibilité des produits en magasin.	1 2 3 4 5	_____
– Connaître les différents produits et services offerts par la quincaillerie.	1 2 3 4 5	_____
– Savoir utiliser les outils informatiques et/ou électroniques (caisse, ordinateur, imprimante, machine de paiement, etc.).	1 2 3 4 5	_____
Gestion de la caisse		
– Ouvrir sa caisse au début de la journée.	1 2 3 4 5	_____
– Entrer les codes des produits.	1 2 3 4 5	_____
– Percevoir l'argent ou tout autre mode de paiement des services ou des marchandises.	1 2 3 4 5	_____
– Vérifier l'exactitude des données de la facture.	1 2 3 4 5	_____
– Balancer et fermer la caisse en fin de journée.	1 2 3 4 5	_____
– Fermer et balancer les systèmes de cartes de crédit et débit.	1 2 3 4 5	_____
– Préparer le dépôt et le rapport des ventes.	1 2 3 4 5	_____

Tableau 6.4 (suite)
**Formule d'évaluation du transfert des apprentissages
par le supérieur immédiat**

Fonctions du poste	Évaluation	Actions à prendre
Service à la clientèle		
– Accueillir et diriger la clientèle de façon courtoise et chaleureuse.	1 2 3 4 5	_____
– S'assurer de la satisfaction du client tant au regard des achats que du service reçu.	1 2 3 4 5	_____
– Être disponible et cordial envers la clientèle.	1 2 3 4 5	_____

COMMENTAIRES :

_____

_____

_____

_____

_____

Les critères à partir desquels sont évalués les effets sur l'organisation sont les suivants :

- l'élimination des écarts identifiés lors de l'analyse des besoins de formation ;

- le degré d'amélioration d'une situation par le suivi d'indicateurs de performance opérationnels, humains et financiers.

Si l'on considère la formation comme un investissement plutôt que comme une dépense, il est important de procéder à l'analyse de ses résultats, comme on le ferait pour n'importe quel investissement. C'est en suivant l'évolution de différents indicateurs de performance que l'on peut estimer l'efficience d'une formation en termes de retour sur l'investissement. Le tableau 6.5 présente quelques indicateurs pouvant être utilisés.

Tableau 6.5
Indicateurs de performance de l'organisation

Indicateurs simples à mesurer	Indicateurs complexes à mesurer
– niveau de productivité	– pertes de temps
– quantité de rebuts	– gaspillage
– nombre et type de bris d'équipement	– coût directs et indirects en entretien de l'équipement
– nombre et type de retours de marchandise	– pertes de client
– nombre et type de plaintes des clients	– degré de satisfaction de la clientèle
– niveau d'absentéisme	– qualité du climat organisationnel
– taux de roulement du personnel	– degré de satisfaction des employés
– nombre et type de griefs	– coûts directs et indirects de la main-d'œuvre
– nombre et type d'accidents de travail	
– niveau de rentabilité financière	

Benabou (1997) préconise une approche de coûts-bénéfices pour calculer le rendement du capital investi en formation (RCI). Pour ce faire, il propose l'équation suivante :

$$RCI = \frac{\text{Épargne nette} \times 100}{\text{Coûts de formation}}$$

Épargne nette = Épargne brute – Coûts de formation

Épargne brute = Réduction des coûts pour un ou plusieurs des indicateurs mesurés

Coûts de formation = Ensemble des coûts de la formation (formateur, salaires et avantages sociaux, logistique, etc.)

Cette approche est très intéressante, car elle permet de calculer la rentabilité d'une activité de formation en utilisant un rapport simple et largement utilisé en gestion. Elle a notamment permis à Benabou (1997) de calculer que pour 82 % des entreprises d'une population donnée, chaque dollar investi en formation en a « rapporté » de 1,10 $ à 46,30 $.

L'approche coûts-bénéfices exige d'évaluer l'ensemble des coûts de formation ainsi que les épargnes résultant de l'évolution d'indicateurs quantitatifs et qualitatifs ; cet exercice peut s'avérer long et fastidieux, d'autant plus qu'il est très difficile d'isoler les effets de la formation de ceux des autres activités de gestion et des circonstances contextuelles. Il est, en ce sens, quasi impossible de tracer un lien de causalité entre un changement significatif d'un des indicateurs et la formation comme telle. Pour ces raisons, l'objectif ultime de l'évaluation des effets de la formation ne devrait pas être de confirmer une quelconque causalité. Il s'agit plutôt de déterminer plus systématiquement quelles sont les retombées observables de la tenue de la formation ; ces retombées peuvent être aussi bien d'ordre quantitatif que qualitatif, pourvu qu'elles accroissent l'efficacité de l'organisation.

1.2. Les déterminants du succès de la formation

Le modèle de Kirkpatrick possède de nombreux avantages : il est simple et permet de mesurer l'efficacité de la formation à divers niveaux d'intégration des apprentissages ; sa reconnaissance et sa popularité auprès des formateurs démontrent sa facilité d'utilisation. Par contre, la principale limite de ce modèle est qu'il ne permet pas de comprendre pourquoi une formation se révèle efficace ou non, ni comment elle pourrait être améliorée.

Haccoun et collab. (1997) proposent de s'attarder aux processus cognitifs et affectifs qui sont reconnus comme déterminants potentiels du succès d'une formation. L'important, selon eux, est de poser un diagnostic plus détaillé pour dégager les paramètres sur lesquels il faut agir pour améliorer l'efficacité de la formation. Aussi, ils présentent quatre nouvelles dimensions à mesurer : le sentiment d'efficacité personnelle, le contrôle perçu, la motivation et le soutien perçu.

1.2.1. Le sentiment d'efficacité personnelle (SEP)

Le SEP est la croyance qu'a un individu dans ses capacités de réussir quelque chose. Au terme d'une formation, plus le SEP est élevé, plus l'apprenant aura le sentiment de pouvoir mettre en pratique les compétences acquises. Par exemple, un coiffeur qui ne croit pas posséder la dextérité ni la précision voulues pour utiliser une paire de ciseaux aura beaucoup de difficultés et de craintes à mettre en pratique les habiletés apprises. Warr et collab. (1999) ont d'ailleurs relevé une corrélation négative importante entre le niveau de difficulté d'un appareil perçu par des apprenants et le niveau d'utilisation de celui-ci après avoir suivi une formation.

Le SEP peut être mesurée tout de suite après la formation ou après un retour au travail. Haccoun et collab. (1997) proposent de poser des questions qui permettent d'évaluer si les apprenants sont confiants de pouvoir utiliser les compétences enseignées au travail. Il s'agit, par exemple, de demander : « À quel point vous sentez-vous capable de... » pour chaque compétence enseignée au cours de la formation. Il est important de choisir soigneusement les comportements à évaluer et de les formuler de façon à ce qu'ils représentent des gestes concrets pouvant idéalement être mesurés au travail.

1.2.2. Le contrôle perçu

Le contrôle perçu se rapporte à la perception qu'a un individu de sa capacité de contrôler les comportements au regard desquels il a reçu une formation. Un individu qui ne sent pas qu'il a une responsabilité directe en ce qui concerne les comportements enseignés manifestera peu d'ouverture aux apprentissages et à la mise en pratique de ces comportements. Par exemple, des superviseurs de premier échelon vont être ouverts à apprendre des techniques d'évaluation du rendement, s'ils croient avoir la responsabilité et l'autonomie de superviser et, le cas échéant, de discipliner leurs subordonnés.

Le contrôle perçu est une dimension qui peut être mesurée avant et après la formation ; normalement, la formation devrait augmenter le contrôle perçu par les apprenants. Les questions posées peuvent commencer ainsi : « Dans quelle mesure croyez-vous pouvoir exercer de l'influence sur... », et ce, pour chaque thème de la formation.

1.2.3. La motivation

Il va sans dire qu'un individu qui est motivé à suivre une formation sera enthousiasmé à l'idée d'apprendre et d'appliquer les nouveaux savoirs. Warr et collab. (1999) ont d'ailleurs démontré que la motivation des apprenants à apprendre permettait de prédire une augmentation du niveau d'apprentissage (niveau 2 de Kirkpatrick). À l'opposé, une personne contrainte à suivre un cours par son supérieur immédiat aura beaucoup de réticence à entrer dans le cycle d'apprentissage[3]. Une personne sera motivée à apprendre si elle considère la formation intéressante, si elle saisit

---

3. Comme nous l'avons vu au chapitre 2, cette personne aura de la difficulté à accepter le stade d'incompétence consciente (« je sais que je ne sais pas »).

bien l'importance des objectifs poursuivis et les accepte et si elle a l'impression que les apprentissages visés par cette formation lui seront utiles.

Il est possible de mesurer la motivation à apprendre avant la formation de même que la motivation à transférer les apprentissages après la formation. Avant la formation, il est possible de demander à l'apprenant à quel point il est en accord avec des énoncés comme ceux-ci : « J'assiste à ce cours de mon plein gré. » « J'ai hâte d'assister à ce cours. » « Même si la participation n'était pas obligatoire, je demanderais d'assister à ce cours. » « Je crois que les enseignements de ce cours me seront très utiles dans mon travail. » Après la formation, les questions ressembleraient plutôt à celles-ci : « Je compte mettre en pratique les enseignements de ce cours dès mon retour au travail. » « Les habiletés enseignées dans ce cours s'appliquent tout à fait à mon contexte de travail. » « Je recommanderais fortement à mes collègues de suivre ce cours. ».

1.2.4. Le soutien perçu

La dernière dimension a trait au soutien que l'apprenant s'attend à recevoir une fois de retour dans son milieu de travail. Plus un employé considère que les apprentissages seront valorisés et qu'il recevra de l'aide de ses collègues et de son supérieur immédiat, plus il sera enclin à faire usage des nouvelles compétences acquises. Nous examinerons cet aspect de plus près dans la sous-section sur le transfert des apprentissages un peu plus loin dans ce chapitre.

Le soutien perçu peut être mesuré après la formation. Ainsi, il est possible d'évaluer la perception du soutien offert par les acteurs pouvant être impliqués dans l'application des apprentissages (supérieur immédiat, subordonnés, collègues, direction, service des ressources humaines, etc.) avec une question comme celle-ci : « Croyez-vous que votre supérieur immédiat va vous aider et soutenir vos efforts pour mettre en pratique les compétences acquises dans ce cours ? »

Contrairement au modèle de Kirkpatrick, les dimensions proposées par Haccoun et collab. permettent de prédire le succès ou l'échec éventuels d'une formation. Lorsqu'un cours ne réussit pas à accroître la motivation, le SEP, le contrôle ou le soutien perçu, ses chances de succès s'amenuisent considérablement. Il peut donc être important de mesurer ces dimensions et d'apporter les ajustements qui s'imposent pour modifier les perceptions des apprenants. Par exemple, si le SEP est très bas au terme de la formation, il serait judicieux d'allonger la formation en ajoutant des modules pratiques et en offrant un soutien personnalisé. En outre, si le degré de soutien perçu se révèle très faible, il serait bon d'impliquer le supérieur immédiat ou des collègues de travail dans une stratégie de transfert des apprentissages.

L'analyse des déterminants fait ressortir les dimensions importantes où l'attention du responsable de la formation doit se porter (voir la figure 6.2). Dans le cas du SEP, il y a un sentiment d'incapacité relié au soi de l'apprenant. Les actions doivent donc se situer au niveau de la sécurisation personnelle et du renforcement positif. Dans le cas du soutien perçu, les actions doivent plutôt viser à démontrer à l'apprenant par des moyens concrets que l'organisation a la volonté de mettre en place les nouveaux savoirs.

Figure 6.2
Les axes des déterminants du succès de la formation

	Environnement interne (soi)	Environnement externe
Capacité	Sentiment d'efficacité personnelle	Contrôle perçu
Volonté	Motivation	Soutien perçu

1.3. Le processus d'évaluation

Ces propos nous amènent à faire deux constatations par rapport à l'évaluation de la formation : d'une part, aucun des quatre niveaux d'évaluation, pris séparément, ne peut suffire à établir la performance réelle du processus de formation ; d'autre part, la prévention est préférable à la constatation des dommages, c'est-à-dire qu'il est important d'évaluer les déterminants du succès de la formation afin d'éviter de se retrouver devant une situation où un programme de formation tout à fait inefficace ait été offert à l'ensemble des employés.

Dans ce contexte, l'évaluation d'une activité de formation peut constituer un exercice relativement important. L'envergure, le type et le format de la formation conditionnent l'utilisation d'un nombre plus ou moins élevé d'indicateurs pour évaluer chacune des dimensions mentionnées ci-dessus.

Les actions suivantes devraient être entreprises pour assurer l'efficacité du processus d'évaluation :

1. Établir, avant la tenue de la formation, les critères et les niveaux d'évaluation qui seront utilisés.

2. Développer des outils valides pour mesurer le ou les critères d'évaluation choisis.

3. Recueillir des données complètes et procéder à une analyse adéquate.

4. Veiller à ce que les coûts engendrés par l'évaluation ne dépassent pas ses bénéfices.

5. Choisir des personnes dont l'objectivité est reconnue pour procéder à l'évaluation.

6. Ne pas laisser les résultats sur une tablette : donner des suites aux conclusions de l'évaluation.

Toutes les considérations qui ont été émises jusqu'à présent prouvent que l'évaluation est une étape importante dans le processus de gestion de la formation ; elles nous démontrent également que les actions à prendre pour maximiser l'efficacité de l'action de formation ne s'arrêtent pas à la diffusion du programme. En fait, dans de nombreux cas, tout se joue après la formation, lorsque l'apprenant se trouve confronté à la réalité du travail où il doit mettre en pratique ce qu'il a appris.

2. Le suivi postformation

Une personne qui participe à une activité de formation peut se montrer satisfaite et considérer qu'elle a acquis de nouvelles compétences ; néanmoins, il se peut qu'aucun résultat concret ne soit observable. En fait, l'activité de formation ne constitue que le début de l'acquisition de nouvelles compétences, et c'est dans leur mise en application qu'elles peuvent être définitivement intégrées par l'individu. À cet égard, Baldwin et Ford (cités dans Garavaglia, 1999) relèvent cinq résultats qu'il est possible d'observer après une formation.

- L'apprenant met en application dans son travail les compétences enseignées. Leur utilisation s'estompe toutefois progressivement jusqu'à ce que l'apprenant se retrouve au même niveau où il était avant la formation.

- Malgré l'acquisition des compétences requises, l'apprenant se trouve, pour diverses raisons, incapable de les utiliser dans son contexte de travail.

- L'apprenant tente de mettre en application dans son travail les compétences enseignées ; mais divers obstacles et/ou un manque de renforcement découragent ses efforts et il reprend ses anciennes façons de faire.

- Le niveau d'apprentissage et de rétention de l'apprenant est insuffisant pour qu'il puisse utiliser les compétences enseignées.

- L'apprenant met en application dans son travail les nouvelles compétences et les intègre graduellement, avec une maîtrise accrue.

Pour espérer observer des retombées positives sur l'organisation, la cinquième résultante est sans doute la plus désirable. Pour y arriver, il est pertinent de réfléchir au processus de transfert des apprentissages ainsi qu'aux moyens pouvant contribuer à le maximiser.

2.1. Le transfert des apprentissages

Malgré tous les efforts pour planifier, organiser et diffuser un programme de formation, nous avons pu constater qu'il n'y a rien qui garantisse que les apprentissages vont être utilisés par les apprenants dans leur milieu de travail. Qui pis est, certaines études, dont celle de Finn (cité dans Ricard, 1992), indiquent que plus de 80 % des habiletés acquises en formation peuvent se perdre après le retour au travail.

Nous avons vu au chapitre 2 (sur les principes andragogiques) que l'apprentissage, pour un adulte, implique une prise de conscience d'un manque, d'un écart entre la situation actuelle et une situation désirée. La prise de conscience de cet écart représente souvent une menace pour l'adulte : il peut douter de sa capacité à apprendre les nouvelles compétences ou à les mettre en pratique. Le cas suivant illustre cette difficulté de transférer des nouvelles compétences en milieu de travail.

Cet exemple démontre bien comment le transfert des acquis peut être difficile. Lorsqu'un individu retourne dans son milieu de travail après avoir suivi une formation donnée, il se heurte souvent, pour ne pas dire toujours, à des obstacles qui n'ont pas été abordés par le formateur. Robinson et Robinson (1995) décrivent les principaux obstacles au transfert des apprentissages. Le tableau 6.6 dresse la liste de ces obstacles en les catégorisant selon leur origine (apprenant lui-même, supérieur immédiat ou environnement de travail).

CAS : La mise à jour informatique à la firme comptable 123

La firme comptable 123 travaille depuis six ans avec des logiciels de traitement de texte en environnement DOS®. Pour chaque client, la firme conserve les rapports année après année. Cette année, la direction décide de suivre la tendance et fait l'acquisition de nouveaux ordinateurs tous équipés de logiciels fonctionnant sous l'environnement Windows®. Elle s'assure également que chaque employé reçoit une formation qui répond aux besoins spécifiques de son poste. La direction ne cache pas qu'elle compte ainsi augmenter le rendement et l'efficacité de ses employés.

Après l'implantation du changement, tout semble bien fonctionner. Les employés ont tous réussi leurs cours en bureautique et ont commencé à utiliser leurs nouvelles habiletés.

La situation change toutefois radicalement lorsque la période des déclarations de revenus arrive ; on remarque alors que la grande majorité des employés évite d'utiliser les nouveaux logiciels et font plutôt appel aux anciennes versions. Après observation, on note que le transfert des anciens fichiers dans les nouveaux logiciels ne se fait pas aisément et que la mise en page des rapports doit être complètement révisée. De plus, en période de forte activité, les employés considèrent qu'ils perdent énormément de temps à chercher comment utiliser telle ou telle fonction alors qu'ils sont très rapides avec les traitements de texte antérieurs.

Tableau 6.6
Obstacles au transfert des apprentissages

Obstacles ayant pour source l'apprenant

– L'apprenant ne voit aucun bénéfice à utiliser la nouvelle compétence
(ou il considère que les désavantages sont plus grands que les bénéfices).

– L'apprenant n'a pas le sentiment de maîtriser suffisamment la compétence
(le SEP).

– L'apprenant n'a pas l'information pour déterminer s'il utilise avec efficacité
la nouvelle compétence.

– L'apprenant n'a pas réussi à mettre en pratique la nouvelle compétence
(il a essayé de la faire mais a subi un échec).

– L'apprenant ne voit pas l'application pratique qu'il pourrait faire de la
nouvelle compétence.

– Les concepts et valeurs qui sous-tendent la nouvelle compétence
sont incompatibles avec ceux de l'apprenant.

Obstacles ayant pour source le supérieur immédiat

– Le supérieur immédiat n'encourage ni ne valorise l'utilisation de la nouvelle
compétence.

– Le supérieur immédiat n'est pas un modèle à suivre (lui-même n'utilise pas
la nouvelle compétence).

– Le supérieur immédiat n'apporte pas d'aide ni de soutien à la mise
en application de la nouvelle compétence, même si l'apprenant lui en fait
la demande.

Obstacles ayant pour source l'environnement de travail

– Plusieurs éléments (manque de temps ou de ressources, environnement
physique inadéquat, procédures et politiques conflictuelles et manque
d'encadrement) font obstacle à l'application de la nouvelle compétence.

– L'apprenant ne reçoit aucun ou très peu de feed-back sur ce qui résultera de
la mise en application de la nouvelle compétence.

– L'utilisation de la nouvelle compétence ne procure aucun avantage ou
bénéfice précis ou, pis encore, entraîne des conséquences négatives
pour l'apprenant (système d'intéressement et de rétribution inadéquat).

L'énumération de ces obstacles nous montre les nombreuses variables qui influencent le transfert des apprentissages dans le contexte de travail. Pour réduire leur influence et augmenter l'efficacité de la formation, le responsable de la formation doit bien comprendre le processus de changement d'un comportement. Pfeiffer et Ballew (1988) affirment que celui-ci est composé de trois étapes.

- _Intégration._ L'apprenant incorpore l'information avec les connaissances et les croyances qu'il possède déjà. La formation vise à l'aider à passer de la position d'incompétence consciente à celle de compétence consciente. Il est généralement possible de mesurer ce passage à l'aide du deuxième niveau d'évaluation de la formation (acquisition des connaissances).

- _Transfert._ Après avoir suivi une formation, l'apprenant utilise, suite à la formation, ces nouvelles habiletés dans son contexte de travail. Il ne s'agit plus d'une expérimentation en milieu contrôlé, et les contraintes de la réalité entravent souvent la mise en application des nouvelles habiletés.

- _Renforcement._ L'apprenant découvre si les nouveaux apprentissages l'aident vraiment à résoudre les divers problèmes qu'il rencontre. Le renforcement vient en quelque sorte lui assurer qu'il a bien fait de modifier ses façons de faire. Il peut s'agir du soutien apporté par un collègue de travail, de l'assistance professionnelle offerte par un supérieur immédiat ou simplement du succès vécu par l'apprenant lorsqu'il met en application les nouvelles habiletés. Sans renforcement, un apprenant qui éprouve des difficultés importantes et qui ne bénéficie d'aucun soutien aura le réflexe de reprendre ses anciennes façons de faire ; il sera par le fait même très réticent à réessayer, car cela aura cultivé chez lui un sentiment d'incompétence.

Dans la réalité, le processus de transformation de nouvelles connaissances en compétences appliquées ne peut toutefois être divisé en étapes clairement distinctes. Généralement, l'apprenant cherchera à mettre en pratique certaines notions apprises. C'est le renforcement qui lui est donné qui l'incitera à poursuivre le processus de transfert. Au fur et à mesure de la progression, il pourra alors mieux intégrer les savoirs, de l'imitation à la maîtrise en passant par l'application (voir au chapitre 3). Au départ, les nouvelles compétences peuvent être modelées et répétées. Les principes clés du comportement sont identifiés et expliqués et ils peuvent être repérés lorsque pratiqués par d'autres. Par la suite, l'apprenant prend conscience de l'effet de ces principes clés et peut commencer à les appliquer dans d'autres contextes de travail.

Les principes se généralisent progressivement jusqu'à ce qu'ils soient complètement appropriés et maîtrisés. Pour finir, l'apprenant *ne sait plus qu'il sait,* ce qui lui permet de créer pour lui-même ses propres modèles avec son propre vocabulaire.

Pour favoriser le transfert des apprentissages, il importe de concevoir des stratégies de renforcement, et ce, avant même de donner la formation et de mettre sur pied des mécanismes de suivi postformation.

2.2. Les moyens pour favoriser le transfert des apprentissages

Tout au long de cet ouvrage, nous avons vu que la formation était composée d'une suite d'actions visant l'acquisition et surtout l'utilisation dans le milieu de travail de nouveaux savoirs. Nous avons vu notamment qu'il existe des conditions à respecter pour que se produise un transfert des apprentissages.

–   La formation doit être cohérente avec les orientations de l'organisation et adaptée aux individus visés par la formation.

–   Les apprenants doivent voir la pertinence d'appliquer ce qui leur est enseigné.

–   La formation doit permettre l'acquisition des savoirs désirés.

–   Les apprenants doivent avoir un sentiment d'efficacité personnelle (SEP) suffisant.

–   Les apprenants doivent avoir des occasions d'utiliser ce qu'ils ont appris.

–   Les apprenants doivent bénéficier de soutien ou de renforcement au cours de la période de transfert.

En outre, plusieurs stratégies peuvent être utilisées pour soutenir l'acquisition et la mise en application des compétences enseignées au cours de la formation. Le tableau 6.7 propose divers moyens à mettre en œuvre avant, pendant et après la formation pour maximiser l'utilisation des apprentissages dans le contexte de travail.

Tableau 6.7
Moyens pour favoriser le transfert des apprentissages

Individus visés par la formation	Environnement de travail	Programme de formation
Moyens pouvant être utilisés AVANT la formation		
– Les consulter lors de l'analyse des besoins. – Les informer au préalable des objectifs, du contenu et de la méthodologie de formation. – Leur donner une description des compétences clés attendues. – Fournir une activité de préparation individuelle. – Manifester l'engagement de la direction et exposer les enjeux de la formation.	– Impliquer le plus d'individus possible dans la formation (pour créer un effet d'entraînement). – Former les supérieurs immédiats et hiérarchiques. – Identifier des personnes qui soutiendront le transfert des apprentissages (supérieurs immédiats, collègues ou autres). – Créer des groupes de soutien à l'apprentissage.	– Suivre le processus de gestion de la formation. – S'assurer de l'adéquation entre la formation, les objectifs de l'organisation et les besoins des individus concernés. – Identifier les critères et les indicateurs qui serviront à l'évaluation de la formation. – Identifier les moyens pour favoriser le transfert des apprentissages. – Coordonner la formation et s'assurer de sa cohérence avec les autres actions de gestion. – Impliquer des membres de l'organisation dans la diffusion du programme (employé modèle, gestionnaire « champion », etc.). – S'assurer que le formateur connaît bien les valeurs et la réalité de l'organisation.

Tableau 6.7 (suite)
Moyens pour favoriser le transfert des apprentissages

Individus visés par la formation	Environnement de travail	Programme de formation
Moyens pouvant être utilisés PENDANT la formation		

Individus visés par la formation

- Rappeler les objectifs de la formation et les enjeux pour l'organisation.
- Favoriser la mise en pratique immédiate.
- Favoriser la création de groupes de soutien et d'entraide au cours de la formation.
- Faire élaborer un plan d'action individuel ou de groupe au terme de la formation (un suivi avec le supérieur immédiat ou un groupe de soutien doit idéalement être planifié).
- Discuter ouvertement de l'utilité des apprentissages et des obstacles à leur transfert.
- Donner un feed-back spécifique et individuel.

Environnement de travail

- Favoriser l'établissement d'ententes entre les individus visés et leur supérieur immédiat concernant la mise en application des apprentissages.
- Délester les individus visés d'une partie de leurs obligations habituelles pour qu'ils puissent concentrer leur attention sur l'apprentissage.

Programme de formation

- Préférer la pratique à la théorie.
- Prendre en considération les expériences et les acquis antérieurs des participants.
- Utiliser des exemples et des exercices qui ressemblent au contexte de travail des participants.
- Utiliser une variété de méthodes d'enseignement et les choisir en fonction des objectifs de la formation.
- Tracer régulièrement des parallèles entre les sujets abordés et la réalité des apprenants et discuter les moyens de les mettre en application.
- Impliquer des individus qui ont appliqué avec succès les apprentissages dans la formation de nouveaux employés (à titre de personne-ressource ou de formateur.)

Tableau 6.7 (suite)
Moyens pour favoriser le transfert des apprentissages

Individus visés par la formation	Environnement de travail	Programme de formation
Moyens pouvant être utilisés APRÈS la formation		
– Encourager l'expérimentation et accorder le droit à l'erreur. – Reconnaître les efforts individuels et les succès obtenus. – Évaluer le niveau de transfert des apprentissages et identifier les blocages.	– S'assurer que certaines personnes puissent montrer l'exemple pour la mise en application des nouvelles façons de faire (superviseur, pairs, etc.). – Fournir les outils et les ressources pour permettre la mise en application des apprentissages. – Accepter une baisse de productivité temporaire. – Créer des groupes d'amélioration continue. – Proposer des actions de gestion pour favoriser le déploiement des nouveaux apprentissages. – S'assurer de la cohérence des systèmes d'intéressement et de récompenses avec les compétences à mettre en application. – Responsabiliser les supérieurs immédiats des individus visés pour la mise en application des apprentissages. – Mettre en place des conditions matérielles et symboliques pour favoriser le transfert.	– Fournir un aide-mémoire aux participants (par exemple, une carte plastifiée) qui reprend les principaux éléments de la formation. – Offrir une assistance professionnelle individualisée (*coaching*) pour soutenir les apprenants à mettre en pratique leurs apprentissages (particulièrement approprié pour le savoir-être). – Organiser une session de suivi postformation pour faire le point sur les difficultés rencontrées et sur les solutions à envisager. – Remettre aux apprenants des documents et des outils pertinents pour poursuivre leur réflexion et leurs apprentissages sur le thème de formation. – Mettre en place un système de compagnonnage. – Confier à un groupe d'apprenants la réalisation d'un projet au sein de l'organisation pour qu'ils puissent mettre en pratique leurs apprentissages.

2.3. Les activités de suivi à la formation

Pour un grand nombre de formations, l'apprentissage peut s'avérer relativement difficile et l'intégration complète des nouveaux savoirs, longue et difficile. Lorsque les compétences enseignées relèvent davantage du savoir-être ou de savoir-faire non technique, il peut être long pour un apprenant d'atteindre la phase de compétence consciente (« je sais que je sais »). Dans un tel contexte, il est pertinent de tenir des activités de suivi à la formation ; celles-ci agissent comme renforcement et améliorent l'intégration des apprentissages en plus d'accroître la probabilité d'un changement réel de comportement.

Nous avons présenté dans le tableau 6.7 différents moyens pouvant contribuer à augmenter le transfert des apprentissages ; plusieurs de ces moyens, dont les activités de suivi, s'inscrivent directement dans le cadre du programme de formation. Voici quelques-unes des formes que peut prendre une activité de suivi à la formation :

- *Session de suivi postformation.* Il s'agit d'une rencontre formelle de groupe qui se tient à la suite d'une formation. Nous décrirons plus en détail cette activité un peu plus loin.

- *Assistance professionnelle individualisée (coaching).* Cette activité consiste à offrir un soutien individuel à l'apprenant qui a suivi une formation de manière à renforcer la pratique des compétences désirées et à augmenter son sentiment d'efficacité personnelle ainsi que sa motivation à utiliser les apprentissages. L'assistance professionnelle peut être offerte par un consultant externe ou une personne expérimentée dans la pratique des compétences désirées ; dans les deux cas, la personne doit connaître les principes d'andragogie et avoir des aptitudes pour jouer ce rôle.

- *Compagnonnage.* Le compagnonnage (*buddy system*) vise à jumeler des apprenants pour qu'ils s'entraident dans leur processus d'apprentissage. Ici aussi, l'objectif est de donner du renforcement et d'augmenter la motivation à mettre en pratique les apprentissages. Bien sûr, dans une telle situation, les apprenants doivent être ouverts à la formation et convaincus de l'importance d'acquérir et de maîtriser les compétences enseignées, sinon on observera plutôt un renforcement négatif, c'est-à-dire qu'ils vont se liguer contre la formation.

– _Gestion d'un projet._ Comme pour la technique d'enseignement du même nom (voir au chapitre 7), cette technique vise à constituer une équipe de travail pour mettre en pratique les nouvelles compétences dans le cadre d'un projet concret à réaliser au sein de l'entreprise. Ce projet ne doit toutefois pas être trop complexe ni avoir une importance critique pour l'organisation. L'attention des apprenants ne doit pas être concentrée que sur les résultats à atteindre, mais aussi sur leurs apprentissages et sur les façons de mettre en pratique les compétences apprises. Il est donc bon que la gestion du projet soit sous la responsabilité d'un facilitateur qui sera attentif au processus d'intégration des apprentissages.

2.3.1. La session de suivi postformation

L'organisation d'une session de suivi est recommandée lorsque les compétences à acquérir sont difficiles à transférer ; on pense notamment aux habiletés interpersonnelles et managériales (savoir-faire et savoir-être). La session de suivi donne une occasion aux apprenants de se retrouver pour échanger et s'entraider ; l'objet principal de la rencontre n'est donc pas l'enseignement, mais plutôt les préoccupations et les actions des apprenants.

À titre d'exemple, une session de suivi peut être tenue dans le cadre d'une formation de deux jours sur la gestion du temps ; celle-ci pourrait avoir une durée d'une demi-journée et se tenir cinq semaines après la fin de la formation. Lors de cette rencontre, le formateur et les participants discutent de la mise en pratique des notions de gestion du temps qui ont été abordées et en profitent pour proposer des solutions aux obstacles rencontrés. En se rappelant certains éléments théoriques et en écoutant les suggestions de ses collègues, chaque participant peut identifier des actions à prendre pour favoriser l'application des nouvelles compétences et ainsi renforcer le processus d'apprentissage.

On constate donc que l'objectif d'une telle rencontre de suivi est triple.

- Elle permet à chaque participant de discuter de ses préoccupations au sujet de la mise en pratique des compétences enseignées au cours de la session de formation à laquelle il a participé.

- Elle cherche à favoriser le partage des idées, des moyens et des solutions pour améliorer l'intégration des apprentissages en profitant de l'éclairage des collègues de travail et du formateur.

- Elle vise à encourager la création d'un réseau de collaboration et de soutien dont l'activité peut se prolonger au-delà de la rencontre.

Durant ces rencontres, le rôle du formateur consiste principalement à agir à titre d'animateur ; il cherche à stimuler les échanges pour que chaque participant réfléchisse à son propre apprentissage et profite au maximum de la contribution de ses collègues dans l'analyse de sa propre situation. Le formateur doit toutefois éviter de reprendre de grandes parties du contenu abordé lors de la session de formation ; il doit laisser la parole aux participants et, si nécessaire, il peut rappeler certains principes et exemples vus durant la formation.

Selon Archambault (1997), quatre conditions sont nécessaires au succès d'une telle rencontre :

- L'organisation d'une session de suivi doit être planifiée dès le départ et intégrée au programme de formation. Les participants doivent notamment pouvoir échanger, durant la formation, sur la forme et le contenu de cette session de suivi.

- Les participants doivent percevoir que leur formation est soutenue par la direction et leur supérieur immédiat et que l'application des compétences apprises est importante pour l'amélioration de l'organisation.

- La date de la session de suivi doit être à la fois suffisamment rapprochée de la formation pour que ses effets ne soient pas dissipés et suffisamment éloignée pour donner le temps aux apprenants de tester leurs apprentissages (une période de trois à six semaines convient généralement).

–   Pour favoriser l'ouverture, les échanges et l'entraide, le groupe devrait être composé d'un petit nombre de participants (six à huit) ayant chacun des rôles et des responsabilités semblables.

–   L'animateur de la session doit bien connaître l'organisation et maîtriser le contenu de la formation (idéalement, il s'agit du formateur lui-même). Il importe en outre qu'il prépare la session de suivi en fonction des préoccupations des participants. Le tableau 6.8 reproduit un questionnaire pouvant leur être envoyé deux semaines avant la session de suivi.

Tableau 6.8
Questions de préparation à une session de suivi

– Durant les semaines qui ont suivi la formation, vous avez rencontré différentes situations et avez eu à résoudre divers problèmes :
  • Vous est-il arrivé de faire consciemment appel à des éléments qui ont été couverts au cours de la session de formation ?
     Si oui, dites lesquels et ce qui s'est passé.
  • Avez-vous identifié des comportements, des habitudes ou des façons de faire que vous devriez changer pour mieux mettre en pratique les nouveaux apprentissages (faire telle chose que vous ne faisiez pas avant, procéder différemment dans une telle situation, etc.) ?
     Si oui, dites lesquels et expliquez pourquoi.

– Pour mettre en pratique les connaissances et les habiletés enseignées pendant la formation :
  • Indiquez les principaux obstacles que vous devez surmonter.
  • Indiquez les principaux facteurs qui vous facilitent la tâche.

– Quel genre de questions aimeriez-vous poser à vos collègues qui seront présents à la rencontre ?
  Voici des exemples : « Qu'auriez-vous fait dans telle situation ?
  Que me conseillez-vous de faire devant un tel problème ?
  Qu'est-ce qui peut arriver si l'on fait telle chose de telle façon ? »

– Quelles sont vos attentes par rapport à cette rencontre de suivi ?

En résumé, on constate que l'évaluation d'une activité de formation et le suivi postformation sont des étapes essentielles du processus global de gestion de la formation qui doivent s'appuyer sur les activités quotidiennes de l'entreprise. On a pu voir que, pour y arriver, il y a un ensemble de facteurs à considérer à l'intérieur des systèmes complexes que sont les organisations d'aujourd'hui, et ce, autant avant, pendant et après la diffusion de la formation. On est alors bien loin de la conception de la formation comme étant la tenue d'un cours à un moment précis dans le temps.

La formation doit être perçue comme une activité stratégique importante aux yeux des employés participants et des gestionnaires qui y investissent de nombreuses ressources. En somme, le succès d'une formation repose sur la cohérence et la coordination des efforts qui sont pris par l'ensemble des acteurs de l'organisation. C'est dans la mise en place des différents facteurs que nous avons couverts dans cet ouvrage qu'il est possible, ultimement, de créer une organisation qui soutient sur une base continue l'acquisition et le développement des compétences, autrement dit, une organisation apprenante.

CHAPITRE **7**

Les techniques d'enseignement

La répétition est la mère de l'apprentissage et le père de l'action,
ce qui en fait l'architecte de l'accomplissement.
ZIGLAR

Lors de la conception et de la diffusion d'une activité de formation, nous avons vu que le formateur doit adopter à la fois une méthode et des techniques d'enseignement variées afin d'avoir une approche adaptée au contexte de formation des adultes. Nous décrirons dans ce chapitre les méthodes d'enseignement et quelques techniques d'enseignement, et nous présenterons les critères qui peuvent aider à choisir une démarche d'enseignement efficace et appropriée.

1. Les méthodes d'enseignement

Selon Noyé et Piveteau (1993), les méthodes d'enseignement reposent sur un ensemble de principes qui orientent la conception de l'apprentissage et de l'approche d'enseignement. Il en existe trois familles : les méthodes affirmatives, interrogatives et actives.

1.1. Les méthodes affirmatives

Les méthodes affirmatives, aussi appelées didactiques, comportent un programme clairement établi, découpé selon une progression logique et diffusé intégralement par le formateur. Ces méthodes peuvent être expositives ou démonstratives.

1.1.1. La méthode expositive

La méthode expositive vise à diffuser un savoir suivant l'approche affirmative ; elle suppose que le formateur détient les connaissances et les transmet à l'aide de notes écrites ou de supports visuels. On présume alors, à tort ou à raison, que les participants ignorent tout du contenu abordé et qu'ils adopteront une position réceptive et passive. La méthode expositive laisse peu d'initiative à l'apprenant qui doit mémoriser, comprendre et accepter le modèle tel qu'il lui est présenté, ce qui peut souvent ne pas convenir pour la formation des adultes[1]. Les techniques d'enseignement reliées à cette méthode sont l'exposé et l'utilisation d'acétates, de films ou de montages audiovisuels.

1.1.2. La méthode démonstrative

La méthode démonstrative vise à diffuser un savoir-faire suivant l'approche affirmative. Encore ici, le formateur est celui qui possède les connaissances et qui doit les transmettre par des démonstrations ou des expériences. Il peut également « faire faire » aux apprenants en leur demandant de reproduire ou d'expérimenter les habiletés démontrées. La démonstration et l'expérimentation sont les deux techniques d'enseignement qui soutiennent cette méthode.

1.2. Les méthodes interrogatives

À partir d'un ensemble de questions qu'il a élaborées, le formateur tente de faire découvrir à l'apprenant ce qu'il veut lui faire apprendre. Cette méthode détournée permet à l'apprenant de cheminer par lui-même tout en étant guidé habilement par les questions que pose le formateur. Pour faciliter ce cheminement, le formateur souligne les « bonnes » et les « mauvaises » réponses en renforçant les premières et en ne commentant pas les dernières ou, tout simplement, en expliquant « l'erreur ».

Les méthodes interrogatives incitent les apprenants à participer activement à l'activité de formation en les aidant à acquérir de nouvelles compétences par le partage et l'échange de leurs

---

1. Comme nous l'avons vu au chapitre 2, un apprenant adulte devant une situation qu'il ne comprend pas aura tendance à rejeter ce qui lui est présenté plutôt qu'à l'accepter passivement.

connaissances et de leurs expériences. Il s'agit donc ici de poser les bonnes questions et de bâtir le contenu sur les propos des apprenants en formation.

Contrairement aux méthodes démonstratives, les méthodes interrogatives ne font pas appel à des techniques d'enseignement précises (malgré le fait qu'elles peuvent être directement associées à l'exposé interactif et à la discussion). Le formateur peut tirer profit des méthodes interrogatives en recourant à la plupart des techniques d'enseignement. À titre d'exemple, les questions du formateur peuvent chercher à :

- vérifier un acquis à la suite d'un exposé ;

- éclairer sur une réalité qui semble confuse pour les participants lors d'une activité structurée ;

- guider la réflexion d'un individu au cours d'une discussion ;

- encourager l'esprit d'initiative afin de rendre les participants plus autonomes dans le cadre de la gestion d'un projet.

1.3. Les méthodes actives

Les méthodes actives sont basées sur le principe selon lequel une personne apprend mieux à partir de sa propre expérience. En utilisant ces méthodes, le formateur ne découpe pas à l'avance la matière enseignée ; il veille plutôt à guider le groupe d'apprenants dans la résolution d'un problème donné à travers un cheminement logique qui lui est propre.

La méthode active ne vise pas uniquement à faciliter l'apprentissage en faisant appel à une activité pratique ou à la résolution d'un problème. Il faut que le problème permette à l'apprenant de partir du concret, de son expérience, pour mieux saisir les concepts théoriques ou le contenu de la formation. L'apprenant est, par définition, actif dans sa démarche d'apprentissage et il participe, par le fait même, à l'enseignement des autres apprenants. En plus de guider le groupe, le formateur doit encourager et aider les participants tout au long du processus de découverte ; il doit aussi établir les liens nécessaires à l'intégration et aux transferts des apprentissages dans leur réalité professionnelle.

La figure 7.1 schématise les différentes méthodes d'enseignement.

Figure 7.1
Méthodes d'enseignement

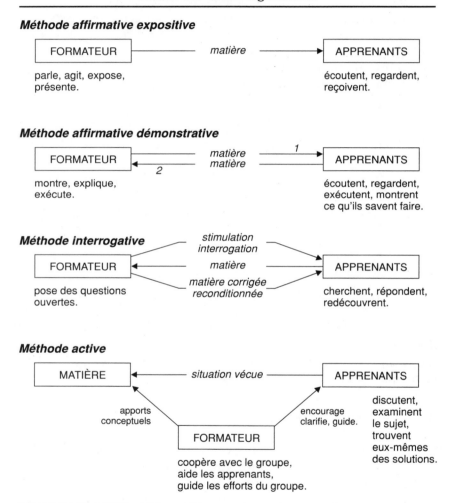

Méthode affirmative expositive

FORMATEUR —————— *matière* ————→ APPRENANTS

parle, agit, expose,   écoutent, regardent,
présente.   reçoivent.

Méthode affirmative démonstrative

FORMATEUR ←——— *matière* ———¹—→ APPRENANTS
            ²   *matière*

montre, explique,   écoutent, regardent,
exécute.   exécutent, montrent
                                                     ce qu'ils savent faire.

Méthode interrogative

stimulation
interrogation
FORMATEUR ←——— *matière* ———→ APPRENANTS
            matière corrigée
            reconditionnée

pose des questions   cherchent, répondent,
ouvertes.   redécouvrent.

Méthode active

MATIÈRE ←——— *situation vécue* ——— APPRENANTS

apports   encourage   discutent,
conceptuels   clarifie, guide.   examinent
                                                   le sujet,
         FORMATEUR   trouvent
                                                   eux-mêmes
coopère avec le groupe,   des solutions.
aide les apprenants,
guide les efforts du groupe.

Source : F. GALLIGANI (1978). *Préparation et suivi d'une activité de formation*, Paris, Éditions d'Organisation, p. 94-95 (reproduction avec l'autorisation de l'éditeur).

2.   Quelques techniques d'enseignement

Les méthodes d'enseignement reposent plus précisément sur ce qu'on appelle les techniques d'enseignement, qui sont en fait des stratégies pour transmettre la matière de la formation. Il existe un large éventail de techniques d'enseignement si l'on tient compte de celles qui peuvent s'associer à chacune des méthodes d'enseignement ainsi que de toutes leurs variantes.

Huit de ces techniques, considérées comme les plus importantes et les plus fréquemment utilisées, sont décrites dans les pages qui suivent : l'exposé, la démonstration, la discussion, l'entraînement à la tâche, l'étude de cas, l'activité structurée, le jeu de rôle et la gestion de projet. La figure 7.2 illustre la manière dont chacune de ces techniques s'ordonne suivant le degré d'implication requis de l'apprenant.

Chacune des techniques est présentée de façon structurée. Après une brève introduction, nous décrivons ses principes, les caractéristiques de son déroulement, le contexte où son utilisation est le plus approprié et, enfin, ses limites possibles et réelles.

Figure 7.2
Degré d'implication de l'apprenant au regard
de la technique d'enseignement utilisée

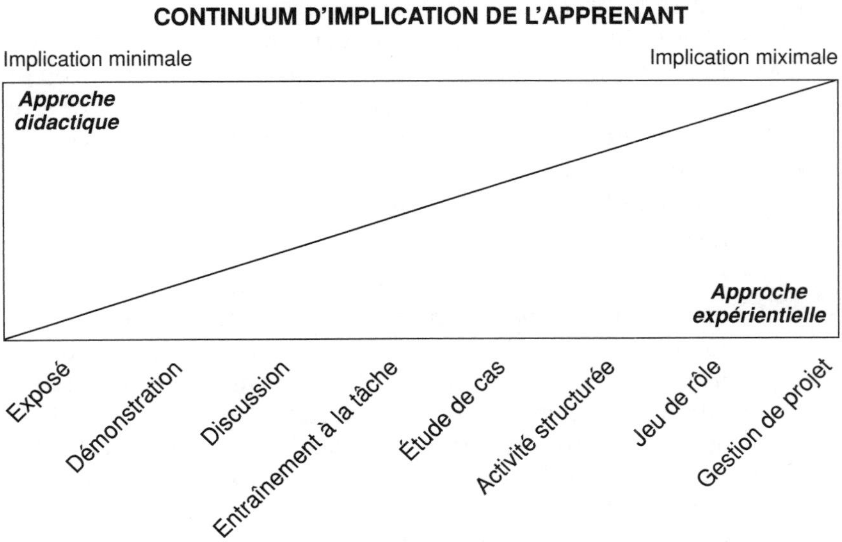

CONTINUUM D'IMPLICATION DE L'APPRENANT

Implication minimale   Implication miximale

Approche didactique

Approche expérientielle

Exposé Démonstration Discussion Entraînement à la tâche Étude de cas Activité structurée Jeu de rôle Gestion de projet

2.1. L'exposé

L'exposé, technique d'enseignement traditionnelle la plus utilisée, permet au formateur de transmettre verbalement ses connaissances à un individu ou à un groupe de participants. Simple et peu coûteuse, cette technique offre la possibilité de transmettre une grande quantité d'informations dans un laps de temps réduit et prédéterminé ; elle se fonde avant tout sur l'expertise du formateur et suscite peu l'implication des participants.

2.1.1. Principes

La technique de l'exposé peut se présenter sous les trois formes suivantes :

1. L'*exposé magistral* constitue une allocution plutôt formelle. Le formateur peut avoir pour fonctions d'informer, d'expliquer, de motiver ou d'offrir un retour d'information. L'efficacité de l'exposé magistral dépend généralement des qualités de communicateur du formateur.

2. L'*exposé interactif* est un échange verbal entre le formateur et un groupe de participants sur un thème précis ; son aspect interactif l'apparente à la discussion. Toutefois, le formateur y joue un rôle actif, autant en matière de contenu que de procédure ; il n'agit donc pas uniquement à titre d'animateur.

    L'exposé interactif vise le développement du savoir de l'apprenant en prenant appui sur ses connaissances et ses expériences actuelles. Dans un petit groupe, cette technique favorise la participation et le partage des expériences de chacun, y compris du formateur, ce qui est impossible lorsque la formation est diffusée à un grand groupe.

3. L'*exposé multimédia*, variante de l'exposé magistral, éveille davantage les sens des participants en utilisant différentes technologies audiovisuelles et informatiques. L'exposé multimédia peut accroître la rétention de l'information par les participants en maintenant leur intérêt et leur attention sur une plus longue période. Il ne favorise toutefois pas l'échange et l'interaction entre les participants et le formateur. Il faut éviter ici que la forme de l'exposé ne prenne le pas sur le contenu à diffuser.

2.1.2. Déroulement

L'efficacité d'un exposé repose sur un déroulement structuré, une intention claire, et sur les habiletés de communicateur du formateur. Cette efficacité se révélera par le degré de compréhension et de rétention du contenu par les participants.

1. Préparation et présentation d'un résumé d'ouverture

L'introduction d'un exposé poursuit deux objectifs : susciter l'intérêt et informer des intentions du formateur. D'une part, le formateur doit capter l'attention et éveiller la curiosité des participants. À cette fin, nous verrons plus loin qu'une anecdote, une question ou un exemple bien raconté et opportun peuvent être particulièrement utiles. D'autre part, le formateur doit faire part de ses intentions au début de l'exposé, c'est-à-dire présenter la matière qu'il compte couvrir et son objectif ; il s'agit ici d'établir le cadre d'apprentissage.

*2. Développement d'une structure logique
    et soulignement des concepts clés*

En préparant son exposé, le formateur doit suivre une structure logique et relever les concepts clés qu'il désire communiquer ; le but visé est de maximiser la rétention. La logique utilisée, la répétition des points essentiels et l'emploi d'exemples et d'analogies peuvent grandement l'aider. Lorsque l'exposé aborde des éléments plus techniques ou complexes, le formateur doit prendre le temps de bien les définir et, ensuite, de donner des exemples d'application.

*3. Utilisation de supports visuels et animation
    de la présentation*

Brandt (cité dans Powers, 1992) affirme qu'un formateur peut parler à une vitesse approximative de 125 à 145 mots à la minute. L'esprit d'une personne peut, pour sa part, absorber quatre à cinq fois plus d'information durant la même période. Pendant un exposé, un apprenant peut donc concentrer son esprit sur divers éléments susceptibles d'attirer son attention. Les supports audiovisuels visent à contribuer à rattraper cet esprit pour le garder actif et à capter l'attention inutilisée.

Ainsi, en plus d'employer une voix au ton et au débit variés ainsi que des déplacements et des mouvements occasionnels, le formateur aura avantage à recourir à divers outils audiovisuels. Le tableau 7.1 présente des conseils généraux pour l'utilisation de ce type de supports et décrit de façon plus détaillée les trois supports les plus utilisés (tableau-papier, rétroprojecteur et vidéo).

4. Présentation d'un résumé de clôture

Des études ont montré que les gens ont généralement tendance à ne se souvenir que des premiers et des derniers mots d'un exposé. Il est donc essentiel que le formateur revienne à la fin sur les éléments clés de son exposé et qu'il rappelle les intentions qu'il à formulées lors de l'introduction.

Tableau 7.1
Principaux supports audiovisuels à la formation

Conseils généraux

– Les supports ne visent pas à remplacer le formateur, mais plutôt à améliorer l'apprentissage et la rétention du contenu.
– Une présentation trop sophistiquée sur le plan multimédia distraira le participant du contenu que vous devez enseigner.
– Il faut éviter de noyer la présentation dans une multitude d'appareils et de tableaux ; les supports visuels à la formation doivent demeurer accessoires et liés aux objectifs de formation.
– Assurez-vous de bien comprendre le fonctionnement de chaque appareil utilisé et de savoir quoi faire en cas de problèmes mineurs.
– Assurez-vous que les supports ne reproduisent que les points clés du contenu, et non l'ensemble de ce que vous avez à présenter.
– Utilisez un vocabulaire simple et clair.
– On dit qu'«une image vaut mille mots» ; ainsi, une figure ou un diagramme pourra avoir beaucoup plus d'impact qu'un interminable exposé.

Tableau-papier (_flip chart_)

Avantages	**Désavantages**
– Il est disponible partout.	– Il peut être difficile à voir par tous dans de grands groupes.
– Il est très flexible et facile à utiliser.	
– Il peut être utilisé par le formateur ou les participants pour insister sur les points importants.	– Le formateur peut avoir une mauvaise écriture ou écrire trop lentement.
– Il est très pratique pour enregistrer les commentaires des participants et ses feuilles peuvent être affichées sur les murs.	– Le formateur peut facilement faire des fautes d'orthographe.
– Les erreurs sont facilement corrigées.	
– Les feuilles peuvent être préparées à l'avance ou rédigées pendant le cours.	

Tableau 7.1 (suite)
Principaux supports audiovisuels à la formation

Tableau-papier (*flip chart*) (suite)

Conseils

- Utilisez généralement deux tableau-papier et, le cas échéant, un par sous-groupe.
- Positionnez le tableau-papier de façon à ce qu'il soit bien éclairé et que tous les participants puissent le voir.
- Écrivez en lettres manuscrites avec de gros caractères.
- Évitez de tourner le dos aux participants en écrivant ; placez vous plutôt sur le côté du tableau-papier.
- N'écrivez pas plus de 5 à 10 lignes par feuille (s'il y a trop de contenu à écrire, utilisez le deuxième tableau-papier).
- Préparez les diagrammes et les figures complexes à l'avance (marquez ces feuilles d'un ruban adhésif plié en deux sur le côté de la feuille).
- Inscrivez à l'avance des notes au crayon sur les feuilles du tableau-papier pour vous rappeler ce que vous voulez écrire (au lieu d'utiliser des fiches).
- Ayez toujours à la portée de la main des marqueurs et des feuilles supplémentaires.

Rétroprojecteur (normal ou électronique)

Avantages	Désavantages
- Il est disponible partout (sauf dans le cas des projecteurs électroniques).	- Il est moins flexible que le tableau-papier.
- Il est facile à utiliser.	- Bien que cela arrive rarement, la lampe peut brûler.
- Il peut être utilisé aussi bien avec de grands groupes qu'avec des petits.	- S'ils n'ont pas de cadre, les acétates peuvent être glissants et se mélanger aisément.
- Les acétates peuvent être préparés à l'avance ou dessinés sur place.	- La navigation avec l'ordinateur peut être ardue et exige une certaine pratique (retour en arrière et changement d'ordre).
- L'utilisation de l'ordinateur permet d'apporter de l'animation et de la couleur.	- S'il écrit, le formateur peut faire des fautes d'orthographe.
- Les acétates peuvent servir de guide au formateur et lui indiquer où il est rendu.	

Conseils

- Placez et testez l'équipement avant le début de la formation.
- Positionnez l'écran pour que tous les participants puissent le voir et pour éviter le reflet des lumières.
- N'écrivez pas plus de cinq à huit lignes par acétate.
- Si vous écrivez à la main, privilégiez les gros caractères.
- Numérotez les acétates et inscrivez sur les cadres des notes importantes au besoin.
- Éteignez le projecteur lorsque vous ne vous y référez pas, sinon cela peut déconcentrer les participants.

Tableau 7.1 (suite)
Principaux supports audiovisuels à la formation

Vidéo et caméra d'enregistrement

Avantages	Désavantages
– Il permet de voir des équipements qu'il est difficile d'avoir dans une salle de classe.	– Il est rare de trouver un enregistrement vidéo de formation qui correspond parfaitement à nos besoins.
– Il permet de visionner des vidéocassettes de formation (plusieurs titres sont disponibles chez certains fournisseurs).	– La technique de feed-back vidéo est utile surtout pour les petits groupes.
– Il est relativement facile à utiliser (sauf peut-être pour la caméra vidéo).	– L'équipement doit être disponible sur place, car il est difficile à transporter.
– Il permet aux participants de voir leur performance (feed-back vidéo) et peut donc servir à l'apprentissage de savoir-faire et de savoir-être.	– L'image télévisuelle a tendance à accentuer les mouvements et les expressions, ce qui peut être négatif pour le feed-back.

Conseils

– Visionnez les vidéos de formation à l'avance et prévoyez les liens à faire et les questions à poser pour bien l'intégrer au contenu de la formation.

– Installez et testez l'équipement avant la formation.

– Évitez de visionner un enregistrement vidéo après le dîner ou en fin de journée.

– Si vous comptez utiliser une caméra pour enregistrer :
  – assurez-vous d'avoir suffisamment de cassettes vierges ;
  – demandez aux participants d'inscrire leur nom et le numéro du compteur avant de débuter l'enregistrement.

2.1.2. Stratégies pour éveiller l'intérêt des participants

La pertinence du contenu d'un exposé suffit rarement à capter et à maintenir l'intérêt d'un groupe. Selon Cormier (1992), le formateur devrait recourir à différentes stratégies pour intéresser les participants : un exercice d'introduction, une histoire ou une anecdote, un test, un problème ou une vue d'ensemble du contenu présentée de façon vivante.

> – L'*exercice d'introduction* consiste à réaliser une activité heuristique avant la présentation formelle de l'exposé. Comme nous l'avons mentionné au chapitre 4, cette activité permet à l'apprenant de s'interroger et de réfléchir à ce qu'il peut retirer de l'exposé. Par exemple, le for-

mateur peut introduire l'exposé avec une mise en situation ou un court questionnaire d'auto-évaluation. Évidemment, cet exercice doit être directement lié au thème de la formation.

– Les *histoires* et les *anecdotes* peuvent se révéler précieuses pour illustrer des notions abstraites et pour ajouter de l'humour à l'exposé. Il faut toutefois éviter que la formation devienne le prétexte à une série d'histoires à travers lesquelles le formateur tente de se valoriser. Il est important de garder à l'esprit que l'objectif primordial de la formation est l'acquisition de nouvelles connaissances ou d'habiletés.

– Le *test* de type « vrai ou faux » peut être une façon simple d'introduire le contenu d'un exposé il permet aux apprenants de vérifier leurs connaissances et de prendre conscience des apprentissages potentiels qu'ils peuvent faire.

– Débuter la formation avec un *problème* concret apporté et vécu par les participants et lié au contenu de la formation peut être également une façon intéressante d'éveiller leur l'intérêt ; mais avec une telle stratégie, il est difficile de trouver un problème suffisamment général pour qu'il touche l'ensemble des participants. Cette technique sera donc utilisée de préférence avec un groupe homogène ou provenant d'une même organisation.

– Finalement, une *vue d'ensemble du contenu* présentée de façon enthousiaste et dynamique peut piquer la curiosité et capter l'attention des participants.

2.1.3. Utilisation

Comme nous l'avons mentionné, sa simplicité et son coût rend l'exposé pratique et fort répandu. Par ailleurs, l'exposé peut aisément être combiné à d'autres techniques d'enseignement ; il est aussi très utile seul, grâce à sa flexibilité et à sa polyvalence. L'exposé peut servir, par exemple, à résumer une analyse, à exposer une théorie, à décrire une nouvelle procédure de travail ou à présenter l'état d'avancement d'un projet. Il permet de souligner les aspects importants du contenu à considérer et à intégrer. Il est donc particulièrement adéquat pour la transmission de savoirs et de connaissances.

2.1.4. Limites

La principale limite de l'exposé est la difficulté d'obtenir un niveau de rétention élevé chez les apprenants. Dans un monde où les sens sont constamment sollicités, l'exposé fait figure de parent pauvre ; son caractère souvent monotone combiné à la position passive des apprenants nuisent aux apprentissages. Dans l'optique de garder une bonne dynamique durant la formation, un exposé ne devrait jamais durer plus de 30 minutes. Par ailleurs, le manque d'interaction ne permet pas au formateur de vérifier si son message est correctement compris. L'exposé se prête donc beaucoup moins bien à l'acquisition de savoir-faire et de savoir-être qu'à la transmission de savoirs.

2.2. La démonstration

La démonstration est une technique d'enseignement fréquemment utilisée dans le cadre de formations techniques où l'apprentissage par imitation est adopté ; elle peut se faire en groupe ou avec un seul individu. L'implication de l'apprenant est relativement faible, car il se contente d'observer et de poser de questions.

2.2.1. Principes

Le recours à la démonstration amène le formateur à présenter la mise en application d'un processus ou d'une opération. Cette démonstration est généralement assurée par le formateur ou par une personne qui maîtrise le savoir-faire en question.

2.2.2. Déroulement

L'action de formation, à l'aide de démonstrations, se déroule de la manière suivante :

1. _Présentation globale du savoir-faire_

Le formateur doit présenter de façon générale le processus ou l'opération que les apprenants doivent apprendre et son intégration dans le cadre de leur fonction régulière de travail.

2. _Mise en application du savoir-faire_

Le formateur décrit les modalités d'application et d'utilisation du processus ou de l'opération tout en montrant les gestes à poser pour leur mise en œuvre. À cette étape, l'apprenant observe et pose des questions. Il peut arriver qu'au cours d'une démonstration un ou plusieurs apprenant participent.

3. Rétroaction

Le formateur peut interrompre à tout moment sa démonstration pour demander aux apprenants de lui faire part de leurs réactions ; cela permet de vérifier la compréhension du contenu et l'acquisition des connaissances, et d'approfondir certains aspects.

2.2.3. Utilisation

La technique de démonstration est particulièrement adaptée pour l'acquisition de savoir-faire : fonctionnement d'une nouvelle machine, manipulation d'un outil ou d'un objet, suivi d'une nouvelle procédure, etc. Elle permet de donner une image claire des différentes étapes à suivre pour effectuer un travail ou réaliser une action.

2.2.4. Limites

L'apprentissage à l'aide de la démonstration est limité, par définition, à démontrer, à présenter quelque chose ; elle sous-entend en général qu'il y a une façon idéale de réaliser le travail. L'apprenant joue un rôle plutôt passif et, de ce fait, ne peut pas toujours partager son expérience ni ses connaissances personnelles.

2.3. La discussion

La discussion favorise l'utilisation des connaissances et des expériences des apprenants en leur donnant l'occasion d'en faire profiter les autres dans le cadre d'un échange structuré.

Au cours d'une discussion, le formateur agit à titre d'animateur et suscite de ce fait la participation. Il questionne les membres du groupe sur les différents aspects du sujet. Les techniques d'animation fondamentales telles que la reformulation, le reflet, la relance et le résumé sont alors particulièrement efficaces. Au cours d'une discussion, le formateur intervient peu sur le contenu ; il n'exprime habituellement pas son opinion et réserve son expertise, laissant le champ libre aux participants.

Le nombre optimal de participants suggéré est de 6 à 12 pour une discussion en grand groupe animée par le formateur. Il est de trois à cinq pour une discussion en sous-groupe sans animateur.

Poser les bonnes questions est très important pour favoriser la réflexion et l'apprentissage au sein d'un groupe; les bonnes questions viennent au bon moment et font réfléchir, provoquent les réactions, piquent la curiosité, stimulent la créativité et défient les conceptions établies. À ce propos, Caroselli (1999) décrit différents types de question pouvant être utilisés pour susciter la discussion au sein d'un groupe (voir tableau 7.2). Les six premiers, provenant de la taxonomie de Bloom, servent à vérifier l'acquisition des connaissances et favorisent le partage des expériences entre les participants; l'utilité des trois autres est précisée dans le tableau.

2.3.1. Principes

La discussion repose sur l'échange verbal ou électronique[2] d'informations sur un sujet précis ou un problème concret entre les participants. En les invitant à faire état de leurs expériences, de leurs opinions ou de leurs connaissances, le formateur peut réunir le savoir des participants dans un « espace public » et favoriser ainsi sa transmission.

2.3.2. Déroulement

Une discussion s'établit habituellement selon les étapes suivantes (pour chacune d'entre elles, les discussions en grand groupe seront distinguées des discussions en sous-groupes) :

1.   Annonce de la discussion et clarification des objectifs

Discussion en grand groupe : le formateur annonce le sujet et les objectifs de la discussion.

---

2. De plus en plus, on observe l'utilisation de systèmes électroniques pour organiser des discussions. Que ce soit par l'intermédiaire de l'Internet ou d'un réseau informatique interne, les discussions électroniques ont l'avantage d'être confidentielles, leur contenu ne pouvant être associé à une personne en particulier. Ce type de discussion est donc particulièrement efficace pour des remue-méninges (*brainstorming*) ou des groupes de discussion sur des sujets délicats.

Tableau 7.2
Types de question

Type de question	Exemples
Question de connaissance	– Qui est connu comme étant le père de la qualité totale ?
Question de compréhension	– Qu'est-ce que Deming voulait dire en affirmant : « on ne peut améliorer que ce que l'on mesure » ?
Question d'application	– De quelle façon l'écoute active peut-elle servir lors d'une entrevue d'évaluation du rendement ?
Question d'analyse	– Quelles conclusions peut-on tirer de cet exercice qui simule la synergie au sein d'une équipe ?
Question de synthèse	– Après avoir discuté de l'insistance de Jack Welch sur la rapidité, la simplicité et la confiance personnelle, pouvez-vous nommer trois facteurs comparables qui seraient prioritaires dans votre organisation ?
Question d'évaluation	– À votre avis, quel énoncé devrait nous inspirer davantage dans la formulation d'une mission : « la fin justifie les moyens » ou « le but compte moins que le chemin parcouru pour y parvenir » ?
Question énergisante (utile pour énergiser le groupe ou présenter le résultat d'études ou de sondages)	– Croyez-vous que les femmes ont un quotient émotionnel plus élevé que celui des hommes ? – Quel est, selon vous, le pourcentage d'employés qui disent aimer leur travail ?
Question de transition (utile pour introduire un nouveau module, pour débuter le cours en attendant les retardataires ou pour activer le processus d'apprentissage)	– Quel type de véhicule pourrait représenter la façon de gérer la qualité de votre organisation ? – Lorsque vous entendez le mot « leader », qui vous vient à l'esprit ? – Si la motivation était une couleur, quelle serait-elle et pourquoi ?
Question spéculative (utile pour donner une nouvelle perspective à un problème, pour analyser une situation sous un angle différent)	– Si l'argent n'était pas un problème, que feriez-vous pour améliorer le fonctionnement de votre équipe ? – Si le PDG de votre entreprise prenait votre place pour une journée, qu'est-ce qu'il apprendrait d'important sur vous et votre travail ? – Si vous étiez nommé PDG de l'entreprise, quels gestes poseriez-vous en priorité ?

« Nous venons de discuter des conditions nécessaires pour créer un environnement de travail sécuritaire. Toutefois, il est important de regarder comment elles peuvent être appliquées dans l'usine. Comment pensez-vous que nous pourrions les mettre en pratique... »

Discussion en sous-groupes : le formateur annonce la discussion, ses objectifs, sa durée et donne toute autre instruction qu'il juge importante. La composition des sous-groupes variera selon le but recherché :

- *Détermination arbitraire :* convient de façon générale, mais surtout lorsque chaque groupe discute du même thème.

- *Détermination par spécialité :* convient lorsque le groupe est hétérogène et qu'il est possible de regrouper facilement les participants selon la spécialité, le département, le type de poste ou l'affiliation professionnelle. Ce type de regroupement permet de relever des positions variées, mais peut néanmoins diviser l'ensemble du groupe en renforçant les barrières d'identité.

- *Détermination hétérogène :* convient pour un échange entre les différents champs de spécialité. Ce type de regroupement encourage l'expression de points de vue dans les sous-groupes ; il peut toutefois créer des tensions entre les participants si le thème de discussion concerne des points sensibles.

La discussion en sous-groupes exige un lieu relativement spacieux, comportant idéalement plusieurs pièces, de façon à éviter les « interférences » entre les groupes.

2. Détermination de la personne responsable de l'animation

Discussion en grand groupe : la responsabilité de l'animation incombe au formateur. Ce dernier doit stimuler la participation et mener la discussion afin que les différents points de vue s'expriment.

Discussion en sous-groupes : dès qu'il y a au moins trois participants, il est utile de désigner un rapporteur, et pour un sous-groupe de plus de cinq participants, un animateur doit être nommé. L'objectif est de contribuer à ce que la discussion se déroule dans l'ordre et dans le respect des opinions émises ainsi que de s'assurer que l'information recueillie pourra être convenablement rapportée lors de la session plénière.

3. *Synthèse de la discussion et présentation*
   des points importants

Discussion en grand groupe : le formateur, en tant que responsable de l'animation, doit faire la synthèse du sujet discuté et relever les éléments à retenir.

Discussion en sous-groupes : une session plénière doit être organisée et animée par le formateur ; il donne d'abord la parole aux rapporteurs pour qu'ils relatent la teneur et les conclusions des discussions de leur groupe respectif. Par la suite, le formateur fait la synthèse des interventions tout en les reliant à l'objectif de la discussion.

2.3.3. Utilisation

La discussion est simple à utiliser. Le formateur peut y recourir pour changer le rythme de la formation ou pour approfondir un sujet donné. La discussion convient particulièrement aux groupes hétérogènes qui peuvent ainsi pour exposer leurs expériences et points de vue. Dans certaines situations d'apprentissage qui suscitent des résistances, peut contribuer à les réduire en permettant aux participants d'exprimer leurs réactions, leurs craintes et leurs opinions.

2.3.4. Limites

L'utilisation de la discussion comme technique d'enseignement requiert de la part du formateur des habiletés d'animation et de facilitation. Le formateur qui ne possède pas ces habiletés, ou qui ne tient pas compte de l'importance pour l'apprenant de s'exprimer en situation d'apprentissage, sera incapable de jeter les bases d'un véritable échange avec les participants.

2.4. L'entraînement à la tâche

Les entreprises dépensent des sommes très importantes dans la formation, mais, par contre, elles allouent très peu de ressources à la documentation des compétences que les employés doivent maîtriser pour bien accomplir leur travail. En fait, la plupart des organisations vont facilement débourser de 1 à 3 % de leur masse salariale en temps d'entraînement, mais comme elles ne prennent pas la peine de documenter ni de structurer ces activités, il leur est difficile d'évaluer les coûts énormes reliés au roulement de personnel. L'absence de structure en ce qui concerne l'entraînement à la tâche oblige en outre nombre d'employés affectés à un poste à apprendre plus ou moins par eux-mêmes ce que l'on attend d'eux et ce qu'ils doivent faire. On gagnerait donc à organiser la traditionnelle « formation sur le tas ».

La *Loi sur le développement de la formation de la main-d'œuvre* du Québec définit l'entraînement à la tâche comme un ensemble d'activités visant l'acquisition, en cours de production, de connaissances, d'habiletés et d'attitudes reliées à l'exécution de nouvelles tâches dans le cadre d'un emploi donné. Il s'agit ici de situations où de nouvelles tâches sont assignées à un employé et dont l'accomplissement nécessite des apprentissages précis et de courte durée.

2.4.1. Principes

L'entraînement à la tâche met l'accent sur l'apprentissage en cours de production ; il fait successivement appel à l'exposé, à la démonstration et à l'expérimentation. Il s'agit normalement d'une formation individuelle ou à deux employés assuré et généralement par un employé expérimenté dans les tâches à accomplir et capable de transmettre ses connaissances et ses habiletés. Par conséquent, il ne s'agit pas d'activités d'autoformation dans lesquelles l'apprenant est laissé seul à lui-même.

2.4.2. Déroulement

À partir d'un plan de formation détaillé, le formateur couvre les différents aspects du travail à montrer à l'apprenant.

1. *Préparation de l'espace de travail*

Il faut s'assurer au départ que l'espace de travail est propice à la formation. Les équipements et les outils, normalement spécifiés dans le plan, doivent être disponibles et utilisables. La préparation devrait également voir à éliminer les facteurs pouvant distraire le formateur et l'apprenant, tels que le téléphone et les requêtes provenant d'autres travailleurs.

2. Présentation ou démonstration

Après avoir mis l'apprenant à l'aise, le formateur fait une présentation générale des tâches du poste. Il fait ensuite l'exposé ou la démonstration du processus ou de l'opération à mettre en application. Pour chacune des tâches, il est aussi important que le formateur explique comment elle s'inscrit dans le processus global de production. L'apprenant, quant à lui, observe pour comprendre les tâches qu'il aura à accomplir.

3. Reproduction ou mise en pratique

L'apprenant reproduit les gestes ou l'application qui lui ont été montrés et prend conscience de l'opération en situation réelle de travail. Le formateur observe et s'assure que l'apprenant intègre bien la formation et qu'il utilise les bonnes méthodes de travail. Il donne un feed-back continu pour corriger, s'il y a lieu, les actions de l'apprenant et répond à ses questions.

4. Transfert des apprentissages

Pour mieux intégrer les apprentissages, il est utile de faire répéter plusieurs fois l'activité pratique à l'apprenant. Lorsqu'il adopte les bonnes façons de faire, le formateur peut se retirer progressivement, tout en demeurant à sa disposition pour répondre aux questions qui peuvent ensuite lui venir à l'esprit.

L'entraînement à la tâche est assumé par un employé qui n'a pas nécessairement de formation dans les méthodes de transmission des connaissances. Nous avons vu au chapitre 5 qu'il n'est pas donné à tout le monde d'être un bon formateur ; il en va de même pour un entraîneur. Le tableau 7.3 donne certaines lignes directrices à respecter ainsi que quelques conseils pratiques.

2.4.3. Utilisation

L'entraînement à la tâche est une technique de formation très utilisée dans l'entreprise, plus particulièrement dans les petites et moyennes entreprises. Pensons au nouvel employé qui doit être formé pour exécuter correctement son travail, à celui à qui l'on attribue de nouvelles tâches à la suite d'un changement de poste ou d'un nouvel emploi, ou à l'employé dont les tâches sont modifiées en raison des progrès technologiques ou de l'introduction d'un nouveau processus de production.

Tableau 7.3
Guide de l'entraîneur

Bien que l'apprentissage d'une personne dépende en bonne partie de ses aptitudes et de sa motivation, l'application de certains principes d'apprentissage permet d'accélérer le processus d'intégration de la formation. Ces principes sont les suivants :

- Participation – permettre à l'employé de jouer un rôle actif dans la formation.
- Répétition – répéter les points importants de différentes façons pour imprimer un modèle des habiletés et des connaissances dans la mémoire de l'employé.
- Pertinence – lier l'apprentissage aux tâches du poste, aux relations avec les autres postes et aux objectifs de l'organisation.
- Transfert – maintenir un lien entre la formation et les futures tâches et fonctions que l'employé devra accomplir.
- Rétroaction – donner régulièrement du feed-back à l'employé pour lui permettre d'évaluer sa progression.
- Gestion du temps – répartir le temps de formation en périodes d'apprentissage, de mise en pratique et de repos.
- Renforcement – stimuler la mise en pratique des apprentissages.

Stratégies pour l'entraîneur

Tout en respectant ces principes, l'entraîneur peut recourir aux stratégies suivantes pour maximiser l'efficacité de la formation.

1. Élaborer des objectifs axés sur l'application. Ces objectifs, qui permettent de définir les comportements attendus de l'employé dans l'exercice de ses fonctions, sont axés sur les compétences et incitent l'employé à penser au-delà de la formation.
2. Tenir l'employé au courant de ses progrès. L'entraîneur doit bien décrire les comportements attendus de l'employé. Par la suite, il doit suivre et commenter les progrès accomplis, en prenant soin de lui indiquer ce qu'il doit faire pour s'améliorer et pour appliquer les acquis une fois en poste.
3. Remettre le plan de formation et tout autre aide-mémoire pertinent à l'employé. Ces aides sont de précieux outils pour encourager l'employé à appliquer les nouveaux acquis et à ne pas faire d'oublis.
4. Éviter les interruptions. L'entraîneur doit avoir comme règle stricte de ne tolérer aucune interruption pendant la période de formation. Les collègues de travail doivent donc être mis à contribution pour éviter tout dérangement.
5. Réassigner le travail des employés en entraînement. Souvent, les employés (entraîneur et employés en formation) s'inquiètent du surcroît de travail qui les attend à la fin de la formation ; cette préoccupation légitime peut réduire considérablement l'efficacité de la formation.
6. Reconnaître les acquis de l'employé. Au terme du programme de formation, une attestation de réussite devrait être remise à l'employé. Par ailleurs, l'utilisation de ses nouvelles habiletés doit être soulignée et encouragée pour l'inciter à se dépasser et à acquérir une culture d'apprentissage continu.

L'entraînement à la tâche est peu coûteux et sa planification est relativement simple ; le jumelage d'un apprenant et d'un employé d'expérience simplifie la logistique liée à l'organisation d'une activité de formation. Le suivi qu'il permet assure également une bonne intégration et un transfert des apprentissages.

2.4.4. Limites

L'entraînement à la tâche est trop souvent réalisé sans aucune planification et sans qu'aucun support ne soit donné par le formateur. On tient trop souvent pour acquis qu'un employé expérimenté dans le travail en question saura former l'apprenant, ce qui n'est pas nécessairement le cas. De plus, le choix de la ressource interne revêt d'autant plus d'importance que l'apprenant reproduira la performance de cette personne. Il faut donc porter une attention particulière à la nature et à la qualité des méthodes de travail ainsi qu'aux aptitudes du formateur sélectionné ; ce dernier doit également être motivé à s'impliquer dans l'activité de formation.

L'entraînement à la tâche constitue un moyen efficace pour transmettre des compétences déjà présentes dans l'entreprise ; et si tel n'est pas le cas, il faut faire appel à une expertise externe. À ce moment-là, il est généralement préférable de réunir plusieurs personnes pour suivre la formation, qui, alors, n'est plus de l'entraînement à la tâche puisqu'elle ne se déroule pas en cours de production.

2.5. *L'étude de cas*

L'étude de cas vise à permettre aux participants d'analyser une problématique, de s'interroger sur ses causes probables et de proposer des solutions ; elle consiste à présenter une situation fictive comportant assez de détails pour que l'apprenant puisse bien la comprendre et en faire l'analyse[3]. Le cas doit être en lien avec les préoccupations des participants pour être vraisemblable

---

3. Il est important de noter que les quelques cas exposés dans cet ouvrage le sont à titre d'illustrations, car ils ne permettent pas de réaliser une démarche de résolution de problèmes. Pour être adéquat, un cas doit se terminer par une situation problématique de façon à ce que l'apprenant puisse se poser des questions comme celles-ci : « Quelles actions devraient être prises vis-à-vis une telle situation ? » « Que ferais-je à la place d'un tel ? », etc.

et pour favoriser l'intégration des apprentissages ; il doit cependant conserver son caractère fictif, c'est-à-dire qu'il ne doit pas reprendre exactement une situation qui s'est réellement produite pour éviter d'éventuelles réactions défensives. Normalement, le cas sera exposé dans un texte écrit ou à l'aide d'une présentation audiovisuelle.

2.5.1. Principes

L'étude de cas est généralement utilisée à la suite de la présentation, par le formateur, des notions théoriques, ce qui permet de les appliquer à une situation concrète en suivant une démarche structurée : analyser une problématique concrète, identifier les aspects importants à considérer, rechercher des pistes de solutions et déterminer les actions à entreprendre. Cela favorise l'intégration des notions abordées et incite l'apprenant à suivre une telle démarche de résolution de problème lorsqu'il rencontrera une situation semblable dans le cadre de son travail.

2.5.2. Déroulement

La réalisation d'une étude de cas devrait suivre trois étapes :

1. Analyse de la situation

Lors de cette première étape, le cas est soumis (document écrit ou vidéocassette) aux participants qui peuvent ensuite procéder à l'analyse de la situation à partir des informations fournies. Pour ce faire, ils doivent par ailleurs identifier la problématique principale et, si nécessaire, les problèmes secondaires, ainsi que les éléments importants à considérer.

2. Recherche d'une solution

À partir de l'analyse de la situation, les participants effectuent une recherche de solutions en lien avec les notions théoriques exposées par le formateur. Il est important de souligner qu'il y a généralement plusieurs solutions à la problématique étudiée. L'accent doit donc être mis, non pas sur la meilleure solution, mais plutôt sur l'explication ou la justification d'une solution donnée par rapport à une autre. Les participants doivent alors expliquer le cheminement logique qui leur a permis d'arriver à leurs conclusions et de penser aux actions qu'ils proposent.

3. *Présentation des conclusions en assemblée plénière*

Une fois que les participants ont terminé leur étude, une présentation du plan d'action proposé peut être faite au formateur ou en assemblée plénière lorsqu'il y a plusieurs sous-groupes. Le formateur écoute chacune des solutions proposées et les relie ensuite aux notions théoriques évoquées au début de l'activité. Il peut également mener une discussion sur les meilleures solutions.

2.5.3. Utilisation

Cette technique d'enseignement est particulièrement intéressante lorsqu'on veut atteindre des objectifs d'ordre cognitif et affectif ; elle permet en outre une première application de nouveaux apprentissages. L'apprenant intègre ainsi des concepts en les confrontant à une réalité concrète. Elle responsabilise également l'apprenant en l'obligeant à s'impliquer dans la résolution d'un problème particulier. L'étude de cas peut donc être utile lorsqu'on veut fournir aux participants une expérience de prise en charge d'un processus décisionnel.

2.5.4. Limites

La conception d'une étude de cas peut être longue et compliquée. Bien que le cas puisse s'inspirer de situations réelles, il demeure fictif et simplificateur de la réalité. De plus, l'impossibilité de présenter l'ensemble des facteurs pouvant affecter la situation analysée peut rendre le cas irréaliste. Les subtilités reliées notamment aux comportements humains et qui teintent les expériences réelles sont plus difficilement relevées dans une étude de cas.

La technique d'étude de cas peut également devenir frustrante pour l'apprenant : même s'il trouve une solution à une problématique, il ne peut concrètement la mettre en œuvre ; les participants ne peuvent lui faire passer le test de la réalité et se retrouvent dans l'impossibilité d'en évaluer les résultats et l'efficacité. Le formateur doit donc faire appel à son expérience pour commenter les solutions proposées et relever les risques que peuvent comporter certaines d'entre elles.

2.6.   L'activité structurée

L'activité structurée favorise l'atteinte d'objectifs d'ordre comportemental et affectif. Les activités structurées peuvent prendre plusieurs formes : problèmes à résoudre, questionnaires à remplir, mini-cas, mises en situation, etc.[4].

2.6.1. Principes

En plaçant l'apprenant dans une situation apparemment sans lien avec la vie réelle, l'activité structurée suscite une prise de conscience pouvant ensuite être généralisée et transférée à sa réalité professionnelle. Elle constitue donc une méthode active permettant à l'apprenant d'identifier et d'assimiler de nouvelles compétences à partir d'une expérience provoquée. Il doit par conséquent prendre part sérieusement à l'activité. Le formateur, quant à lui, doit accompagner les participants et établir des liens entre les résultats de l'activité et les notions ou les théories abordées lors de la diffusion formelle du contenu de la formation.

2.6.2. Déroulement

Le déroulement d'une activité structurée passe par l'implication de l'apprenant et par l'accompagnement du formateur dans la démarche d'apprentissage.

*1.   Présentation de l'activité structurée
    et des directives à suivre*

Le formateur doit donner un bref aperçu du déroulement de l'activité dans son ensemble et annoncer les objectifs poursuivis. Lorsque l'activité structurée est utilisée dans le cadre d'une action heuristique, il est préférable que le formateur ne donne pas trop de détails sur la finalité de l'exercice, de façon à ne pas anticiper sur la démarche de découverte et de prise de conscience des apprenants. Il est toutefois essentiel de bien clarifier les directives à suivre dans le cadre de l'activité.

---

4. Plusieurs ouvrages y sont exclusivement consacrés, notamment ceux de Pfeiffer et Jones (1982), Silberman (1994), Pfeiffer (1991a), Caroselli (1992).

2. Observation des apprenants dans leur démarche d'apprentissage

Pour que le formateur puisse établir des liens subséquents, il doit être très attentif au déroulement de l'activité et relever tout événement pouvant faire objet de discussion lors d'une session plénière. Il peut accompagner le groupe dans sa démarche d'apprentissage tout en veillant au bon déroulement de l'activité; il est toutefois primordial qu'il laisse les participants agir plutôt que de chercher à compléter l'activité à leur place.

3. Retour sur l'activité

Au terme de l'activité, le formateur anime une discussion en session plénière et invite les participants à partager leur expérience. Il peut alors signaler les événements importants qu'il a relevés lors de l'activité et stimuler un échange sur des aspects particuliers. Enfin, le formateur doit chercher à établir des liens avec la réalité professionnelle des participants afin de faciliter l'intégration des apprentissages.

2.6.3. Utilisation

L'activité structurée permet l'implication des apprenants. Elle s'avère utile comme activité heuristique pour susciter un questionnement ou une réflexion sur un sujet en particulier tout en provoquant un changement de rythme dans la formation; elle est souvent considérée comme un jeu. Comme elle n'est pas perçue comme menaçante par les participants, cela permet de faire ressortir leur comportement naturel.

2.6.4. Limites

La principale limite des activités structurées réside dans la conceptualisation des événements qui ont eu lieu et dans leur mise en relation avec la matière de la formation. Les participants, prenant cette activité comme une sorte de divertissement, éprouvent souvent de la difficulté ou des réticences à tracer des parallèles avec la réalité. Le formateur doit donc observer le déroulement de l'activité structurée pour être en mesure d'établir des liens entre ce qui s'est passé et la théorie étudiée.

2.7. Le jeu de rôle

Le jeu de rôle consiste à reproduire une situation ou un processus réel afin de prendre conscience de sa pratique et de ses effets. Comme il s'agit d'une simulation, les apprenants ne s'exposent pas aux risques que la situation réelle peut comporter. Le jeu de rôle permet à l'apprenant de prendre conscience de l'effet de différentes attitudes dans diverses situations[5].

2.7.1. Principes

Dans le cadre d'un jeu de rôle, l'apprenant adopte un comportement particulier, un rôle, de façon à observer et éventuellement à comprendre, d'une part, comment on peut se sentir dans cette situation et, d'autre part, quelles sont les réactions que ce comportement suscite chez les autres. On peut demander, par exemple, à un subordonné de prendre le rôle d'un supérieur immédiat dans le cadre d'un entretien d'appréciation du rendement. Cette technique permet également de reproduire en situation de laboratoire un rôle pouvant être difficile à jouer dans la réalité.

2.7.2. Déroulement

Le jeu de rôle offre des possibilités multiples. Cormier (1992) suggère notamment les suivantes :

- Les participants reçoivent une description de la situation à étudier et doivent composer le reste du rôle qui leur est assigné.

- Les participants reçoivent des instructions détaillées concernant la situation et le caractère des personnages et jouent le rôle qui leur est assigné.

- Les participants jouent leur propre rôle en reproduisant une situation qu'ils ont déjà rencontrée.

---

5. Nous pourrions inclure les simulations dans la catégorie des jeux de rôle, même si elles sont généralement beaucoup plus structurées et exigent le respect de consignes précises pendant l'exercice. Il s'agit de reproduire le fonctionnement d'une entreprise, d'un groupe de travail ou de tout autre processus de travail qui nécessite d'être étudié. Par exemple, une simulation peut consister en la reproduction d'une petite entreprise de production d'avions de papier dans laquelle un groupe est subdivisé en départements de production (découpage, pliage, coloriage, vérification de la qualité, etc.).

- Les participants illustrent dans un scénario qu'ils ont préparé une situation qu'ils désirent étudier.

Le contexte d'utilisation de cette technique d'enseignement peut être varié. Par exemple, le formateur peut demander aux participants :

- d'improviser un jeu de rôle à partir d'un exemple apporté par un participant ;

- de renverser les rôles qu'ils occupent normalement dans le cadre de leurs fonctions ;

- de faire jouer successivement un rôle par différents acteurs sans qu'ils ne voient les scénarios joués avant eux ;

- d'essayer de jouer un rôle d'une façon tout à fait différente de celle qu'ils adopteraient naturellement ;

- de rejouer un rôle après avoir fait l'analyse d'un jeu précédent.

Quelques règles importantes doivent être respectées lors de l'utilisation du jeu de rôle comme technique d'enseignement :

- Le formateur ne devrait pas intervenir au cours de l'activité ; il importe que les participants se sentent à l'aise et demeurent spontanés.

- À la suite d'un jeu de rôle, le formateur doit laisser, en premier, la parole aux acteurs. Il peut leur demander leurs réactions sur leur rôle respectif, les difficultés qu'ils ont éprouvées et leur perception par rapport à la généralisation possible en milieu de travail.

- Les participants qui ont observé le jeu de rôle peuvent par la suite faire part de leurs réactions et leurs commentaires. On peut leur fournir une grille d'observation ; de cette manière, ils pourront concentrer leur attention sur les aspects importants de la simulation.

- Le formateur doit remercier les participants qui ont joué un rôle et doit s'assurer que le feed-back des autres participants est constructif et non pas exprimé de façon critique ou offensante.

- Il peut ensuite résumer les recommandations en relevant les points positifs, les points sensibles ou ceux à améliorer afin que les participants puissent continuer de progresser.

- Il est suggéré qu'au terme de l'activité le formateur fasse un exposé interactif en rapportant les notions théoriques relatives au jeu de rôle.

2.7.3. Utilisation

Le jeu de rôle peut, selon le format choisi, être plus ou moins complexe. Cette technique d'enseignement est intéressante puisqu'elle fait appel à la participation des apprenants. Elle peut avoir deux objectifs : permettre la mise en application des notions abordées ou donner l'occasion aux participants d'observer, en direct, une situation particulière.

Le jeu de rôle convient surtout à l'acquisition de savoir-être (attitudes et prédispositions) et de savoir-faire non technique, comme par exemple des habiletés de communication interpersonnelle ou de négociation.

2.7.4. Limites

Comme le jeu de rôle repose intégralement sur l'implication des apprenants, des problèmes peuvent donc survenir avec certains types de participants. Ainsi, des personnes privilégiant les actions cérébrales, cognitives ou techniques peuvent avoir des réticences à adopter un rôle et à le jouer. Le jeu de rôle peut également exiger un certain temps et occuper une place démesurée au cours de la formation. Enfin, pour qu'il puisse remplir son objectif, le jeu de rôle doit demeurer réaliste ; il faut éviter que les rôles deviennent caricaturaux, ce qui enlèverait à l'activité toute sa pertinence.

2.8. La gestion d'un projet

L'utilisation du projet comme technique d'enseignement permet aux apprenants d'utiliser leurs apprentissages dans un projet concret. Il est donc important que le projet soit lancé à la suite de la présentation des concepts et des notions à intégrer. En ce sens, le projet peut se dérouler tout au long de la formation ou bien une fois la formation complétée, comme activité de transfert des acquis. Dans ce deuxième cas, des sessions de suivi devront être organisées pour assurer un retour sur les apprentissages.

2.8.1. Principes

Cette technique d'enseignement repose sur l'élaboration et la réalisation d'une activité ou d'un projet en lien avec le domaine de formation. En permettant un travail sur des tâches concrètes, la gestion de projet donne l'occasion aux apprenants d'appliquer les notions et les techniques abordées au cours de la formation.

2.8.2. Déroulement

La gestion d'un projet doit normalement suivre les étapes suivantes :

1. Détermination du choix d'un projet

Le participant ou les membres des sous-groupes doivent choisir un projet pertinent et en lien avec la formation. Selon le cas, le formateur peut également assigner aux membres un projet bien précis.

2. Élaboration d'un plan d'action

Il s'agit pour les participants d'élaborer un plan d'action qui leur servira de cadre de référence tout au long du projet. Cela constitue une étape importante pour les participants puisqu'ils formaliseront alors leur démarche et préciseront les résultats auxquels ils devront parvenir.

Le formateur guide les participants dans cette démarche en se gardant de faire les choses à leur place. Il peut fournir aux participants de l'information et mettre à leur disposition des manuels, des revues spécialisées ou encore présenter divers modèles ou théories leur permettant de progresser, de faire des démonstrations, etc.

3. Réalisation du projet

Cette étape consiste à mettre en œuvre le projet et à gérer chacune des étapes du plan d'action.

2.8.3. Utilisation

La technique du projet est particulièrement utile lorsque les participants sont engagés dans une action de formation visant l'acquisition d'un savoir-faire. Elle permet une prise en charge complète de l'apprenant et favorise grandement l'intégration des apprentissages et leur mise en pratique dans un contexte concret. La gestion de projet est particulièrement appropriée pour des participants qui bénéficient d'un certain degré d'autonomie dans le cadre de leur travail.

2.8.4. Limites

La réalisation d'un projet en cours de formation, ou la préparation d'une activité qui se déroulera après la formation, nécessite beaucoup de temps et couvre toute la durée de la formation. Le formateur doit par conséquent prévoir suffisamment de temps en cours de formation pour diffuser son contenu théorique et s'assurer que les participants disposeront du temps voulu pour préparer leur activité ou terminer leur projet.

Nous venons de couvrir huit techniques d'enseignement importantes et couramment utilisées en formation en entreprise. Le tableau 7.4 présente pour chacune d'elles :

- la méthode d'enseignement relative ;
- son contexte d'utilisation (formation individuelle ou de groupe) ;
- le ou les types de savoir qu'elle permet d'acquérir.

3. Les critères de sélection des techniques d'enseignement

Nous avons vu dans cet ouvrage que plusieurs dimensions doivent être considérées lors de la sélection d'une technique d'enseignement. On pense notamment aux caractéristiques des apprenants, au contexte de la formation, aux contraintes existantes, aux habiletés du formateur, au contenu de la formation, etc. Nous avons également vu que, étant donné les divers styles d'apprentissage des apprenants, il est important de faire appel à une variété de techniques. Werner et Simon (1997) ont d'ailleurs observé la grande efficacité de la technique de modelage des comportements, qui fait appel conjointement à un exposé interactif soutenu de diapositives, à une documentation écrite, à une démonstration pratique ainsi qu'à des exercices pratiques. Ils ont pu mesurer que cette technique variée peut être trois fois plus efficace que l'exposé interactif utilisé seul pour l'acquisition de connaissances pratiques et jusqu'à cinq fois plus pour assurer un transfert des apprentissages.

Tableau 7.4
Tableau des principales techniques d'enseignement

Technique d'enseignement	Méthode d'enseignement	Formation		Type de savoir		
		indivi- duelle	de groupe	savoir	savoir- faire	savoir être
Exposé	Expositive	✓	✓	++		
Démonstration	Démonstrative	✓	✓	++	++	
Discussion	Interrogative		✓	++		+
Entraînement à la tâche	Démonstrative	✓		+	++	
Étude de cas	Active et interrogative	✓	✓	+	+	+
Activité structurée	Active		✓		+	+
Jeu de rôle	Active		✓		+	++
Gestion de projet	Active	✓	✓		++	+

Légende
✓ : la technique peut être utilisée dans ce contexte.
+ : la technique est relativement adaptée pour l'acquisition de ce type de savoir.
++ : la technique est parfaitement adaptée pour l'acquisition de ce type de savoir.

En considération de l'ensemble des facteurs déjà abordés, quatre critères devraient être utilisés par le responsable de la formation lors du choix d'une technique d'enseignement : la cohérence, la spécificité, le contexte et les contraintes existantes.

3.1. La cohérence

La technique choisie doit être cohérente avec les objectifs de formation. Ainsi, un formateur aura beaucoup moins de succès s'il utilise l'exposé pour favoriser l'acquisition de savoir-faire que s'il fait appel à la démonstration ou à l'entraînement à la tâche. Les techniques d'enseignement doivent être subordonnées aux objectifs de formation et non l'inverse. À ce propos, le tableau 7.4 indique le type de savoir favorisé par chaque technique. Il va sans dire que le choix d'une technique doit être cohérent à la fois avec les autres techniques utilisées et avec le format de diffusion de la formation.

3.2. La spécificité

Lorsque le formateur sélectionne une technique d'enseignement, il doit clarifier les objectifs qu'il cherche à atteindre. La précision de ces objectifs facilitera le choix de la technique et augmentera du même coup son efficacité. Par exemple, dans le cadre d'une formation sur la synergie du travail en équipe, le formateur doit pouvoir reconnaître l'action spécifique de chaque technique : une activité structurée peut d'abord aider à faire ressortir la notion de synergie dans le travail d'équipe ; un exposé peut ensuite permettre l'expression des étapes de développement d'un groupe pour qu'il se structure en équipe ; enfin, une étude de cas peut servir à relever les conditions d'efficacité d'une équipe.

3.3. Le contexte de la formation

Le choix des techniques d'enseignement doit tenir compte du contexte dans lequel la formation a été organisée ainsi que de l'environnement dans lequel les nouveaux apprentissages devront être utilisés. Par exemple, le recours à un projet ou à un jeu de rôle pour former un nouvel employé à l'utilisation d'une machine-outil à commande numérique ne convient pas du tout, contrairement à l'entraînement à la tâche qui s'avérerait par contre tout à fait approprié. Le formateur doit en somme réfléchir à la manière d'appliquer les nouvelles compétences de l'apprenant dans son contexte de travail.

3.4. Les contraintes existantes

Outre ces trois critères, tout formateur doit prendre en considération l'ensemble des contraintes qui peuvent exister, dont l'une des plus importantes est, sans contredit, le temps. Selon le temps alloué et disponible, il peut être nécessaire d'utiliser les méthodes affirmatives au lieu des méthodes applicatives qui favorisent une meilleure intégration des apprentissages mais qui ont tendance à demander beaucoup plus de temps.

D'autres contraintes sont également à prendre en considération, comme le budget alloué à la formation, la disponibilité des ressources internes ou externes, le moment (jour, soir, nuit) et la séquence de la formation (une session de huit heures, quatre sessions de deux heures) ainsi que le nombre et la prédisposition des apprenants. Toutes ces contraintes influent sur le choix d'une méthode ou d'une technique plutôt qu'une autre.

L'objectif ultime est de maximiser l'efficacité de la formation tout en assurant le juste à temps des compétences nécessaires. Un équilibre doit donc être trouvé entre la qualité et la rapidité de diffusion, ainsi que l'ampleur du programme et son coût. Cet équilibre est directement relié au rôle stratégique de la formation pour l'organisation ainsi qu'à son niveau de capital compétence existant.

BIBLIOGRAPHIE

ALLIGER, G.M. et collab. (1997). « A Meta-Analysis of the Relations among Training Criteria », *Personnel Psychology*, vol. 50, p. 341-358.

ARCHAMBAULT, Guy (1997). « La formation de suivi et le transfert des apprentissages », *Gestion*, vol. 22, n° 3, p. 120-125.

ARGYRIS, Chris (1977). « Double-Loop Learning in Organizations », *Harvard Business Review*, p. 115-125.

ATHEY, Timothy R. & Michael S. ORTH (1999). « Emerging Competency Methods for the Future », *Human Resource Management*, volume 38, n° 3, p. 215-226

BASSI, Laurie J. (1997). « Harnessing the Power of Intellectual Capital », *Training and Development*, vol. 51, n° 12, December 1997, p. 25-30.

BÉLANGER, Laurent et collab. (1988). *Gestion stratégique des ressources humaines*, Boucherville, Gaëtan Morin Éditeur.

BENABOU, Charles (1997). « L'évaluation de l'effet de la formation sur la performance de l'entreprise : l'approche coûts-bénéfices », *Gestion*, vol. 22, n° 3, p. 101-107.

BOMMENSATH, Maurice (1987). *Manager l'intelligence de votre entreprise*, Paris, Les Éditions d'Organisation.

BOURGEOIS, Étienne (1991). « L'analyse des besoins de formation dans les organisations : un modèle théorique et méthodologique. *Mesure et évaluation en éducation*, vol. 14, n° 1, p. 17-57.

BOUTEILLER, Dominique (1997). « Le syndrome du crocodile et le défi de l'apprentissage continu », *Gestion*, vol. 22, n° 3, p. 14-25.

CADIN, Loïc et Jean-François AMADIEU (1997). « Les organisations qualifiantes : idéologies managériales et pratiques d'entreprise », *Gestion*, vol. 22, n° 3, p. 34-42.

CAROSELLI, Marlene (1999). « Leading Training through Questions », *The 1999 Annual : Volume 1, Training*, San Francisco, Jossey-Bass/ Pfeiffer, p. 179-189.

CAROSELLI, Marlene (1992). *Quality-Driven Designs : 36 Activities to Reinforce TQM Concepts*, San Diego, Pfeiffer and Company

CEGOS (1987). *Développement des compétences et stratégies de l'entreprise*, Paris, Les Éditions d'Organisation.

CORMIER, Solange (1992). « Pratique et gestion de la session de formation : manuel de cours », inédit, Université du Québec à Montréal.

CORMIER, Solange (1995). *La communication de gestion*, Sainte-Foy, Presses de l'Université du Québec.

CÔTÉ, Line (1997). « Réingénierie de la formation : pour une approche renouvelée de l'analyse des besoins de formation en entreprise », *Gestion*, vol. 22, n° 3, p. 137-140.

COUREAU, Sophie (1993). *Les outils d'excellence du formateur : pédagogie et animation*, Paris, ESF Éditeur.

CRAIG, Robert L. (1987). *Training and Development Handbook*, New York, McGraw-Hill Book.

DARVOGNE, C. et D. NOYÉ (1993). *Organiser le travail pour qu'il soit formateur*, Paris, INSEP.

DION, Suzanne et collab. (1997). *La gestion de la formation : un circuit pour accroître les performances de votre entreprise*, Québec, Société québécoise de développement de la main-d'œuvre.

DONNAY, Jean et Evelyne CHARLIER (1990). *Comprendre des situations de formation : formation de formateurs à l'analyse*, Bruxelles, De Boeck Université.

EMPLOI-QUÉBEC (1998). *Guide général : Loi favorisant le développement de la formation de la main-d'œuvre*, Gouvernement du Québec, Ministère de l'Emploi et de la Solidarité.

EITINGTON, Julius E. (1991). *Faire participer l'apprenant : exercices et documents*, Paris, Les Éditions d'Organisation.

FORBESS-GREENE, Sue (1983). *The Encyclopedia of Icebreakers : Structured Activities that Warm Up, Motivate, Challenge, Acquaint and Energize*, San Diego, Applied Skills Press.

FOUCHER, Roland (1996). «Savoir faciliter l'autoformation en milieu de travail», *Info ressources humaines* (Association des professionnels en ressources humaines du Québec), août/septembre, p. 7-9.

FOUCHER, Roland (1997). «Quels changements à la formation en entreprise peuvent répondre aux nouvelles exigences de l'environnement?», *Gestion*, vol. 22, n° 3, p. 43-48.

GALAGAN, Patricia A. (1997). «Smart Companies», *Training and Development*, vol. 51, n° 12, December 1997, p. 21-24.

GALLIGANI, François (1978). *Préparation et suivi d'une action de formation*, Paris, Les Éditions d'Organisation.

GALLIGANI, François (1981). *Le déroulement d'une action de formation*, Paris, Les Éditions d'Organisation.

GARAVAGLIA, Paul L. (1999). «Making the Transfer Process Work», *The 1999 Annual: Volume 1, Training*, San Francisco, Jossey-Bass/Pfeiffer, p. 267-279.

GAUTHIER, Bénedicte et Jean-Louis MULLER (1988). *La qualité totale: guide pratique pour les agents de maîtrise et les techniciens*, Paris, Entreprise Moderne d'Édition.

GAUTHIER, Lucie et Norman POULIN (1983). *Savoir apprendre*, Sherbrooke: Éditions de l'Université de Sherbrooke.

GOLEMBIEWSKI, Robert T. (1992). «Interventions visant les individus» dans R. TESSIER et Y. TELLIER (sous la direction de), *Changement planifié et développement des organisations*. Sillery, Presses de l'Université du Québec, tome VII, p. 159-185.

GRENIER, Guylaine (1997). «La formation de formateurs: quand? comment? pourquoi?», *Gestion*, vol. 22, n° 3, p. 141-144.

GUITTET, Andrée (1994). *Développer les compétences: par une ingénierie de la formation*, Paris, ESF éditeur.

GUPTA, Kavita (1999). *A Practical Guide to Needs Assessment*, San Francisco, Jossey-Bass/Pfeiffer.

GUSDORF, Georges (1963). *Pourquoi des professeurs*, Paris, Petite bibliothèque Payot.

HACCOUN, Robert R., Chantale JEANNIE et Alan M. SAKS (1997). «Concepts et pratiques contemporaines en évaluation de la formation: Vers un modèle de diagnostic des impacts», *Gestion*, vol. 22, n° 3, p. 108-113.

HATCHER, Timothy G. (1997). «The Ins and Outs of Self-Directed Learning», *Training and Development*, vol. 51, n° 6, February 1997, p. 35-39.

HAUSER, Gilles et collab. (1985). *L'investissement formation*, Paris, Les Éditions d'Organisation.

JONES, Ken (1989). *Icebreakers : A Source Book of Games, Exercises and Simulations*, San Diego, Pfeiffer and Company.

KINLAW, Dennis (1996). *Le coaching*, Montréal, Actualisation.

KNOWLES, Malcolm (1990). *L'apprenant adulte : vers un nouvel art de la formation*, Paris, Les Éditions d'Organisation.

KOCHANSKI, Jim (1997). «Competency Based Management», *Training and Development*, volume 51, n° 10, p. 41-44.

KOLB, David A. (1981). *Répertoire des styles d'apprentissage*, Boston, TRG Hay/McBer.

KURB, Milan et Joseph PROKOPENKO (1987). *Diagnosing Management Training and Development Needs : Concepts and Techniques*, Genève, International Labour Office.

LAREAU, Steeve (1996). « La formation selon l'approche par compétences », *Info ressources humaines* (Association des professionnels en ressources humaines du Québec), octobre/novembre/décembre, p. 14-18.

LAROUCHE, Viateur (1997). « Tendances lourdes et nouveaux contenus en formation et développement des ressources humaines », *Gestion*, vol. 22, n° 3, p. 26-33.

LE BOTERF, Guy (1997). « Construire la compétence collective de l'entreprise », *Gestion*, vol. 22, n° 3, p. 82-85.

LECLERC, Jocelyn (1997). « Le soutien à la performance : quelques applications », *Info ressources humaines* (Association des professionnels en ressources humaines du Québec), juillet/août/septembre 1997, p. 18-21.

LÉVY-LEBOYER, Claude (1996). *La gestion des compétences*, Paris, Les Éditions d'Organisation.

MAYER, Robert et Francine OUELLET (1991). *Méthodologie de recherche pour les intervenants sociaux*, Boucherville, Gaëtan Morin Éditeur.

McLAGAN, Patricia A. (1997). « Competencies : The Next Generation », *Training and Development*, volume 51, n° 5, p. 40-47.

MIRABILE, Richard J. (1997). « Everything You Wanted to Know about Competency Modeling », *Training and Development*, volume 51, n° 7, p. 73-77.

MORNEAU, Claude et collab. (1992). *Résoudre les problèmes de qualité : un guide pratique*, Montréal, Editions Stratégie.

MUCCHIELLI, Roger (1988). *Les méthodes actives dans la pédagogie des adultes*, Paris, Éditions ESF – Entreprise moderne d'édition.

NOYÉ, Didier et Jacques PIVETEAU (1993). *Guide pratique du formateur : concevoir, animer et évaluer une formation*, Paris, INSEP Éditions.

PARENT, Richard (1998). *Formation de formateurs : guide d'étude*, Sainte-Foy, Télé-université.

PARRY, Scott B. (1999). « Managing Time in Class », *The 1999 Annual : Volume 1, Training*, San Francisco, Jossey-Bass/Pfeiffer, p. 233-238.

PFEIFFER, J. William, dir. (1991a). *The Encyclopedia of Team-Development Activities*, San Diego, University Associates.

PFEIFFER, J. William, dir. (1991b). *Theories and Models in Applied Behavioral Science*, 4 volumes, San Diego, Pfeiffer and Company.

PFEIFFER, J. William et John E. Jones, dir. (1982). *Répertoire de l'animateur de groupe*, 6 volumes, Montréal, Actualiisation.

PFEIFFER, J. William et Arlette C. BALLEW (1988). *University Associates Training Technologies*, 8 volumes, San Diego, University Associates.

PIKE, Bob et Dave ARCH (1997). *Dealing with Difficult Participants*, San Francisco, Jossey-Bass/Pfeiffer.

POULIOT, Sylvain (1997). *Éducation pour la santé : recueil de textes*, inédit, Université Laval, Université du Québec à Rimouski et Université du Québec à Trois-Rivières.

POWERS, Bob (1992). *Instructor Excellence : Mastering the Delivery of Training*, San Francisco, Jossey-Bass.

PREGENT, Richard (1990). *La préparation d'un cours*, Montréal, Éditions de l'École Polytechnique.

PRIVÉ, Catherine et Patrick RIVARD (1997). *La formation de formateur : manuel du participant*, inédit, FRP groupe-conseil inc.

REBOUL, Olivier (1980). *Qu'est-ce qu'apprendre ?*, Paris, Presses universitaires de France.

REINHART, Carlene (1997). « No More Sheep Dipping ». *Training and Development*, vol. 51, n° 3, March 1997, p. 47-51.

RÉHAYEM, Gérard-Philippe (1992). *La supervision des ressources humaines*, Boucherville, Gaëtan Morin Éditeur.

RICARD, Danièle (1992). « Le modelage du comportement », dans R. TESSIER et Y. TELLIER (sous la direction de), *Changement planifié et développement des organisations*, tome VII, Sillery, Presses de l'Université du Québec, p. 459-492.

RIVARD, Patrick (1998). *Formation de formateurs : manuel d'apprentissage*, LaSalle, FRP groupe-conseil inc. et Télé-université.

ROBINSON, Dana Gaines & James C. ROBINSON (1995). *Performance Consulting : Moving beyond Training*, San Francisco, Berrett-Koehler Publishers.

ROLLAND-BARKER, Marie et Claude MAJOR (1987). *Devenir un formateur, une formatrice efficace dans l'entreprise*, Québec, Les Publications du Québec, 1987.

ROMISZOWSKI, A.J. (1981). *Designing Instructional Systems : Decision Making in Course Planning and Curriculum Design*, Londres, Kogan Page.

ROSSETT, Allison (1997). « That Was a Great Class But ». *Training and Development*, vol. 51, n° 7, July 1997, p. 18-24.

ROTHWELL, William J. et H.C. KAZANAS (1994). *Improving On-the-Job Training*, San Francisco, Jossey-Bass.

SENGE, Peter M. (1990). The Leader's New Work : Building Learning Organizations, *Sloan Management Review*, vol. 32, n° 1, p. 7-23.

SCIENCES HUMAINES (1997). *La communication : État des savoirs,* hors série, n° 16.

SILBERMAN, Mel (1994). *101 Ways to Make Training Active*, San Diego, Pfeiffer and Company.

STONEALL, Linda (1991). *How to Write Training Materials*, San Diego, Pfeiffer & Company.

TOUPIN, Louis (1997). « Un transfert nommé désir », *Gestion*, vol. 22, n° 3, p. 114-119.

WARR, Peter, Allan CATRIONA et Kamal BIRDI (1999). « Predicting Three Levels of Training Outcome », *Journal of Occupational and Organizational Psychology*, vol. 72, p. 351-375.

WERNER, Jon M. et Steven J. SIMON (1997). « Les méthodes de formation : même attrait pour les participants mais des résultats fort différents pour les entreprises », *Gestion*, vol. 22, n° 3, p. 145-152.

WERTHER, William B. Jr., Keith DAVIS et Hélène LEE-GOSSELIN (1990). *La gestion des ressources humaines*, Montréal, McGraw-Hill.

AGMV Marquis

MEMBRE DE SCABRINI MEDIA

Québec, Canada
2002